CAHIERS
ANDRÉ GIDE

François Mauriac et André Gide à Aix-en-Provence, 1949.
Photo Mme F. Mauriac.

CAHIERS
ANDRÉ GIDE
2

Correspondance André Gide François Mauriac

1912-1950

ÉDITION ÉTABLIE,
PRÉSENTÉE ET ANNOTÉE
PAR JACQUELINE MORTON

Gallimard

De ce volume
deuxième des *Cahiers André Gide*
outre l'édition courante
il a été tiré 500 exemplaires
numérotés de 1 à 500
hors commerce et réservés aux membres de
l'Association des Amis d'André Gide
dont 100 exemplaires nominatifs
réservés aux membres fondateurs.

Correspondance.

Documents.

AVANT-PROPOS

L'année du Centenaire a permis à la jeune Association des Amis d'André Gide de jouer le rôle qu'elle s'était assigné et que nous avions brièvement défini en tête du premier Cahier André Gide. *En France et dans le monde entier, des manifestations de toutes sortes — expositions, colloques, débats publics, émissions de radio et de télévision, publications de livres, d'articles, de numéros spéciaux de revues... — qu'ont enregistrés, trimestre après trimestre, les* Bulletins d'informations *de l'A.A.A.G., ont montré que l'œuvre de Gide restait présente et vivante. A telles enseignes qu'il a paru possible, et souhaitable, d'élargir le programme initial des publications gidiennes et, par conséquent, de redéfinir dès maintenant la vocation des présents* Cahiers.

Le Bulletin d'informations *restant l'instrument de liaison trimestriel entre les « Amis d'André Gide » à qui il offre la chronique régulière de l'« actualité gidienne » (manifestations, publications, travaux en cours, informations diverses...), il est apparu qu'il y avait place pour deux séries de volumes annuels : l'une, accueillant l'édition de textes inédits de Gide, de correspondances intégrales, d'ouvrages critiques de dimensions importantes, — ce sont les* Cahiers André Gide, *dont voici le deuxième; l'autre, rassemblant des études à caractère plus rigoureusement universitaire et visant à être le centre proprement dit des recherches gidiennes, — c'est la* *série* André Gide *publiée aux éditions Minard dans le cadre de la* Revue des lettres modernes *. *Des rubriques ouvertes dans le* Cahier André Gide *de 1969 (bibliographie, carnet critique...) ne reparaîtront donc plus dans celui de 1970 ni dans les suivants, ayant plus naturellement leur place dans les livraisons de l'autre série* **.

Il est sans doute superflu de dire le plaisir que nous avons à accueillir dans les Cahiers *cette correspondance échangée durant près de quarante ans entre André Gide et François Mauriac, dans l'édition qu'en a établie avec ferveur et compétence Mrs. Jacqueline Morton. Nos lecteurs trouveront ici, outre les lettres elles-mêmes, éclairée par une annotation précise, l'histoire des relations entre ces deux hautes figures que Mrs. Morton retrace dans son introduction, et le* corpus *des textes essentiels — dont beaucoup, dispersés dans des revues, sont malaisément accessibles — qui jalonnent cette histoire.*

Née en 1934, Mrs. Morton fut, à la prestigieuse Columbia University de New York, l'un des étudiants que le professeur Justin O'Brien avait distingués pour réaliser un ensemble de monographies sur « André Gide et ses contemporains *** ». *Sa thèse de doctorat : « André Gide and François Mauriac : Counter-Currents of our Time », soutenue le 2 mai 1969, fut le dernier travail qu'ait pu revoir le maître avant sa mort en décembre 1968. Mais avant même qu'elle l'eût achevée, nous avions encouragé Mrs. Morton à préparer cette édition de la* Correspondance, *dont l'introduction et les commentaires ont donc profité de toutes ses recherches.*

Claude Martin.

* Vol. 1 paru en 1970.

** Mais demeurent, bien entendu, la périodicité annuelle des *Cahiers André Gide* et le fait qu'ils sont servis à tous les membres de l'Association à jour de cotisation. Voir à la fin du présent volume la composition du Comité d'honneur et du Conseil d'administration de l'Association, ainsi que la liste complète de ses membres au 25 février 1971.

*** Programme dans lequel deux autres thèses ont été menées à terme en 1969 : celles de MM. Frederick Harris (« André Gide-Romain Rolland : A Voyage in the Night ») et Arthur K. Peters (« Jean Cocteau and André Gide : Profile of an ambivalent Friendship »), dont la publication est prochaine chez un éditeur américain.

Introduction

A la mémoire du professeur Justin O'Brien,
Columbia University, New York.

« Vous demeurez pour moi, au sens le plus noble du mot, l'adversaire, celui qui aurait pu me vaincre, qui pourrait me vaincre. »

Mauriac à Gide, 5 février 1929.

« Si l'Église n'avait formé que des chrétiens comme vous, je serais depuis longtemps catholique. »

Gide à Mauriac, 1927.

S'il y a des œuvres maîtresses qui ne sont guère de nature à laisser deviner une entente véritable entre leurs auteurs, ce sont bien celles d'André Gide et de François Mauriac. Le lecteur serait en droit de se demander ce que ces deux hommes ont pu avoir en commun, tant leurs images diffèrent. Gide, c'est le protestant mué en immoraliste. Mauriac, un éminent porte-parole du catholicisme. Le premier se fait gloire de snober le monde littéraire — encore qu'il ait été, durant plus d'un quart de siècle, le représentant reconnu des lettres françaises — l'autre recherche ouvertement les honneurs du monde, ou, du moins, les accepte volontiers. L'avocat de la « disponibilité » tire autant de plaisir de sa quête de nouveaux décors, de ses expéditions dans l'inconnu, que l'enfant du Bordelais de ses retours constants aux paysages familiers de Malagar, où l'ont précédé des générations de Mauriac. Sur le plan littéraire, Gide a surtout la réputation d'avoir été un novateur, un expérimentateur, tandis que Mauriac ne s'écarte jamais de la tradition classique du roman. Malgré quelques incursions sur la scène sociale et politique, Gide est resté attaché à sa doctrine première de l'art pour l'art, Mauriac, lui, s'est peu à peu engagé dans les problèmes de son temps, délaissant dans une large mesure le domaine de la fiction pour celui du journalisme.

Pourtant, la fréquence avec laquelle le nom de Gide

revient sous la plume de Mauriac indique que, derrière ce qui les distingue l'un de l'autre, un lien a existé entre les deux écrivains, une sorte de terrain d'entente. C'est un fait que, dès ses premiers écrits jusqu'aujourd'hui, Mauriac a sans cesse parlé de Gide, que ce soit pour le commenter, l'attaquer, le défendre ou se référer à lui. Il n'est que de parcourir les romans de Mauriac, ses essais et ses articles pour s'en convaincre. De plus, les extraits du journal tenu par Claude Mauriac, publiés sous le titre : *Conversations avec André Gide*, montrent quelle atmosphère d'entente il y eut entre les deux hommes pendant le séjour de Gide à Malagar. Mais c'est dans leur correspondance intermittente qu'on a l'aperçu le plus exact de ce que furent leurs relations.

Composée d'au moins soixante-cinq lettres, échangées entre 1912 et 1951, année de la mort de Gide, cette correspondance reflète une amitié fondée sur le respect mutuel et une mutuelle affection qui ne se reflète pas toujours dans l'image qu'ils en ont livrée au public.

Lorsque le jeune Mauriac — il a vingt et un ans — vient s'établir à Paris, en 1906, il y apporte une profonde admiration pour Barrès et pour Gide : le culte du moi lui permet « de ne pas perdre cœur durant [l]es sombres années de [s]on adolescence à Bordeaux » et *Les Nourritures terrestres* lui « [découvrent] un monde à sa portée, sans autre loi que celle du désir [1] ».

En 1906, Gide a trente-sept ans. C'est l'un des chefs de file de la littérature. Une période très créatrice de sa carrière est déjà derrière lui et il va bientôt lancer *La Nouvelle Revue Française.* Mauriac se fait le porte-parole de sa génération lorsqu'il définit le rôle important que la revue devait jouer dans la vie littéraire du temps :

Je la lisais chaque mois jusqu'aux annonces. Littéralement, c'était mon évangile. Les jeunes écrivains d'aujourd'hui auront peine à s'imaginer [...] le prestige de ce petit groupe pur autour d'une revue en apparence modeste, et comme nous passionnait son scrupule devant l'œuvre d'art; cette révision des valeurs qui s'accomplissait là, cette rigoureuse mise en place de chacun de nous apparaissait sans appel [2].

Le jeune poète écrit dans *La Revue hebdomadaire* et *La Revue des Deux Mondes*, mais il aspire à *La Nouvelle Revue Française*, à l'approbation de Jacques Rivière, de Ramon Fernandez et plus encore d'André Gide; il avoue cependant : « [...] je n'existais pas pour les amis de Gide [...] [3]. »

Six ans après son arrivée, lorsque *La Revue hebdomadaire* le pressent pour un article sur « La Jeunesse littéraire » (avril 1912), il a déjà publié un recueil de poésie, *Les Mains jointes* (1909) et un poème, *L'Adieu à l'adolescence* (1911). La plus flatteuse marque d'approbation lui vient de Maurice Barrès qui lui écrit une lettre d'encouragement et fait publiquement son éloge dans *L'Écho de Paris* (21 mars 1910).

Ce qui caractérise cette nouvelle génération d'écrivains, dit Mauriac dans son article, c'est son classicisme. « Jamais on ne vit jeunesse si férue d'ordre et de discipline, si habile à censurer et à légifier. » Cette jeunesse est en quête d'une expression lyrique qui combinerait son goût de la discipline et l'intérêt qu'elle porte à la vie intérieure, ce que Gide appelle « les régions profondes et broussailleuses, aux latentes fécondités » dans les *Nouveaux Prétextes*. Il liquide en quelques lignes les jeunes lyriques catholiques tels que Robert Vallery-Radot et André Lafon, pour braquer l'objectif sur le groupe d'auteurs qui gravitent autour de la « citadelle sacrée », *La Nouvelle Revue Française*. Pourtant, lorsqu'il parle du directeur de fait de la revue, André Gide, « ce magnifique artiste », son ton devient ambigu. Il compense son admiration par certaines réserves :

— [...] *cet écrivain, dont je n'évite pas d'ailleurs la séduction, réussit bien mal à se délivrer de lui-même.*

— [...] L'Immoraliste, *où la volupté de vivre en dehors de toute loi est exprimée avec tant de persuasion qu'une jeune âme vivante et sensible met du temps à s'en délivrer* [...]

— [...] *ce petit livre complexe et trouble :* La Porte étroite, *que nous voudrions nous défendre d'aimer, et où la volupté du renoncement s'impose à nous comme la plus aiguë.*

Il laisse entendre que Gide est en train de perdre l'adhésion de ses jeunes disciples par son refus de choisir l'un des « innombrables maîtres » qu'il sert. Mes contemporains et moi-même, conclut Mauriac, nous ne nous prêterons pas au « jeu sacrilège que nous propose Gide lorsque, recomposant la parabole de l'enfant prodigue, il la dépouille de son sens divin ».

Gide est à Florence lorsque l'article paraît et il écrit immédiatement à son auteur pour contester l'emploi du terme « sacrilège » appliqué à *L'Enfant prodigue* et pour nier avoir dépouillé la parabole de son sens sacré [4]. Que Mauriac ait eu conscience de la sévérité de son article, c'est évident. Il convient en effet dans sa réponse qu'en l'écrivant « [s]a bouche démentait [s]on cœur à tout moment [5] ». Il n'en demeure pas moins qu'il s'élève encore contre l'interprétation personnelle que Gide donne des Écritures, traçant ainsi clairement, et cela depuis les premiers temps de leurs relations, la frontière au-delà de laquelle il se refusera de suivre son « maître secret ».

Ce n'est que cinq ans plus tard que les deux hommes se rencontrent pour la première fois, chez Mme Lucien Mühlfeld. Gide fait alors partie des nombreux hommes de lettres qui se réunissent rue Georges-Ville chaque soir, avant dîner, dans ce salon que le jeune Mauriac commence à fréquenter en 1917. Après cette première rencontre, une lettre de Mauriac à Gide indique clairement le conflit entre l'attirance naturelle qu'exerce sur lui l'auteur des *Nourritures* et son allégeance « à une autre discipline [6] ». C'est aussi dans le salon de « la Sorcière » (c'est ainsi que ses invités surnomment leur hôtesse infirme) que Mauriac entend une conversation entre Gide et Valéry « où Gide se montra un défenseur passionné du Christ et de l'Évangile [7] ». Cette image d'un Gide défenseur du Christ produit sur lui une impression durable et il y fait souvent allusion par la suite; elle l'aidera à nourrir l'espoir qu'un jour la divine semence lèvera dans l'âme de l'immoraliste. Et, se rappelant cette conversation, il s'abstiendra de porter un jugement définitif et donnera aux détracteurs de Gide ce conseil : « Ne jugez pas. »

C'est dans les années 20 que Gide jouit de sa plus grande popularité. Sa réputation a désormais franchi les limites d'un public restreint et il peut maintenant jouer son rôle préféré : celui de maître de la jeunesse.

La publication, en 1921, de ses *Morceaux choisis* est l'occasion pour Henri Massis, disciple de Maurras, de dénoncer l'auteur de *L'Immoraliste* [8]. Révélatrice d'une animosité qui grandit avec les années, cette accusation n'est pas gratuite. Henri Massis veut prévenir les jeunes esprits influençables contre l'influence « démoniaque » du « bréviaire gidien ». N'est-ce pas Satan lui-même que Massis dépeint au lecteur? Ne feraient qu'un, d'après sa description, le Démon tentateur qui, sous la forme d'un serpent, a mené l'homme à sa chute et l'écrivain qui « nous entoure, nous accule et nous contraint peu à peu à nous avouer pareil à lui-même ».

François Mauriac donne sa « Réponse à M. Massis » dans *L'Université de Paris* (25 décembre 1921). D'emblée, il place la discussion sur le plan religieux : un catholique répond à un catholique. Mais, contrairement à Massis qui condamne la brebis égarée, Mauriac, le bon berger, prêche la compréhension. Il se hâte de faire remarquer que l'emploi de l'épithète « démoniaque », appliquée à un chrétien, serait-il Gide, témoigne d'un étrange manquement à la première des vertus chrétiennes : la Charité. Gide n'est peut-être pas aussi loin de Dieu que ses ennemis le prétendent. C'est la sincérité de Gide, nous dit Mauriac, sa totale, son inébranlable sincérité qui l'empêche de céder à toute compromission. Il est incapable d'adhérer à une doctrine qui exige la soumission absolue, même quand on a temporairement perdu la foi. Au contraire de vous et de moi, écrit Mauriac, « Gide est un homme qui ne se résignerait pas à incliner, fût-ce une minute, l'automate ». A la caricature que Massis fait de Gide, comme d'un quinquagénaire pathétique courant inlassablement après sa propre jeunesse, Mauriac oppose l'image d'un Gide qui a enseigné la dignité aux écrivains de sa génération et dont chacun des romans est « une leçon de mesure, de renoncement ».

Il n'y a pas de sens à dire, comme Massis, que Gide est un homme qui a refusé de choisir. N'a-t-il pas choisi de penser? demande son défenseur. De plus, le style de l'auteur des *Nourritures* serait-il encore le meilleur de France s'il l'avait mis au service de telle ou telle morale particulière? Non, répond Mauriac, « cet art exquis vaut par son désintéressement ». Mais là, le futur auteur de *Dieu et Mammon* plaide aussi sa propre cause. Lorsque Massis accuse l'auteur des *Caves du Vatican* d'un « antagonisme de l'esthétique et de la morale », Mauriac sait fort bien que cette accusation s'applique également à lui. Du coup, quand il défend Gide contre le reproche d'irresponsabilité morale en tant qu'artiste, il en profite pour parler de la triste condition des « créateurs catholiques ». En effet, pour Mauriac, cet « antagonisme » est à la base du « débat qui [le] déchire », ce conflit entre le chrétien et l'artiste qui continuera à le hanter. Son plaidoyer en faveur de la liberté de l'artiste rappelle la déclaration de Gide dans *Le Traité du Narcisse :* « La question morale pour l'artiste n'est pas que l'idée qu'il manifeste soit plus ou moins morale et utile au grand nombre; la question est qu'il manifeste bien. » Ce qui est doctrine chez l'un devient, chez l'autre, justification.

L'écrivain catholique reprochera toujours à ses coreligionnaires d'essayer d'imposer leur loi à des non-catholiques tels que Gide. Les non-catholiques sont libres d'admirer ceux qui se font leur propre loi, les Lafcadio, par exemple, et Gide a le droit de faire un jeu du don inné qu'il a de convaincre. Eût-il été catholique, Gide eût employé ce don à l'apostolat; hors du giron de l'Église, Mauriac lui reconnaît le droit de se servir à son gré de son talent. Qui plus est, ce n'est pas sur des créatures vivantes, malgré ce que prétend Massis, que Gide exerce son influence, mais sur les créatures de son imagination. Quel écrivain peut se targuer de n'avoir jamais troublé ses lecteurs? demande Mauriac, qui reconnaîtra quelques années plus tard que « même dans mon état de grâce, mes créatures naissent du plus trouble de moi-même [9] ».

La mission de Gide est d'apporter de la lumière aux ténèbres et de collaborer « à notre examen de conscience », déclare l'homme à l'égard duquel il a précisément joué ce rôle. Et quand Mauriac en vient à déclarer que Gide n'est pas plus « démoniaque » que Socrate qui fut accusé de corrompre la jeunesse parce qu'il lui enseignait la connaissance de soi-même, il ne se doute pas qu'il dénoncera, lui aussi, quelques années plus tard l'influence néfaste de Gide [10]. Mauriac termine son apologie en rappelant l'occasion où il a entendu Gide défendre passionnément le Christ auprès de Valéry. Mettant en pratique la charité qu'il prêche, ses derniers mots sont : « Attendons le jugement de Dieu. »

Gide est profondément touché par l'article de son jeune défenseur : « Vous êtes le premier, le seul qui osiez prendre un peu ma défense [11]. » C'est ainsi qu'il lui exprime sa gratitude dans une lettre qu'il continue en évoquant « la sottise rassurante » de la plupart des attaques dont il a été l'objet. Allusion à Henri Béraud qui vient de lancer une campagne contre lui et *La Nouvelle Revue Française*. Gide attache certes plus d'importance aux attaques de Massis. Connaissant l'intelligence et le talent de son adversaire il craint que le portrait peu flatteur que ce dernier a tracé de lui ne s'imprime dans l'esprit des gens. Il n'en est que plus sensible au fait que ce soit le jeune écrivain catholique qui vienne à son secours, et il lui écrit : « je suis heureux que cet article soit écrit précisément par vous pour qui depuis longtemps je sens mon affection grandissante ».

Mauriac, tout content de ne pas avoir blessé son « cher maître et ami » lui répond immédiatement [12]. Il profite de l'intimité d'une lettre pour comparer le combat intérieur qui l'agite avec celui qui, sans nul doute, se livre dans l'âme de l'immoraliste, passionné défenseur du Christ. Qui suis-je pour vous juger, déclare-t-il tristement, « moi qui sais qu'*il faut* choisir et qui ne choisis pas ». Vous représentez pour moi « ce feu du ciel entre le royaume de Dieu et les nourritures terrestres ». L'usage fait par Barrès, Maurras et Massis du mystère de la Sainte Trinité à des fins sociales et morales choque Mauriac bien plus que « le drame d'un cœur divisé, déchiré », drame qui est aussi le sien. « Car le tout n'est pas de savoir qu'*il faut* choisir, hélas! », s'écrie-t-il. Puis, espérant toujours que Gide songe à se convertir, il termine sa lettre en évoquant une angoisse qu'il pense partagée.

De même que Mauriac n'oubliera jamais le jour où Gide s'est fait l'avocat passionné du Christ, de même Gide rappellera souvent le courage avec lequel le jeune écrivain s'est élevé en sa faveur. La gratitude qu'il éprouve à l'endroit de Mauriac pour son intervention explique dans une certaine mesure pourquoi il lui fait une place à part, parmi les autres catholiques, et peut-être aussi pourquoi il le tance lorsqu'il a l'impression que Mauriac s'écarte de l'honnêteté qu'il est en droit d'attendre de lui.

En juin 1922, quelques jours après la première du *Saül* de Gide au théâtre du Vieux-Colombier, une critique de la pièce paraît dans *La Revue hebdomadaire* (24 juin 1922), signée du titulaire de la rubrique théâtrale, François Mauriac. « Il trouble la source de Dieu », déclare le critique, reprochant de nouveau à Gide non seulement d'emprunter aux Écritures mais de dévier le sens du texte original. Il lui concède, cependant, sur un ton moins sévère, qu'en dernier ressort ce n'est pas trop dangereux pour le spectateur. L'art avec lequel Gide injecte son poison « nous terrifie et par là nous sauve. » Gide, en quelque sorte, sécrète son propre contrepoison. Le critique va plus loin encore : il prétend savoir que l'intention de Gide est d'inciter le spectateur à se révolter contre ce qu'il dépeint. Il affirme que l'auteur de *Saül* « croit à la parole du salut ».
Le mot qu'il adresse à Gide, à la parution de l'article, révèle sa peur de l'avoir blessé. « [...] il n'y a que *cela* de grave dans votre cas — ce génie de " dévier " le texte de Dieu », écrit-il, inquiet [13]. Gide, dans sa réponse, non seulement le rassure mais lui explique qu'à son sens les Écritures, tout comme la mythologie grecque, représentent « une ressource inépuisable, infinie » destinée à être constamment soumise à de nouvelles interprétations. Il faut croire que Gide n'en voulut pas à Mauriac puisque, la même année, après le succès du *Baiser au lépreux*, celui-ci vit se réaliser une vieille ambition... devenir l'un des collaborateurs de *La Nouvelle Revue Française*.

Son étude consacrée à un jeune poète bordelais, André Lafon (*La Vie et la mort d'un poète*, 1924), tué au début de la Première Guerre mondiale, donne à son intime ami Mauriac l'occasion de s'exprimer sur la génération désillusionnée des écrivains de l'après-guerre et de s'interroger sur l'influence que Gide exerce sur elle. Que toute une littérature soit inspirée par *Les Caves du Vatican* et fondée sur les crimes sans mobiles est une chose, écrit Mauriac, malheureusement cette jeunesse ne semble pas disposée à limiter ses « actes gratuits » au domaine de l'esprit mais a tendance à les appliquer à la destruction de soi. Tout comme Gide a dénoncé les dangers de « l'individualisme outrancier » dans *L'Immoraliste*, Mauriac, maintenant, condamne les excès du gidisme. De jeunes écrivains, selon lui, adoptent la théorie de Gide, à savoir que l'écrivain se doit au nom de la sincérité de ne pas tenir compte de ses limites, et de parvenir à la connaissance de soi-même par l'intermédiaire de ses héros. Si cette méthode de découverte de soi vaut pour Gide, Mauriac fait remarquer qu'elle n'est pas valide pour ses disciples, qui ne semblent jamais atteindre le second stade, constructif, de la doctrine du maître, celui de la connaissance de soi. Leurs œuvres ne révèlent que l'aspect d'autodestruction et ils gaspillent leur talent en l'appliquant à un érotisme lugubre. Gide est directement responsable de cet état de choses : « Comment [...] ne voit-il pas — en dehors de toute question morale et en ne considérant que les exigences de l'art — qu'une littérature érotique sera le fruit de sa doctrine? » (p. 165). Il reconnaît que ce n'est pas le cas, chez Gide. La tragédie personnelle de l'auteur de *La Porte étroite* et de *La Symphonie pastorale* évolue autour de Dieu, de sorte que « rien qu'en suivant sa pente, Gide nous découvre un Gide que le Christ inquiète, obsède et peut-être importune » (p. 174).

On voit ici, de nouveau, dans sa critique de Gide, Mauriac osciller entre l'attaque et l'apologie. D'une part il sent que la doctrine de sincérité totale que professe Gide ne peut que conduire aux excès et, par conséquent, encourager les tendances autodestructrices des écrivains d'après-guerre. D'autre part, il soutient le droit de tout artiste à « suivre sa pente » tout en spécifiant que ce qui convient à un maître-écrivain n'est pas nécessairement bénéfique à une école littéraire. Surtout lorsque le maître est Gide, dont le débat intérieur personnel est de nature religieuse. Que d'autres s'intéressent aux étranges formes que peut revêtir le combat avec l'ange, c'est fort bien, mais est-il indispensable qu'ils les reprennent à leur compte?

En 1924, Gide envoie à Mauriac des exemplaires dédicacés de ses œuvres récemment publiées, à l'exception de *Corydon*. Certes la visite que Jacques Maritain, le grand philosophe catholique, lui a rendue l'année précédente pour le dissuader de publier un livre aussi « dangereux » pouvait lui donner un avant-goût de l'accueil que lui feraient les catholiques. Mauriac, cependant, ne rejoint pas les rangs de ses coreligionnaires épouvantés. Il a compris que Gide et Proust ont trouvé dans l'homosexualité, entre autres, un champ d'exploration littéraire. (Bien que Mauriac ne se soit pas, à proprement parler, aventuré très loin dans cette « exploration », il lui est arrivé de donner une résonance homosexuelle à certaines situations, telles que la trouble amitié qui unit Thérèse Desqueyroux à sa jeune belle-sœur Anne, ou les rapports de maître à esclave qui existent entre Nicolas Plassac et son idole Gilles Salone, dans *Galigaï*.) Tant que l'écrivain n'assume pas le rôle de psychiatre, Mauriac considère qu'il est parfaitement justifié d'aborder ce sujet. Il est même plus conciliant à l'égard de l'homosexualité dans la société, la mettant sur le même plan que toute autre tentation de la chair. « L'objet de notre tentation écrit-il à l'auteur de *Corydon*, il ne dépend pas de nous que ce soit celui-ci ou celle-là — mais ce qui dépend de nous, c'est le refus... [14] »

Poursuivant ce raisonnement, il identifie la condition de l'homosexuel à sa propre incapacité de dominer sa nature sensuelle. « Ne jugez pas! » répète-t-il. Bien que conscient du goût de Gide pour le martyre, il n'en considère pas moins *Corydon* comme un exemple du courage de son auteur, une preuve de plus du refus de l'immoraliste « d'incliner l'automate » et de son besoin « de se livrer entièrement à son public ».

Chose curieuse, c'est dans un livre où se reflète l'influence gidienne, *Le Jeune Homme* (Hachette, 1926), que

Mauriac formule ses accusations les plus sévères. A cause de ce livre Mauriac subira les attaques de la presse catholique pour avoir dépeint un adolescent de nature aussi sensuelle, qui « soigne son corps, l'exerce amoureusement muscle par muscle » (p. 28) et qui est « cerné de mille désirs » (p. 30). Ce jeune homme est une « force vierge qu'aucune spécialité ne confisque » tout comme Nathanaël est instruit à rester « disponible » et à mordre à même la pulpe de tout fruit. La jeunesse, c'est « le vieil homme » au sens gidien de « l'être naturel » et le processus de maturation est surtout une série de « mutilations » (p. 11), « Maturité, savante hypocrisie » (p. 59), s'écrie le portraitiste du *Jeune Homme.* Il aborde le problème Gide dans la dernière partie du livre où il traite de l'art de vieillir avec grâce. Bien que ne reprochant jamais à Gide son homosexualité, il ne l'en blâme pas moins de permettre à son « vice » de dominer ses pensées : « Même ceux dont ce fut la passion de ne pas choisir, de rester "disponibles", d'accueillir toute sollicitation, leur chair a vite fait de les circonscrire. *Un vice les simplifie atrocement* » (p. 87). Il accuse Gide de proclamer son vice comme normal afin de rallier les jeunes gens. « Il se persuade que leur adhésion l'absout et le justifie. » Pour Mauriac, c'est une fois de plus la preuve du souci de moralité dont Gide est animé. Les jeunes gens ne savent pas opérer de discrimination entre les diverses « nourritures » qui leur sont offertes, et c'est pourquoi Mauriac enjoint à ceux qui ont « les mains vides ou pleines de poison » de les laisser tranquilles (p. 92).

Ces attaques n'empêchent d'ailleurs pas Mauriac de contribuer à l'*Hommage à André Gide* publié l'année suivante.

Le petit « carnet de toile verte » publié en 1922 sous le titre *Numquid et tu?* témoigne de l'inquiétude religieuse dont Gide a fait l'expérience six années plus tôt. Quelles que soient les raisons de cette résurgence du mysticisme latent en Gide — la guerre toute proche, des problèmes d'ordre privé ou personnel —, son angoisse l'a amené à deux doigts de la conversion. Certes le climat y est propice et nombreux sont les prosélytes catholiques au cours de ce premier quart de siècle. Mauriac compare cette espèce d'épidémie de conversions dans le cercle où Gide évolue à un « sauve-qui-peut » [15]. Mais ce qui a sans doute le plus impressionné Gide c'est la conversion de son plus intime ami, Henri Ghéon. De plus, depuis 1899, Gide a été en correspondance avec Paul Claudel, qui a tenté par tous les moyens de ramener la précieuse brebis égarée au sein de l'Église. Que cet apôtre enflammé ne soit pas parvenu à convertir Gide ne surprend pas Mauriac. Il se rend fort bien compte du fait que l'immoraliste n'est pas un homme que le raisonnement peut convaincre. En fait, il sent que Gide « n'eût cédé à rien ni à personne [...] [16] ». Sa conversion eût exigé un complet « retournement de son être [17] ». Dans un article intitulé : « Les Catholiques autour d'André Gide » [18] qui fut écrit peu après la mort de celui-ci, Mauriac analyse le surprenant magnétisme que Gide a exercé sur les catholiques. Tout aussi sévère à l'égard de ceux qu'il nomme les « spécialistes de la conversion » qu'à l'égard de Gide qui se prête à leur jeu et qui y prend plaisir, il essaie de comprendre pourquoi ces chasseurs de non-croyants ont poursuivi Gide plutôt que tout autre gibier, Giraudoux, par exemple, ou Jules Romains. Mauriac pense que cela provient du fait que « le cas Gide » est celui d'un homme qui a délibérément choisi, après longue et soigneuse réflexion, de nier Dieu. Gide n'est pas plus grand pécheur que les catholiques qui l'assiègent, déclare Mauriac, « il fut une créature redressée et triomphante : un *être de défi* ». Des nombreux catholiques qui entourent Gide, Mauriac a peut-être été le plus sensible à ce « défi ». La plupart des autres persistent à voir en Gide un pécheur menant une vie de tourments et qu'il est de leur devoir de sauver. Tout en croyant, lui aussi, à l' « inquiétude » de Gide, Mauriac est cependant capable de discerner l'aspect prométhéen du personnage, ce qui le sensibilise d'autant plus à ce défi lancé à sa foi et lui fait écrire : « Votre " cas " a une signification qui me fascine [19] ».

La contribution de Mauriac à l'*Hommage à André Gide* (Éd. du Capitole, 1928) a pour titre « L'Évangile selon André Gide ». C'est une fois encore une condamnation de l'interprétation par Gide des Écritures. Mauriac, d'abord, fait remarquer la présence constante de Dieu dans la pensée gidienne : « à quelque étape de sa vie qu'il vous plaise de l'étudier, nous ne le voyons jamais séparé de Dieu. » Si l'on en croit Mauriac, c'est parce que l'auteur de *Corydon* a décidé de ne renier ni le Christ ni lui-même qu'il est contraint de détourner les Écritures de leur signification véritable. Lorsque, par exemple, Gide affirme que se refuser à satisfaire un besoin quelconque c'est insulter le Créateur, il se donne la possibilité d'accorder sa propre loi à la volonté de Dieu. Dans *Numquid et tu?*, ce « docteur trop subtil », ainsi que le nomme Mauriac, n'a-t-il pas changé la phrase : « Celui qui ne prend pas sa croix et ne me suit pas est indigne de moi »? Et ne va-t-il pas jusqu'à interpréter « notre croix » dans le sens de « tel penchant imposé à notre chair dès le sein maternel »? Oui, certes, conclut Mauriac, *Numquid et tu?* est un exemple de plus de la façon dont Gide manipule les textes sacrés.

Gide répond à cet article par une lettre ouverte [20]. Envoyée à la dernière minute, Mauriac la lit d'abord dans les pages mêmes de l'*Hommage* juste au-dessous de son texte à lui. Gide, dans cette lettre, se défend d'avoir interprété les Écritures dans le but de se justifier et explique pourquoi il a remplacé le traditionnel « et ne me suit pas » par « et me suit » dans le verset en question : le sens véritable de la phrase lui a été suggéré par une conversation avec Henri Ghéon, nouveau converti, lequel lui avait confié qu'il était incapable d'éprouver du repentir ou de la contrition pour une vie passée qui désormais n'existait plus pour lui. Il parut inadmissible à Gide que la conversion « n'entraînât pas aussitôt et d'abord une contrition profonde ni que le simple désaveu de ses péchés, sans repentance, pût suffire ». C'est alors que la signification véritable de la sentence lui était apparue : « Quiconque prétend me suivre sans être d'abord chargé de sa croix n'est pas digne de moi. » Il n'avait jamais songé à mettre en équation « la croix » et « le péché de la chair » et il ajoute : « [...] lorsque je me détourne [du Christ] et cesse de Le suivre, je n'ai pas cette impie prétention de me faire suivre par Lui ».

Quand François Mauriac écrit la *Vie de Jean Racine* en

1927 il reconnaît avoir élu ce sujet parce qu' « avec ce maître choisi [il] se sent accordé » (p. 6). Il est évident que Mauriac, attaqué de plus en plus souvent par les critiques catholiques à cause de la sensualité de ses romans, s'identifie volontiers à celui que les Jansénistes traitaient d' « empoisonneur public ». Il n'ignore pas, cependant, que son ancêtre spirituel renonça à écrire, chose qu'il se sent, lui, incapable de faire et, lorsqu'il suggère que Racine a cédé devant ses censeurs et choisi le silence parce qu'il n'avait plus rien à dire, c'est pour tenter de se justifier, car rien ne saurait freiner l'élan d'un auteur en pleine création — la fin des années 20 sont en effet parmi les plus fécondes de Mauriac, et se retirer serait, déclare-t-il, « un sacrifice démesuré » (p. 107).

Dans sa lettre du 10 mai 1928, André Gide envoie à Mauriac le brouillon d'une seconde lettre ouverte qu'il compte publier dans le numéro de juin de *La N.R.F.* : « j'ai pensé que vous ne trouveriez pas mauvais que je fasse connaître du public mon admiration pour votre livre [*Racine*] en dépit des quelques restrictions que j'apporte à votre pensée », ajoute-t-il avec une feinte innocence, car il est impossible qu'il ignore la gravité de ces « quelques restrictions », chaque mot de sa lettre ouverte ayant été soigneusement pesé pour mettre en évidence la fausseté de la position de Mauriac.

Gide annonce tout d'abord que le *Racine* est « un livre admirable » mais il s'empresse de faire remarquer que les chapitres où Mauriac analyse la période où Racine se retire du monde, après *Phèdre*, sont les meilleurs, « les plus habiles en tout cas ». Les meilleurs, pensons-nous, à cause de l'intensité passionnée qui s'en dégage et sous laquelle on sent l'angoisse personnelle du romancier catholique; et « les plus habiles » parce qu'ils tendent, très évidemment, à expliquer et, de ce fait, justifier l'incapacité de Mauriac à suivre l'exemple de Racine. La différence fondamentale entre l'auteur classique et le romancier contemporain, selon Gide, réside dans le fait que Racine raisonne en chrétien et Mauriac en homme de lettres. Alors que le premier est reconnaissant à Dieu de bien vouloir lui permettre de rentrer dans son giron, en dépit des pièces qu'il a écrites, Mauriac se félicite visiblement de ce que Dieu ait accordé à Racine, avant de le reprendre, assez de temps pour écrire ses tragédies. C'est cette attitude de Mauriac que Gide considère comme équivoque : le compromis entre Mauriac le catholique et Mauriac l'artiste. Et c'est ce « compromis rassurant qui [permet] d'aimer Dieu sans perdre de vue Mammon » que dénonce Gide. Il en conclut que si Mauriac ne cesse pas d'écrire, comme Racine l'a fait, c'est qu'il n'est pas suffisamment chrétien.

La première réaction de Mauriac, c'est de répondre qu'il sera heureux de voir cette lettre imprimée [21]. Ce ne sera que plus tard et peut-être sous certaines influences, ainsi que le prétendra Gide, qu'il la considérera comme une « perfidie [22] ». Gide soutiendra que ses intentions étaient bonnes et que son propos était simplement « de souligner la situation un peu délicate où vos livres risquaient de vous mettre vis-à-vis du clergé [23] ». Quoi qu'il en soit, la pointe a touché à vif.

Bien que Mauriac ait eu conscience de l'équivoque de sa position morale bien avant l'intervention de Gide au printemps 1928, il a toujours évité de s'en expliquer auprès de ses lecteurs. L'année précédente il avait ainsi exposé son dilemme :

Un écrivain catholique avance sur une crête étroite entre deux abîmes : ne pas scandaliser, mais ne pas mentir; ne pas exciter les convoitises de la chair, mais se garder aussi de falsifier sa vie [24].

Les nombreux écrits de cette période qui traitent de la responsabilité morale du romancier vis-à-vis de ses lecteurs montrent qu'il prend conscience, de plus en plus nettement, de ses contradictions internes. Mais lorsque l'écrivain que l'on accuse d'être le corrupteur de la jeunesse se dresse à son tour contre lui, il ne peut plus garder le silence. Il est forcé de révéler sa position religieuse. Et il le fait dans son autobiographie spirituelle *Dieu et Mammon.*

Dans une lettre écrite à Gide durant cette période d'interrogation, le 5 février 1929, Mauriac éclaire le rôle que celui-ci a joué dans sa vie. Il reconnaît que la pensée gidienne est toujours présente dans ses examens de conscience lorsqu'il déclare, au sujet du livre auquel il travaille : « *Dieu et Mammon* ne contiendra ni plus ni moins d'allusions à vous et à votre œuvre que mes autres " examens de conscience ". » Nous pourrions nous demander pourquoi il se soucie autant de celui qui, comme homme et comme artiste, est si différent de lui-même. Il nous le dit : « Vous demeurez pour moi, au sens le plus noble du mot, l'adversaire, celui qui aurait pu me vaincre. » Autrement dit, Gide joue pour Mauriac un rôle assez semblable à celui que Claudel a joué pour l'auteur de *Numquid et tu?* Gide aide son « adversaire » à se trouver, et Mauriac, plus d'une fois, spécifie que Gide lui a toujours servi de pierre de touche. En somme, l'aîné sert au cadet d'adversaire admiré qui lui permet de découvrir et de définir sa propre position. Il joue un rôle crucial pendant l'époque la plus critique de la vie de Mauriac.

La provocation que représente sa lettre ouverte coïncide avec la crise que traverse Mauriac dans les premières années de la quarantaine, dont certaines des heures les plus sombres sont évoquées par le cri d'angoisse des *Souffrances du chrétien*. Écrit en un temps où, comme il le reconnaîtra plus tard, il fut tout près de renoncer à sa foi, *Dieu et Mammon* contient quelques-unes des pages les plus révélatrices de sa vie spirituelle — pour tout dire, il nous confie que jamais il ne s'est « découvert » aussi profondément que dans ce livre [25]. Selon lui, c'est peut-être l'ouvrage le plus important qu'il ait écrit sur son histoire personnelle.

Dieu et Mammon parut au début de 1929. Il contient nombre d'idées déjà exprimées par Mauriac dans des conférences, des articles et son *Racine*. Ce qui est neuf, ce sont les faits qu'il révèle sur son évolution religieuse. Il avoue qu'il ne rédige pas de son plein gré son autobiographie spirituelle : c'est Gide, « l'homme qui a perdu le discernement du bien et du mal », qui, dans l'espoir de « se persuader qu'il n'est pas un monstre », en contraint d'autres à dévoiler leur âme. « Cela le rassurerait de trouver quelque part son semblable » avec lequel il pourrait partager le fardeau de ses péchés. « Mon inquiétude religieuse peut-elle se confondre avec l'état d'un homme partagé entre Dieu et Mammon et qui prétend ne rien sacrifier des avantages de l'écrivain ni des espérances du catholique? » s'écrie-t-il (p. 82).

Le second chapitre, dont Mauriac reconnaît qu'il est l'un des plus révélateurs, retrace l'évolution religieuse de cet enfant de Bordeaux, « chargé de chaînes ». Un certain déterminisme janséniste caractérise son attitude à l'égard de la religion dont il a hérité. Un peu comme Phèdre qui ne se débat que pour mieux comprendre son impuissance contre le destin, Mauriac raconte ses vains efforts pour se débarrasser de la religion : « Voilà mon drame. J'y suis né; je ne l'ai pas choisie; cette religion m'a été imposée dès ma naissance [...] » (p. 81). Il nous dit comment, adolescent, il s'est livré à tous « les excès d'un esprit critique sans frein », mais s'est vite rendu compte qu'il ne pourrait jamais rejeter ce qui était son essence même. Il confesse que son secret désir était de perdre la foi, afin de la redécouvrir pour son propre compte. Combien il enviait tous ces convertis qui l'entouraient! Puis vint la révélation de sa nature passionnée. Il entre ainsi, tout de suite, en conflit avec Dieu, ce qui accroît sa détresse. Il se jette alors dans la création littéraire, comme un exutoire pour le monstre indomptable qu'il porte en lui.

Il a beau repousser catégoriquement l'accusation de Gide selon qui il chercherait un compromis qui lui permît « d'aimer Dieu sans perdre de vue Mammon », il ne se décide jamais clairement en faveur de l'un ou de l'autre. Il avoue en effet que s'il se trouve au premier rang de ceux qui sollicitent Mammon, il n'en a pas pour autant abandonné Dieu : « [...] si l'on ne saurait servir deux maîtres, il n'empêche que délaisser l'un des deux pour l'autre ce n'est pas perdre la connaissance du pouvoir que l'Abandonné garde sur nous, ni perdre le sentiment de sa présence » (p. 124). Cette façon de penser semblerait confirmer la validité de l'accusation gidienne. Plusieurs années plus tard, Mauriac expliquera que son propos est illustré par le titre même de *Dieu et Mammon*. De son propre aveu il ne s'est efforcé de lutter ni contre l'un ni contre l'autre de ces deux cultes antagonistes mais plutôt de montrer comment s'affrontent Dieu et Mammon dans un cœur incapable de choisir [26].

Tout comme l'auteur du *Traité du Narcisse* affirme que le but ultime de l'artiste est de « manifester bien », l'auteur de *Dieu et Mammon* pose qu' « il faut exprimer notre drame particulier, le livrer tel qu'il est, se livrer avec art ». Dans son essai *Le Roman*, publié l'année précédente, Mauriac avait conclu sur un Acte de Foi, prônant le réalisme dans le roman, quelle que soit la réalité qu'il dépeint. En écrivant *Dieu et Mammon*, il a senti, cependant, que le romancier avait une responsabilité à l'égard de son public : le devoir de laver d'abord son âme dans un effort pour purifier les créatures nées de son imagination : « Soyez pur, devenez pur et votre œuvre aussi reflétera le ciel. Purifiez d'abord la source et ceux qui boiront de son eau ne seront plus malades » (pp. 166-167). Cette résolution coïncidera avec une résurgence de la foi.

Au chapitre final, l'auteur de *Dieu et Mammon* met son accusateur à l'épreuve : « Et toi-même qui te moques de mon trouble, nous avons connu le tien », s'écrie-t-il. Et certes, les perpétuelles réaffirmations de son « manque d'inquiétude » n'indiquent-elles pas que Gide sait à quel point cette condition est précaire et temporaire, et que le cours de sa vie peut changer d'un instant à l'autre? Mauriac prend son lecteur à témoin des vacillations de Gide : « Tantôt tu l'as désirée, tantôt tu l'as redoutée, cette intervention à la fois extérieure à toi et dont tu reconnais au-dedans de toi la menace. Mais crainte ou désir, tu n'as jamais cessé de la croire possible » (pp. 185-186). Mauriac, en tout cas, continue à croire en la possibilité d'une telle intervention.

Le conflit entre Dieu et Mammon sera toujours la croix que portera Mauriac. Il sera toute sa vie attiré par ces deux maîtres, sans pouvoir faire un choix. C'est sans doute cette contradiction fondamentale et intime qui fait de lui un personnage aussi sincère et attachant. La crise qu'il vient de traverser lui permet de comprendre qu'il est un de ceux pour qui « rien [...] ne se passera jamais qu'à l'intérieur de cette religion [27] ». Et si *Dieu et Mammon* ne l'a pas amené à une solution, il lui a donné l'occasion d'extérioriser son dilemme.

Les « Notes au sujet de *Dieu et Mammon* » rédigées par

André Gide sont l'un des nombreux commentaires qu'a suscités le livre [28]. Bien que ce soit, au premier chef, une suite de remarques destinées à justifier « celui que vous blasonnez et offrez aux moqueries de vos lecteurs », Gide n'en encourage pas moins Mauriac, inlassablement, à s'examiner, en lui faisant remarquer les faiblesses de sa position. Cette fois, c'est pour souligner le danger, pour un romancier, de croire détenir la vérité. C'est « cet assouplissement de l'esprit critique » chez les catholiques que Gide déplore toujours si vivement et dont il veut sauver Mauriac. Gide pour qui, nous dit Mauriac, « tout [...] demeurait toujours en question [29] », sentait que son jeune ami était peut-être le seul d'entre les catholiques qu'il pût influencer. Le poids de Gide, « l'opposant toujours là [30] », sur la pensée mauriacienne ne saurait être surestimé.

Bonheur du chrétien, qui paraît en avril 1929 dans *La N.R.F.*, constitue le dernier chapitre du dialogue intérieur qui s'est ouvert avec *Souffrances du chrétien*, au mois d'octobre précédent. Dans ce « cantique d'actions de grâces » ainsi que le qualifie Pierre-Henri Simon [31], Mauriac déclare qu'il n'a jamais déserté Dieu, même dans ses heures les plus sombres : « ne pas choisir, sur le plan surnaturel, c'est avoir choisi », écrit-il, et Dieu se trouve même en ceux qui succombent aux désirs de la chair et prétendent ne pas avoir besoin de lui, « ne-pas-en-sentir-le-besoin » comme dit Gide. Alors que certains — et l'écrivain semble entrer dans cette catégorie — s'efforcent d'étouffer leurs instincts les plus bas, d'autres, Gide, par exemple, tentent de faire taire la voix de Dieu. Mais quoi qu'ils fassent, « un rayon fuse encore sous la porte, brûle la page où se consomme le Reniement, et leur œuvre entière en demeure, malgré eux, toute diaprée ». Le créateur de Thérèse Desqueyroux trouve du réconfort dans la pensée que la Grâce atteint la plus déchue des créatures. Néanmoins, le journal tenu par Mauriac, et publié trois ans plus tard, révèle sa profonde détresse [32]. « Il suffit de purifier la source », avait-il dit dans *Dieu et Mammon*, afin de tenter la réconciliation de l'artiste et du chrétien. Maintenant, il comprend que l'idée a peut-être quelque chose d'un peu simpliste. Les personnages incestueux de son dernier roman, *Ce qui était perdu* (Grasset, 1930), sortent encore « de ce qu'il y a de plus trouble » en lui, et, bien que l'œuvre s'achève sur une possibilité de Salut, le lecteur a été rendu complice du péché. Gide n'est pas lent à s'en apercevoir : « loin de donner le dégoût et l'horreur de cet inceste qui se prépare [Mauriac] ne parvient à rien qu'à faire ardemment souhaiter qu'il s'accomplisse [33] ». Si cette crise avait permis à Mauriac d'étouffer toute autre voix que celle de Dieu, son dialogue avec Gide se fût arrêté là, mais le fait que son débat intérieur se soit prolongé est le défaut de la cuirasse où Gide dirigera ses coups. « Comme il est angoissé! » déclare-t-il, « et que je l'aime ainsi [34] ».

Les temps vont bientôt changer; et avec eux les préoccupations des deux écrivains : jusqu'au début des années trente, ils s'étaient surtout souciés de questions spirituelles et esthétiques, à présent, les événements en gestation les obligent à participer à la réalité qu'ils avaient jusqu'alors négligée et qui se rappelle à eux, impérieusement.

Mauriac, qui avait à ses débuts usé de son talent de polémiste pour sa propre défense, le met de plus en plus au service d'une cause politique. Il en donnera plus tard la preuve magistrale dans des articles émouvants et amers contre le fascisme, et en faveur des Républicains espagnols, mais, en 1932, c'est contre les communistes qu'il se sert de sa plume.

Au cours de l'été 1932, *La Nouvelle Revue Française* entreprend la publication des « pages de Journal » de Gide concernant l'année précédente. Les lecteurs, habitués à l'orientation littéraire de la revue, s'étonnent d'entendre son inspirateur proclamer qu'il « aimerait vivre assez pour voir le plan de la Russie réussir, et les États d'Europe contraints de s'incliner devant ce qu'ils s'obstinaient à méconnaître [...] [35] ». Du reste, de 1931 à 1936, époque où Gide revint de son voyage en U.R.S.S., presque toute l'activité de ce fin lettré sera consacrée à « [cet] État sans religion, [cette] société sans famille [36] ».

Quelques semaines après la parution de la déclaration de Gide, Mauriac commente l'évolution de la pensée de son ami dans un article publié dans *L'Écho de Paris* (16 juillet 1932). Prenant pour point de départ cette phrase du *Jour-*

nal : « Il n'y a pas de plaisir à jouer dans un monde où tout le monde triche [37] », il tente de définir « Qui triche »? Est-ce Maurice Barrès qui, dans son « constant effort pour se dépasser » est devenu nationaliste aux dépens de « ses profonds désirs »? ou est-ce André Gide qui, ayant un jour déclaré que « chacun de nous est le plus irremplaçable de tous les êtres », souhaite maintenant le triomphe d'un État où selon Mauriac, « toute créature sera interchangeable »? Aux yeux de Mauriac, Barrès a réussi là où Gide a échoué, ayant passé sa vie à « s'accorder », c'est-à-dire à orchestrer toutes ses tendances sans en sacrifier aucune, tandis que la vie de Gide « s'établit dans le désaccord », chaque tendance en combattant une autre. Mauriac concède, cependant, que si Barrès avait plus longtemps vécu, il se serait converti au catholicisme, reniant ainsi ses autres tendances. C'eût été un choix et choisir n'est pas tricher. Bref, Mauriac semble être arrivé à la conclusion qu'en se convertissant à un catholicisme actif Barrès aurait effectué un choix, alors que Gide, en se ralliant au communisme, commet une tricherie!

« Que j'ai de mal à ne pas me laisser aller à vous, et combien les " raisons " de l'esprit ne sont-elles pas moins entraînantes que les persuasions du cœur », répond Gide [38]. Il prétend avoir songé à Mauriac lorsqu'il écrivait ces mots, sachant à l'avance que ce dernier les tournerait contre lui. « Vous, au moins, vous ne trichez pas. »

Peu après le second numéro de *La N.R.F.* où Gide exposait les raisons de sa nouvelle allégeance, Mauriac explique son attitude devant les progrès de l'influence soviétique sur les intellectuels. Dans un article intitulé « Les Esthètes fascinés [39] », il contemple l'élite des hommes de lettres « comblés [...] de tous les avantages d'une grande fortune acquise, ayant toujours vécu d'une vie préservée, retranchée, au milieu de tous les délices de la Culture », en qui, tout à coup, semble s'être développée une mauvaise conscience et qui se sont tournés vers Moscou, proclamant que ce qui les attire vers le communisme c'est le Progrès. De même que Mauriac avait pensé que la position religieuse de Gide avait ses origines dans son incapacité d'homosexuel à concilier sa propre morale et celle de l'Église, de même il estime que l'attitude politique du maître traduit son espérance de voir fleurir un État où se produise « un renversement des valeurs ». Quelle Terre promise que « cette société nouvelle où il ne sera plus donné à personne, d'avoir des remords puisque le nom même des vices y sera oublié! » En vérité, soupire Mauriac, résigné, il est inutile d'essayer de démontrer à ce néophyte qui ne craint d'autres chaînes que celles des lois morales, que la dictature bolchevique est l'un des pires systèmes de contrainte que l'humanité ait connus. Et pourtant, avec son optimisme habituel toutes les fois qu'il s'agit de Gide, Mauriac termine son article sur le paragraphe du *Journal* daté du 17 juillet 1931, où Gide avoue que s'il se laissait aller à ses dispositions il est des moments où il roulerait « tout droit sous la table sainte ».

La N.R.F. continue à transmettre le message de « notre Gide bolchevisant », comme le surnomme le peintre Jacques-Émile Blanche dans une lettre à Mauriac. Les « Feuillets » publiés en mai 1933 traitent de la contradiction qu'il y a dans le fait d'être à la fois riche et communiste : « Ce qui m'étonne bien davantage, renchérit Gide, c'est qu'un riche puisse se déclarer chrétien. » Le Christ n'a-t-il pas dit au jeune homme riche venu le consulter : « Vends tout ton bien et le donne au pauvre »? Telle est la doctrine du Christ, mais l'Église « a permis qu'on l'interprète de manière à se permettre elle-même de lier partie avec ceux qui possèdent, avec ce que le Christ appelle Mammon ». Le résultat de l'alliance de l'Église avec la plupart des forces antichrétiennes du monde : le capitalisme, le nationalisme, l'impérialisme et l'armée, c'est que, pour nous en débarrasser, nous sommes obligés d'extirper en même temps la religion. Néanmoins Gide le Bolchevik tient à préserver l'image chérie du Christ : « Si le christianisme fait faillite, le Christ ne peut en être tenu pour responsable; non plus que de faire des peuples dits chrétiens s'entretuer. »

Inévitablement, Mauriac a senti que de telles déclarations exigeaient réponse. Par lettre [40], il exprime son regret de voir Gide adresser à la chrétienté le même absurde reproche qui lui a été fait, mais se réjouit de ce que l'image du Christ ait été gardée intacte : « Ne Le reniez jamais : tapez sur nous qui ne sommes pas Lui... » Il laisse aussi entendre la possibilité d'une réponse publique. Quelques mois plus tard il confirme qu'il est en train d'écrire un article « sur le sujet de l'Église et de la Richesse... à cause de certains lecteurs que vous avez inquiétés [41] ». Le lecteur qui avait peut-être été le plus « inquiété » par l'interprétation rigoriste de Gide de la doctrine du « dépouillement » était le romancier catholique lui-même, qui venait d'être élu à l'Académie française et, juste une année auparavant, nommé président de la Société des Gens de Lettres. Comme il eût été facile à Gide de dénoncer cette « réussite temporelle »!

La réponse publique de Mauriac à André Gide paraît au mois d'octobre suivant, dans *L'Écho de Paris*, sous le titre « De l'amour des richesses, de l'ambition et de l'hypocrisie ». Ces pages sont autant une apologie de François Mauriac, dont la crise religieuse vient d'être récompensée par des honneurs temporels, qu'une défense de l'Église contre les attaques d'André Gide. Nous devons avouer que l'amour des richesses que nous avons tous en nous pourrait bien être la plus insidieuse de nos passions, n'y eût-il celle de l'ambition, écrit l'auteur de *Dieu et Mammon* qui, faisant l'analyse de sa propre situation y mêle curieusement l'auto-interrogation, l'auto-accusation et l'autodéfense. Arrivé au faîte des honneurs littéraires, il se demande en quelle mesure il aurait exploité, manipulé, ce conflit entre ses tendances d'artiste et ses scrupules religieux, dans le but de flatter le goût du public et d'être officiellement reconnu. Il soutient que ce goût d'arriver n'est pas incompatible avec une sorte de détachement, dès que la réussite est acquise. « Atteindre à tout, non pour en jouir, mais pour n'avoir plus à y penser », c'est ainsi qu'il s'explique. Mauriac conclut en prévenant tout chrétien contre l'hypocrisie. Rester sur ses gardes, conseille-t-il, avoir devant les yeux l'image d'un « Tartuffe à demi sincère ». Un rationaliste, cependant, qui ne vit pas en la présence de Dieu, court plus qu'un chrétien le risque de ressembler à l'imposteur de Molière, conclut Mauriac, car l'humaniste, comme Tartuffe « rajuste sans cesse son Dieu, qui est la Raison humaine, à l'exigence de sa passion ».

L'assemblée, en janvier 1935, de l'Union pour la Vérité, (primitivement nommée l'Union pour l'Action morale par son fondateur Paul Desjardins), provoqua une telle curiosité qu'on la qualifia d' « événement parisien [42] ». L'invité, ce soir-là, est André Gide qui a accepté de se soumettre aux questions d'intellectuels tels que Ramon Fernandez, René Gillouin, Jean Guéhenno, Daniel Halévy, Gabriel Marcel, Jacques Maritain, Henri Massis, Thierry Maulnier et François Mauriac. Après avoir ouvert la séance, Fernandez donne la parole au vieil adversaire de Gide. Massis est là pour défendre quelque chose de plus fondamental que la politique de son maître Maurras; il est là pour protéger un concept que menace Gide : « La notion de l'homme sur quoi se fonde la civilisation (p. 27). » Comme prévu, le débat Gide-Massis mène à une impasse, car les deux hommes exposent des points de vue absolument inconciliables. Pour Jacques Maritain, le tragique, dans la vie et l'œuvre de Gide, tient dans sa quête inlassable de valeurs évangéliques ici, sur la terre, où elles n'existent pas, et non dans le royaume de la vie éternelle. Lorsque Jacques Maritain dit à Gide : « Votre adhésion au communisme m'apparaît comme une suppléance pour vous de cette vie évangélique que vous avez toujours cherchée — là où elle n'est pas » (p. 44), il est d'accord avec tous ceux qui considèrent le communisme de Gide comme « l'application de l'idéal chrétien à un monde purement physique [43] ».

Durant la discussion, Mauriac se réfère à une déclaration de Gide selon laquelle, depuis sa prétendue conversion, il a sacrifié en lui le romancier. Cela n'équivaudrait-il pas à un reniement de vous-même? demande Mauriac. Je me suis toujours posé en ennemi déclaré de toutes les orthodoxies, répond Gide, et le marxisme, aujourd'hui, me paraît aussi dangereux pour l'œuvre d'art que n'importe quelle autre. Donc, comme le marxisme semble être temporairement indispensable à la fondation d'un nouvel état social et puisque « l'œuvre d'art ne peut répondre à un mot d'ordre », il préfère cesser d'écrire (pp. 63-64). A la fin du débat, François Mauriac est seul à exprimer sa gratitude à Gide pour s'être volontairement prêté à l'interrogatoire. Avec beaucoup de chaleur il rend hommage au rôle de premier plan tenu par Gide dans les lettres contemporaines et rappelle l'importance de la pensée gidienne en ce qui concerne l'étude de la connaissance de soi entreprise par lui, Mauriac, et ses contemporains [44].

Les deux livres écrits par Gide en 1936, à son retour d'un voyage de dix semaines en Union soviétique : *Retour de l'U.R.S.S.* et *Retouches à mon retour de l'U.R.S.S.* révèlent tous deux sa désillusion, et dénoncent l'État soviétique. Les non-communistes, de plus en plus inquiets de l'expansion de l'influence soviétique, s'empressent de formuler l'espoir que d'autres suivront le même chemin que Gide et prendront conscience de leur erreur. Mais la presse de gauche n'est disposée ni à pardonner ni à oublier, et quand Jean Guéhenno accuse Gide de dilettantisme [45], Mauriac entre en lice. Il estime qu'alors que Guéhenno a prononcé beaucoup d'accusations personnelles contre l'ex-communisant, il a omis le point principal :

André Gide, ami des communistes, a fait durant son voyage à Moscou, un certain nombre d'observations qu'il a consignées dans deux petits livres. La plupart ont été reconnues exactes par les intéressés eux-mêmes [46].

Mauriac accorde que Gide n'a peut-être pas réagi de façon tout à fait appropriée mais, cependant, comme l'aurait fait « tout homme né chrétien et français ».

L'amitié des deux hommes a résisté aux orages qui s'amassaient alors. Le début des années trente les avait vus aux deux extrêmes du spectre politique, l'un écrivant pour le journal de droite *L'Écho de Paris*, l'autre se réclamant du communisme. A la veille de la guerre, cependant, le fossé qui les sépare s'est rétréci et ils s'unissent dans un commun effort pour appuyer la cause des Républicains en Espagne.

L'exemple d'intégrité morale donné par Gide, lorsqu'il désavoue une cause qu'il avait embrassée publiquement — et avec quel enthousiasme —, ne sera pas de longtemps oublié par Mauriac. Lorsque après la guerre, il accusera les communistes français de fermer les yeux sur l'existence des camps de concentration soviétiques, il citera son vieil ami comme un symbole de courage.

Quelle vertu dans certains reniements! L'endroit le plus honorable dans la vie d'André Gide c'est sans doute lorsque à son retour de Russie il a eu le courage de brûler ce qu'il avait un peu hâtivement adoré... créature privilégiée, il jouissait de la liberté d'Ariel : celle d'un esprit ailé et dominateur qui, depuis plus d'un demi-siècle, joue au-dessus des idées et des êtres [47].

Le respect qu'ils se sont mutuellement porté en tant qu'hommes de lettres s'est étendu au plan politique.

Claude Mauriac rencontra André Gide pour la première fois, par hasard, dans un café parisien, en octobre 1937. Ils éprouvèrent sur le champ une sympathie réciproque, « élan fougueux d'un jeune esprit vers un maître qu'il admire, et joie de celui-ci à rencontrer un interlocuteur si fin ». De plus Gide a devant lui le fils de François Mauriac et, comme le fait remarquer Jean Schlumberger, « s'adresser au fils, c'est lancer de légers serpentins vers le père, c'est reprendre avec lui, de loin, l'éternelle confrontation de leur mutuelle attirance et de leurs incompatibilités [48] ». Le journal de Claude raconte les mois durant lesquels leur amitié est née, s'est épanouie puis s'est éteinte. Publié à la mort de Gide sous le titre *Conversations avec André Gide* (Albin Michel, 1951), c'est le témoignage quotidien d'un jeune homme, depuis l'enthousiasme de la première entrevue avec le maître — qu'il trouve si délicieusement simple — jusqu'à la déception finale.

Peu après avoir rencontré le fils, la « première », à la Comédie-Française, le 22 novembre 1937, de la première pièce de Mauriac, *Asmodée*, offre à Gide l'occasion de ranimer la vieille controverse avec le père. Il écrit à l'auteur, quelques jours plus tard :

Pour moi Asmodée *prolonge le débat ouvert avec votre admirable* Dieu et Mammon, *un dialogue entre vous et moi qui n'est pas près de finir* [49].

C'est le personnage assez diabolique du tuteur, Blaise Coûture, qui réveille la discussion. Selon toute évidence,

Gide souhaite souligner le fait que le sujet du drame n'est pas ce que l'on pourrait attendre d'un écrivain catholique : un prêtre défroqué, lubrique, un moderne Tartuffe, M. Coûture, a insidieusement établi son emprise sur toutes les femmes demeurant sous le toit d'une maison isolée. En d'autres termes, Gide trouve la pièce « fort peu édifiante ».

Mauriac répond, quelques jours après, que son propos n'était nullement d'être « édifiant [50] ». Pourquoi vous, Gide, « le plus bel esprit critique de ce temps », ne considérez-vous tout ce qui se rapporte au catholicisme « qu'à travers l'antipathie que certains catholiques vous inspirent »? Il y a partout des Tartuffe, « mais il n'atteint le comble de la hideur que chez nous ». « Nous » c'est « ceux du Christ » explique Mauriac qui tente encore une fois de faire appel en Gide au dernier vestige de religion. La lettre se termine par la description de l'enthousiasme que son fils a éprouvé en le rencontrant et Mauriac se réjouit du fait que « ce que vous fûtes pour moi, vous l'êtes pour lui ».

Bien que les deux écrivains eussent beaucoup de points communs ils n'évoluaient pas dans le même cercle d'amis. Ils s'étaient souvent rencontrés, mais jamais régulièrement, du moins depuis le temps où ils fréquentaient tous deux le salon de Mme Muhlfeld. Les « décades » de l'abbaye de Pontigny, dont Gide était un habitué et auxquelles Mauriac prenait part occasionnellement, leur avait offert l'occasion de renouer des relations personnelles, mais n'eût été l'amitié nouvelle du jeune Mauriac et du vieux maître, il est peu probable qu'ils se fussent vus plus souvent que par le passé [51]. Animé par son admiration pour Gide et par celle de son père, et peut-être aussi parce que le jeune athée était curieux de voir l'auteur de ses jours affronter un tel adversaire, Claude s'arrangea pour que Gide vînt passer une quinzaine de jours dans la maison de campagne des Mauriac. Le séjour à Malagar, du 27 juin au 11 juillet 1939 est minutieusement rapporté et commenté dans les *Conversations avec André Gide*. Le septuagénaire solitaire qui a récemment perdu sa femme est enchanté de cette occasion de poursuivre ses « conversations rentrées » avec Mauriac père. Mais la pensée de ce séjour dans la retraite de Malagar remplit d'anxiété les deux protagonistes. Gide confie au jeune Mauriac qu'en dépit de sa joie de se rendre à Malagar « je ne suis pas, vous le pensez bien, sans une certaine inquiétude » (p. 100). De son côté, Mauriac écrit le 24 juin 1939, à son futur hôte avec une égale appréhension : « Nous vous attendons avec beaucoup de joie — et (moi) un peu d'inquiétude ».

Les jours passés à Malagar s'enfuient comme un rêve. Le père et le fils ne savent que faire pour rendre le séjour de leur « démoniaque docteur », comme ils l'appellent, aussi agréable que possible. Pour éviter à leur illustre globe-trotter toute sensation d'ennui, ils organisent de quotidiennes randonnées dans les environs et, se souvenant de sa sollicitude à l'égard des réfugiés, pendant la Première Guerre mondiale, ils l'emmènent visiter un camp de réfugiés espagnols. Dans le calme des soirées méridionales, avec, pour fond sonore, du Mozart et du Bach, Gide et Mauriac récitent des poèmes. Ils lisent ensemble Corneille et Racine et évoquent les jours où ils se rencontraient dans le salon de la « Sorcière ». Bref, ils se plaisent à partager des souvenirs communs et les mêmes richesses culturelles.

Grâce à la présence de Claude qui ne leur est pas seulement un témoin mais aussi un confident, il nous est possible d'apprendre ce que chacun pense de l'autre. François Mauriac parle souvent avec, peut-être, un rien de jalousie, de la jeunesse physique de son hôte : une miraculeuse jeunesse, un vrai don de Dieu. Il remarque ironiquement que Dieu donne au moins aux damnés « une vie terrestre particulièrement florissante, préservée, heureuse » (p. 144). A d'autres moments, il ne peut s'empêcher de voir en son hôte un homme torturé par le remords. Car Mauriac, bien qu'il considère Gide comme perdu, le croit encore tout imprégné de Dieu. Les deux images de ce moderne Protée sont probablement exactes. Mauriac le dépeint comme le plus courtois, le plus charmant, le plus poli des êtres, puis soudain « quelque chose en lui se déclenche et il se montre l'espace d'un instant avec un visage satanique » (p. 140). Quoi qu'il en soit, il ne peut se défendre de respecter un invité aussi « probe, lucide, courageux » (p. 137) ni de tomber sous son charme : « Comme il est attachant! Et comme cette intelligence vaste, solide, ample est séduisante » (p. 153). Même les célèbres confessions publiques de Gide prennent un aspect positif lorsqu'elles sont lues par cet admirateur qui y voit une preuve de ce qu'il est un homme dont la nature même ne peut supporter les mensonges. Cette incapacité à cacher quoi que ce soit — trait que Roger Martin du Gard qualifie d'incorrigible indiscrétion — lui confère aux yeux de Mauriac une sorte de miraculeuse vivacité, de pureté. Il est aussi impressionné par la curiosité universelle de Gide, qui lui vaut une culture aussi vaste dans de si nombreux domaines. Le zèle, la méthode et le courage avec lesquels cet homme de lettres s'est jeté dans l'étude de la littérature, de la musique et des langues étrangères l'ont doté, au dire de Mauriac, d'une espèce de rectitude morale qui dirige toute sa vie. Au terme de la visite, il confiera à son fils que le séjour de Gide à Malagar ne l'en a fait que l'aimer plus. Les remarques de Gide sur Mauriac sont moins nombreuses. Il hésite visiblement à parler trop librement du père au fils, surtout à un fils qu'il veut impressionner, mais vers le milieu du séjour, il confie à Claude : « Je me sens tellement plus proche de vous que de votre père. Et pourtant j'éprouve à son égard une admiration, une estime, une reconnaissance in-fi-nies » (p. 138).

Si la religion est le sujet dont il est le plus question durant cette visite, ce n'est pas l'écrivain catholique qui la met sur le tapis; c'est plutôt Gide qui, ayant prétendu ne plus rien y comprendre, y revient « avec une sorte d'entêtement » (p. 124). Il prend aussi un malin plaisir à rappeler à Mauriac que certains catholiques le considèrent tout aussi dangereux que lui-même; il cite Claudel qu'il dépeint comme un « M. Coûture, moins la lubricité », et son vieil adversaire Massis. Il dit : « Il y a tout un parti chrétien qui se dresse contre vous, Mauriac : les Massis, les Claudel et qui s'apprête à vous traiter d'hérétique, à cause justement de ce qu'il y a en vous de charité, de noblesse » (p. 116). Gide a toujours reconnu qu'il fallait distinguer entre son hôte catholique et ses coreligionnaires. Qu'il ait si volontiers accueilli un invité aussi compromettant en est la confirmation : « C'est François Mauriac, ce n'est pas un autre qui pouvait recevoir André Gide chez lui » (p. 117). Pour lui, Mauriac représente le christianisme non le catholicisme, deux concepts qui s'affrontent, de l'avis de Gide. Dès que je suis attiré par un catholique, constate-t-il, je me rends compte qu'il agit en chrétien sans l'approbation des catholiques. Donc, Claudel représente le catholicisme et vous le christianisme, ajoute-t-il aimablement. Cela veut seulement dire qu'il y a lutte au sein de l'Église, riposte le chrétien. C'est la consolation que lui apporte la religion, poursuit-il, ce sont la confession et la communion qui importent. Lui-même a souvent été sauvé du désespoir par la communion. Et quoi de meilleur que « ce miraculeux rajeunissement, la certitude quoi qu'on ait fait d'être pardonné, cette joie d'être de nouveau en présence d'une page blanche » [...] (p. 117). Gide lui objecte que cela ne peut que renforcer le plaisir de salir de nouveau la page, et de plus, il doit y avoir une certaine volupté à s'humilier dans la confession. Mauriac, naturellement, le nie et affirme que la confession est une expérience difficile qui sert à décourager le péché. « Mais quelle joie ensuite », s'écrie-t-il. Et s'il devait être chassé de l'Église, il y rentrerait immédiatement par l'autre porte. Leur conversation se termine par une de ces déclarations de Gide qui ont si souvent donné aux catholiques l'espoir qu'il rentrerait un jour dans le giron de l'Église : « S'ils étaient plus nombreux les catholiques de votre sorte, je me convertirais, bien sûr... » (p. 149). Mais à la différence de Claudel, qui épie chacune des paroles de Gide, dans l'attente d'un signe, Mauriac ne se laisse pas tromper par des déclarations de cette sorte. Le même soir, dans une conversation avec son fils, il montre à quel point il connaît la souplesse de son hôte. Il sait que Gide est vulnérable et que si son interlocuteur s'était trouvé être un ennemi du Christ, il eût tout aussi aisément soutenu la thèse contraire. Oui, Mauriac reconnaît qu'il valait mieux que cette « brebis rétive » restât pour le moment hors du troupeau. « J'aime mieux le savoir dehors que dedans, puisque, dans les deux cas, il lui faut rôder, plein de remords, autour de la porte » (p. 150). Ce spectateur du conflit intérieur de Gide, qui a toujours soutenu que « le combat est toujours singulier » [52] et que s'il y a des conversions, il n'y a pas de convertisseurs, place maintenant ses espoirs dans un salut *in extremis*.

En tant qu'athée — situation qui devait être très inconfortable au foyer des Mauriac —, Claude cherche évidemment un point d'appui auprès de quelqu'un qui a, lui aussi, rejeté la foi de ses pères. Il découvre, au contraire, un Gide tourmenté et toujours à la recherche de preuves pour étayer son incrédulité. Il semble être d'accord avec son père sur le fait que Gide n'est pas à l'aise dans son athéisme. Commentant les fréquentes discussions religieuses qui s'élèvent entre les deux protagonistes il conclut que Gide est toujours sur la défensive parce qu'il se sent trop proche de la foi alors que son père, dans la sécurité de sa croyance, peut se permettre d'être plus objectif et plus compréhensif. En fait, Gide ne paraît pas savoir quelle attitude prendre devant son adversaire catholique : d'une part il a l'air de soupçonner son interlocuteur d'intransigeance et de machiavélisme, et, d'autre part, il est surpris par la largeur de ses vues. Pour réduire son adversaire, il lui demande s'il peut y avoir sainteté en dehors de la foi. Ce à quoi Mauriac répond par une anecdote qui illustre le fait que Dieu préfère le courage et la force de caractère de l'athée qui ne cède pas à la tentation de se convertir *in extremis* : « Qui n'a pas la foi ne doit pas obéir à sa peur et croire, ou faire semblant de croire, afin de trouver un secours » (p. 121). Cette déclaration déconcerte le non-croyant, surtout venant d'un homme généralement si proche de la pensée pascalienne. Il est possible que cela l'ait confirmé dans sa conviction que Mauriac est un chrétien plutôt qu'un catholique.

Ce n'est pas essentiellement en tant qu'adversaire religieux que les deux hommes se rencontrent. Tous deux écrivains, ils se consultent et s'encouragent mutuellement. Le frappant, dans ces conversations, c'est la franchise avec laquelle chacun d'eux approche l'œuvre de l'autre; dans ce domaine les politesses n'ont plus cours : ce sont des conversations de professionnels. Quand Gide fait la lecture de la pièce à laquelle il travaille depuis cinq ans, *L'Intérêt général*, Mauriac, d'après son fils, n'hésite pas à lui dire, « sans essayer de sauver la face, et avec un minimum de forme », qu'elle contient tous les clichés du théâtre de propagande. Semblablement, lorsque Mauriac lit à haute voix son poème *Atys*, Gide écoute si attentivement qu'il remarque que le poète a oublié de recopier un vers. Son admiration est telle qu'il encourage Mauriac à faire litière de ses scrupules et à le publier. En réalité, l'écrivain catholique hésite à faire imprimer ce chant d'amour dont le paganisme est si fort qu'il a peur de scandaliser son public. Comme toujours, il se retranche derrière la responsabilité qu'il a envers ses lecteurs : « Je représente tellement pour tant de jeunes gens, pour tant d'hommes... J'ai une telle responsabilité... » (p. 155). Nul jour ne se passe sans que Mauriac père n'énumère le nombre infini des facteurs qui l'empêchent d'exprimer honnêtement sa pensée sur quantité de sujets : sa responsabilité religieuse, sa piété filiale, etc. « Mais vous êtes couvert de chaînes » s'exclame Gide. Et il l'incite à oublier sa timidité et sa délicatesse et à écrire ce qui lui plaît. Mauriac, de son côté, réconforte son ami découragé par sa présente incapacité à écrire. Pour le rassurer il l'invite à lire son *Journal* où il verra que tout au long de son existence, il a été assailli par le même genre d'angoisse. Précisément parce que vous êtes Gide, ajoute-t-il, « et qu'entre votre œuvre et vous s'interposent votre esprit critique, votre intelligence, et le grand amour que vous avez de la vie » (p. 161). L'auteur du *Journal* va bientôt donner à lire à son hôte les pages qu'il en avait retirées, *Et nunc manet in te*.

Gide avait déjà remis à Claude les notes consacrées à sa femme, mais avait hésité à les faire lire à François Mauriac. Mis en confiance par Claude qui lui avait affirmé que son père était, mieux que lui, en mesure de les comprendre, Gide soumet donc à Mauriac « les fameuses notes conjugales ». Le père et le fils se demandent pourquoi on leur montre de telles confessions : Claude s'en étonne. François non, il trouve que cela fait partie de la nature gidienne, avec ce qu'elle comporte de pathologique. Tous deux savent fort bien que leur demander s'il doit ou non oser publier ces notes est, de la part de Gide, pure rhétorique, puisqu'il a déjà décidé de les faire imprimer. Mauriac père a été si choqué par la scène du train, où l'on voit, pendant son voyage de noces, le jeune marié se mettre à caresser les bras d'un jeune garçon, sous les yeux horrifiés de la nouvelle épousée, qu'il dit à son fils avoir carrément posé là-dessus des questions à Gide, qui lui aurait répondu en toute humilité : « Je ne pouvais agir autrement. C'était plus fort que moi. Il n'y avait rien à faire. Rien, vous entendez, rien ne pouvait m'empêcher... » (p. 164). A propos des lettres de lui que sa femme avait brûlées, Gide explique qu'elle les avait sans doute détruites parce qu'elles étaient adressées à la postérité plutôt qu'à elle. A quoi Mauriac avait répondu, apparemment en toute sincérité : « Ce qu'il y a de beau en vous, c'est que *malgré tout*, vous avez gardé une délicatesse merveilleuse... » Le jeune Mauriac est profondément secoué par le contenu de l'œuvre et par le manque de discrétion de Gide. L'amitié du grand homme ne lui paraît plus un tel « bienfait des Dieux ». Finalement, ainsi que le fait remarquer Gide, le séjour à Malagar a été utile en cela qu'il a aidé les trois hommes à se mieux connaître.

La sérénité de ces vacances communes prend un sens d'autant plus symbolique qu'à la fin de l'été 1939, les événements se précipitent. Le jour du traité de non-agression germano-soviétique, le 23 août 1939, Mauriac écrit à son ami : « Dans la solitude où je vis, le formidable coup de poker allemand me laisse hébété. Ce que je croyais impossible devient tout à coup si proche. » Et Gide : « Quelle signification prennent aujourd'hui nos jours d'intimité à Malagar! » Et encore : « Les tragiques événements qui ont suivi de près ces jours tranquilles vécus près de vous donne à ce passé une sorte de solennité singulière [53]. »

En octobre 1939, ils signent tous deux une lettre adressée au président Daladier, lui demandant que Jean Giono, emprisonné pour ses « propos défaitistes » soit traité « avec les égards dus à un écrivain qui honore si hautement la culture et les lettres françaises [...] ». Puis viennent les messages chargés d'inquiétude écrits sur les cartes interzones. Gide est parti pour le Midi, afin d'y trouver refuge; les Mauriac sont à Malagar. Ces cartes, rédigées sans savoir quand elles parviendront à destination, ni même si elles parviendront, reflètent l'angoisse du temps : « Êtes-vous à Malagar avec les vôtres? Je le souhaite. » Puis encore : « Que devenez-vous? Que devient [Claude]? Quelle épreuve que cet éloignement, ce silence [54]! »

Au mois de janvier suivant, *La N.R.F.* publie l'*Atys* de Mauriac et Gide lui écrit de Nice, le 9 janvier, pour lui dire qu'il l'a lu avec grande émotion. Non seulement pour la beauté des vers « mais bien aussi de tous les souvenirs qui se rattachent à la lecture que vous nous en aviez faite à Malagar ». Commentant *La Pharisienne* de Mauriac, publiée en 1941, Gide écrit quel plaisir il a éprouvé à passer quelques heures avec son vieil ami, « fût-ce pour m'opposer à vous, parfois... mais si peu [55] ».

Après ce contact, le rideau tombe pour ne plus se relever que trois ans plus tard, quand Gide, qui a cherché refuge en Algérie, rentre à Paris et que Mauriac, qui a écrit dans la clandestinité, sort de sa cachette.

Lorsque la France est libérée, en automne 1944, Gide est encore à Alger. C'est de là qu'il envoie un article intitulé « La Délivrance de Tunis » qui paraît en première page des *Lettres françaises* le 11 novembre 1944. Deux semaines plus tard, le 25 novembre, en première page du même périodique, paraît une protestation de Louis Aragon, devenu le porte-parole des communistes. Il reproche à une publication ayant une telle tradition de résistance d'avoir accepté d'imprimer Gide — et surtout en première page. Non seulement Gide s'est mis à l'abri des hostilités, déclare Aragon, mais il n'a même pas contribué au mouvement clandestin par ses écrits. De plus, le journal tenu au cours des années de guerre reflète l'admiration que Gide continue de vouer à la langue et à la culture allemandes, ainsi que sa conviction que les Français doivent adopter une attitude passive devant les événements. Gide ne répond pas à ces attaques. Claude Mauriac lui écrit en janvier 1945, lui conseillant de ne pas rentrer immédiatement en France. Bien que les amis de Gide, ajoute-t-il, soient unanimes à condamner les procédés d'Aragon, il l'avertit que « les passions sont à leur comble [...] jamais le mensonge et la mauvaise foi n'ont été si répandus (ex. l'article d'Aragon) [56] ». François Mauriac, lui aussi, conseille à Gide d'attendre un peu avant de rentrer : le temps de voir d'où le vent souffle, bien que les réactions aux attaques d'Aragon aient prouvé à quel point la position de Gide est forte. Écrivant des articles qui paraissent presque quotidiennement dans la presse, Mauriac explique à Gide qu'il éprouve l'étrange sensation d'être en contact direct avec un public tremblant. Il reçoit une cinquantaine de lettres par jour : « Écrire engage terriblement, poursuit-il, vous l'avez toujours su, je crois [57]... »

De loin, Gide manifeste sa présence dans les journaux français. Dans ses numéros des 7 et 8 janvier 1945, *Combat* publie de lui un court article : « La Justice avant la charité », question d'importance morale et politique primordiale à cette époque. Le prétexte de l'article est un livre récemment publié en Amérique par Julien Benda, *Grande épreuve des démocraties.* Dans son papier, Gide soutient le philosophe-critique dans son appel à la raison : Certes, écrit-il, si la passion a été nécessaire en France occupée pour créer et soutenir le mouvement de la résistance, elle n'a pas sa place « sur le sol enfin reconquis ». Le même jour, François Mauriac, dans *Le Figaro*, traite du même sujet : Sous le titre « Le Mépris de la charité », il répond à un éditorial de Camus qui prêche la sévérité à l'égard des collaborateurs. Il est besoin de charité pour revenir au monde, déclare Mauriac, qui rappelle à « M. Camus comment nos adversaires régleraient la question d'épuration, s'ils redevenaient les maîtres ».

Gide rentre à Paris au début de mai 1945. A un déjeuner donné par *Le Figaro*, il revoit beaucoup de ses anciens amis : Valéry, Mauriac, Duhamel, Guéhenno et Paulhan. C'est une des rares circonstances où il ait revu Mauriac, pendant ces années d'après-guerre. Gide a maintenant soixante-seize ans. Il travaille à des traductions. Il lit. Mauriac a soixante ans. Il est engagé dans de nombreuses polémiques. Comme le dit Gide dans sa lettre du 1er décembre 1946 : « Nous sommes trop affairés l'un et l'autre pour pouvoir nous abandonner au plaisir d'une correspondance suivie, si intéressante qu'elle pût être. »

Mauriac poursuit son dialogue intérieur sur la religion et la morale. Dans *La Pierre d'achoppement* (Monaco,

Éd. du Rocher, 1951), paru dans *La Table ronde* en 1948, il déclare qu'il a mûrement réfléchi à cette opinion de Gide, à savoir que les catholiques n'aiment pas la vérité. Quelque inexacte que cette accusation puisse paraître si on la prend dans son sens littéral, il ne peut nier qu'elle corresponde à un malaise qu'il a lui-même éprouvé maintes fois depuis qu'il a atteint l'âge d'homme : « il arrive qu'à l'église, une exigence de vérité soit lésée chez un jeune être, dès l'éveil de l'esprit critique » (p. 31). Il est indéniable que la certitude métaphysique de certains de nos prêtres les rend, dans une certaine mesure, peu scrupuleux lorsqu'il est question de vérités relatives, déclare Mauriac, rencontrant en cela Gide. Plus loin, il aborde la question du vice « la plus redoutable concurrence à la vie chrétienne » (p. 81). L'amour humain, quelque coupable qu'il soit, est le seul intermédiaire entre le vice et Dieu. Le vice, qu'il définit comme « la recherche méthodique d'un assouvissement » (p. 82) se suffit à lui-même et permet à ceux qui s'y livrent de se passer de Dieu. Leur existence est dramatique et pathétique. N'était-ce pas, déjà, le cri de Gide dans *Les Nourritures terrestres?* — « une existence pathétique, Nathanaël, plutôt que la tranquillité »... Puis Mauriac rétrécit encore le champ de son attaque — car c'est bien, de plus en plus nettement, d'une attaque qu'il s'agit —, en se référant à la particularité du comportement sexuel de son aîné : « Peut-être est-ce le pire malheur qui puisse atteindre un homme [...] que de dissocier l'amour du plaisir... » (p. 83). Ici nous reconnaissons le thème sous-jacent de *Et nunc manet in te* dont Gide avait montré le manuscrit à Mauriac, à Malagar.

Mauriac avait toujours espéré la conversion de la « brebis rétive ». Il avait cru que celui qu'il estimait si possédé de Dieu reviendrait quelque jour à la religion. Mais au cours des années d'après-guerre l'atmosphère a changé; la religion n'est plus sous les projecteurs; le temps de l'entre-deux-guerres est révolu où les conversions étaient choses courantes, où le climat était au combat spirituel. Mauriac sent qu'une révision s'impose, surtout après avoir lu des déclarations telles que : « j'enlève Dieu de l'autel et mets l'Homme à sa place [58] », dans les dernières « Pages de journal ». L'article de Mauriac, « Les derniers feuillets de Faust [59] » équivaut à une manifestation publique de sa déception. Il reconnaît que ce vieux Faust, au terme de cette quête de la joie que fut sa vie, a définitivement remplacé Dieu par l'homme. Gide veut laisser un témoignage écrit de l'émotion qu'a soulevé en lui l'article de Mauriac. Pour bien fixer sur quelles bases s'est édifiée leur amitié il lui écrit : « Un grand ennemi commun nous rapproche. Il s'appelle mensonge ou fraude, duplicité, mauvaise foi [60]... ». La réponse de Mauriac confirme cette définition : « Oubliez ces catholiques qui vous agacent », lui conseille-t-il, précisant une fois de plus son désir de ne pas être mis dans le même panier que ceux qui voudraient faire de Gide une « victoire de l'Église [61] ». Il espère seulement que « *dans le secret* » Gide se souviendra parfois de l'amour qu'il a porté jadis au Christ.

Désireux de combler le vide laissé par *La Nouvelle Revue Française* après la guerre et d'offrir une tribune aux écrivains de toutes les tendances politiques, Mauriac s'intéresse à une nouvelle revue, *La Table ronde*. Quand il définit sa position, en 1949 [62], il reprend les principes établis par Gide quelque quarante-cinq ans plus tôt : « En art, il n'y a pas de problème dont l'œuvre d'art ne soit la suffisante solution. » Au début du siècle, Gide avait aussi déclaré : « Au demeurant, je n'ai cherché de rien prouver, mais de bien peindre et d'éclairer bien ma peinture [63]. » Nous n'avons rien de mieux à offrir aux jeunes écrivains d'aujourd'hui, remarque Mauriac. Malgré cet idéal élevé, la revue ne parvient pas à la qualité du modèle qui l'a précédée et quand *La N.R.F.* paraît de nouveau, elle reprend la place qui lui revient et Mauriac, d'ailleurs, se séparera bientôt de *La Table ronde*.

Fin 1949, une importante correspondance est livrée au public... Qu'avait dit Claudel, le grand convertisseur, à Gide, l'inconvertible? La curiosité est en partie satisfaite par les extraits parus dans *Le Figaro littéraire* [64] : « [...] les lettres du *F*[*igaro*] *litt*[*éraire*] m'ont *bouleversé* », écrit Mauriac à Gide et il se hâte de préciser que c'est Claudel qui le choque [65]. Ses réactions peuvent, dans une certaine mesure, s'expliquer par le fait que les lettres choisies pour être publiées en prémices du volume sont celles que Roger Martin du Gard qualifiait d' « exhibitionnistes ». Échangées en mars 1914, au moment où *Les Caves du Vatican* sont éditées, elles révèlent l'étroitesse d'esprit de Claudel au moment où se confirment les soupçons qu'il avait de l'homosexualité de son correspondant. « Vous vous restez fidèle à votre poste de livrer toutes les pièces du procès, écrit Mauriac, mais Claudel... Mais ce grand débat entre vous que nous avons pris tellement au sérieux... » Tenant à mettre l'accent sur ce qui le différencie de Claudel, Mauriac termine sa lettre en assurant Gide de son affection, confiant qu'il retrouvera Dieu « *tout seul* — et sans les pharisiens qui toute votre vie vous ont obsédé ».

Les commentaires de Mauriac sur la correspondance Gide-Claudel paraissent sous la forme d'une lettre ouverte à feu Jacques Rivière, dans le numéro de décembre 1949 de *La Table ronde.* L'auteur rappelle l'importance qu'a revêtue cet échange de lettres pour la jeunesse de son temps, alors que chacun se sentait concerné par le dialogue secret entre le poète des *Grandes Odes* et l'auteur des *Nourritures terrestres*. Quel chrétien de vingt ans n'était pas, à cette époque, déchiré entre les deux termes de l'alternative, « celle du Dieu de Claudel et de son exigeant amour, celle du monde délicieux où " tout est permis? " » (p. 1 842). Inévitablement, Mauriac se demande ce qui a pu amener les deux hommes à rendre publique, de leur vivant, cette correspondance exagérément vantée. La chose n'étonne pas tant, de la part de Gide, puisque l'auteur de *Corydon* a décidé de traverser la vie, masque à la main, le visage découvert. (Cette tendance à étaler son âme, pense Mauriac, provient de la morale gidienne. Il veut ainsi ouvrir aux générations futures la voie qui leur permettra d'aller encore plus loin dans la connaissance de soi.) Les raisons de Claudel sont, en revanche, plus obscures. En acceptant la publication de ces lettres, estime Mauriac, Claudel s'est prématurément avoué vaincu, puisque, tant que Gide est vivant, le dernier mot n'a pas été dit. De plus, Mauriac tente de comprendre pour quel motif Claudel et d'autres catholiques, lui-même compris, ont attaché tant d'importance à la conversion d'une « âme exceptionnelle » comme celle de Gide. L'âme d'un grand artiste compterait-elle plus, pour Dieu, que celle d'un humble chrétien inconnu? Mauriac avoue que c'est là que repose l'erreur qui consiste à « transposer sur le plan de l'Éternité ce prestige dont jouit à nos yeux un artiste admirable » (p. 1 844), ils ne peuvent plus rien pour « notre Gide », « mais il existe des sentiers de chèvres pour aller à Dieu ». Quoique Mauriac ait prié Gide de lui donner, dans une lettre personnelle, ses réflexions sur les « sentiers de chèvres », Gide préfère axer le débat sur Jacques Rivière, plus particulièrement sur ce à quoi Mauriac fait évidemment allusion : à savoir que Rivière a gagné son salut *in extremis*. S'il vous est permis d'interpréter les dernières paroles de Rivière dans ce sens, écrit Gide, le 11 décembre 1949, vous ne pouvez « l'affirmer ». De même, il m'est permis de « supposer le contraire ». C'est une question « de simple honnêteté; oui, d'honnêteté laïque ». De plus, il prétend avoir été consterné par la façon dont Mauriac oppose le monde de la Foi de Claudel et le monde gidien « où tout est permis ». « Non! précisément pas *cela* », s'écrie Gide, indigné. La fin de la lettre, cependant, est d'un ton plus amène. Il y déclare que « la gêne dont je vous fais part ici — [...] ne m'empêche pas de me sentir sur tant de points si proche de vous et profondément votre ami ». Ainsi, un an avant que leur dialogue ne touche à sa fin, au terme de leur dernière dispute, leurs positions inconciliables n'arrivent pas à ternir leur amitié.

Le dernier tribut de Mauriac à son aîné date de décembre 1950, deux mois avant la mort de Gide, lorsque la Comédie-Française présente la version théâtrale des *Caves du Vatican*. Il est chargé d'écrire pour le programme une courte présentation de l'auteur. Dans ce « témoignage » il examine le rôle que Gide a joué dans sa vie. En quatre paragraphes, il retrace l'influence libératrice qu'exercèrent *Les Nourritures* sur le petit provincial à qui elles apprirent l'émerveillement d'être vivant, et l'ascendant que Gide eut sur lui en tant qu'artiste. Parlant au nom de sa génération, Mauriac rend hommage à la probité intellectuelle et à la sincérité envers soi-même que représente Gide. Il est demeuré fidèle à ces principes toute son existence et particulièrement dans la controverse religieuse, écrit Mauriac. « Notre génération lui doit d'avoir été lucide. » Pour ma part, reconnaît l'auteur de *Dieu et Mammon*, « je lui sais gré [...] de m'avoir montré [...] le choix qui, dès le départ, s'impose à un jeune être : jouissance de soi-même ou dépassement de soi-même? » Dans cette dernière déclaration publique sur Gide avant sa mort, Mauriac définit brièvement la salutaire attirance qu'il a éprouvée pour son aîné! « [...] je suis de ceux qui ont vécu "à contre-courant" d'André Gide. Mais le courant que nous remontons dans une tension de tout l'être nous est plus salutaire que le courant qui nous porte ».

Dans la nuit du 19 février 1951, leur dialogue s'éteint avec Gide.

Le genre de relations qui ont uni André Gide et François Mauriac a été quelque chose d'assez particulier, en ceci que chacun d'eux correspondait à une tendance de l'autre. Mauriac attirait Gide parce qu'il ressemblait au « pasteur protestant » que ce dernier reconnaissait porter en lui; en revanche Gide faisait appel à l'inclination vers la sensualité de l'écrivain catholique. Leur différence d'âge — seize ans — avait, d'emblée, fait de Gide le Maître. Et Gide, qui se plut toujours à jouer auprès des jeunes le rôle d'aiguillon, a agi sur la pensée de Mauriac comme un stimulant. Il était l'ennemi qui pouvait toujours le vaincre; et l'arme la plus efficace dont Mauriac pût se servir contre l'adversaire, c'était cette même sincérité qu'il avait apprise de lui. Quand, dans *Dieu et Mammon*, Mauriac exposa publiquement le problème religieux qu'il avait tenté de garder secret, il justifiait sa propre définition de la mission de Gide : braquer la lumière sur les abysses de l'âme humaine. Mauriac a insisté sur le fait que Gide a servi de pierre de touche à lui et à ses contemporains. Pour l'auteur de *Destins*, c'est certainement vrai en ce qui concerne les domaines de l'esthétique et de la religion. Les ambitieuses exigences que Gide avait fixées à l'artiste, au début du siècle, ont été fermement établies. Et « l'allégeance à une autre discipline » revendiquée par Mauriac ne l'a pas empêché de mettre son devoir envers l'art au-dessus de tous les autres.

Lorsque les deux écrivains furent taxés d'immoralisme, ils proclamèrent tous deux la liberté de l'artiste.

C'est l'inquiétude de Mauriac qui l'a rendu « sympathique » à Gide qui ne pouvait s'empêcher de penser à la période de sa propre vie où il s'était senti semblablement déchiré. Comme c'est souvent le cas chez Gide, il est difficile de savoir exactement quels étaient ses sentiments à l'égard de son jeune interlocuteur. Il est certain, cependant, qu'il lui a voué de la reconnaissance pour son intervention lors des attaques d'Henri Massis. D'autre part, le libéralisme et l'absence d'hypocrisie de Mauriac, qui le distinguaient, dans l'esprit de Gide, des autres catholiques, ne le rendaient que plus intéressant à « aiguillonner » et plus difficile à condamner.

L' « enfant chargé de chaînes » a été fasciné par l'homme qui avait osé secouer les entraves d'une bourgeoisie et d'une religion tout aussi paralysantes que les siennes propres. Dès le commencement de sa carrière il a défendu la « brebis rétive » contre les « pharisiens », Massis et Claudel. A cause de ses principes et peut-être aussi guidé par une meilleure intelligence de la nature de Gide que les autres catholiques, Mauriac avait compris que plutôt que de tenter ouvertement sa conversion, il serait sans doute plus efficace de se tenir aux côtés de la « brebis égarée » en priant qu'on usât à son égard du sentiment de charité : « Ne jugez pas ». La crise religieuse qu'il avait lui-même traversée lui permettait de comprendre l'état d'esprit de Gide. Il avait longtemps nourri l'espoir que Gide se convertirait, mais jusqu'à quel point avait-il cru que le miracle se produirait, c'est la question qu'on peut se poser. Quoi qu'il en soit, son affection pour le vieux maître a été réelle, et, comme l'a noté Roger Martin du Gard, elle n'était nullement contingente à son éventuelle conversion. Une pointe de jalousie peut avoir, parfois, adultéré son attitude vis-à-vis de son aîné, ce qui expliquerait les attaques occasionnelles qu'il a dirigées contre Gide pendant sa vie et les articles particulièrement acides qu'il a écrits à sa mort. Car, tant que Gide était vivant, il était toujours possible que cet « être de défi » pliât, mais comme il était mort provocant et « victorieux », Mauriac n'a pu s'empêcher de manifester quelque amertume. S'il était capable d'accepter, malgré lui, la façon de vivre de Gide et son attitude religieuse, il refusait l'image de bonheur et de sérénité que l'immoraliste avait fièrement affichée à la face du monde. Ce défi à la religion a été particulièrement pénible à Mauriac qui avait dû si souvent « mutiler le vieil homme », c'est-à-dire sa nature, pour la réconcilier avec sa foi. De là, parfois, cette impression que Gide était tout ce que le triste enfant bordelais eût souhaité d'être. Dans l'incapacité où il se trouvait d'arracher ses racines pour le suivre, Mauriac avait, finalement, pris le parti de vivre « à contre-courant d'André Gide [66] ».

Jacqueline Morton.

C'est pour nous une grande tristesse que le professeur Justin O'Brien, qui fut l'initiateur de nos recherches, n'ait pu voir leur aboutissement dans la publication de cette correspondance. Notre travail a bénéficié non seulement de ses suggestions et de ses encouragements, mais aussi de la haute estime et de l'affection dont il jouissait des deux côtés de l'Atlantique. Que ce livre, dédié à sa mémoire, soit considéré comme une petite partie du legs de cet érudit qui a tant fait pour communiquer à ses étudiants et au public américain son amour de la culture française.

Au cours de nos recherches, le moment le plus mémorable a naturellement été l'après-midi que nous avons passé dans le salon de l'avenue Théophile-Gautier, avec M. François Mauriac, qui rendit la vie à tout un passé qui jusqu'alors avait été pour nous purement livresque. Je lui suis reconnaissante de ce moment privilégié et de la confiance que Mme Catherine Gide et lui-même me témoignèrent en m'autorisant à publier ces lettres.

Ma dette est grande envers M. François Chapon, directeur-adjoint de la Bibliothèque littéraire Jacques-Doucet, qui a bien voulu m'aider dans un travail auquel il avait longtemps songé lui-même. M. Jacques Naville a été généreux avec son temps et ses conseils; je sais gré au professeur Yves de la Quérière d'avoir eu l'amabilité de relire mon manuscrit. Comment exprimer ma gratitude au professeur Claude Martin, secrétaire de l'Association des Amis d'André Gide, qui m'a toujours marqué sa confiance et a revu mon manuscrit?

Je tiens en dernier lieu à remercier l'Université Columbia de New York et l'American Association of University Women pour le soutien financier qu'elles ont apporté à mes deux années de recherches et de travail.

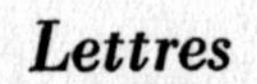

Lettres

I. — GIDE A MAURIAC[1]

Florence, 15 avril 1912 [2].

Monsieur,

L'on me renvoie ici, aujourd'hui, un numéro de la *Revue hebdomadaire*, où je lis avec un vif intérêt votre article [3]. Je vous sais le plus grand gré de plus d'une phrase (et je ne parle pas seulement de celles où vous me louez!) mais, si je vous écris, c'est pour protester de toutes mes forces contre ce mot de *sacrilège* que vous employez à propos de mon *Enfant prodigue*, et contre cette accusation d'avoir dépouillé de son sens divin la parabole de l'Évangile [4]. C'est avec piété et respect que j'ai écrit ces pages (se peut-il vraiment que vous les ayez lues, ou que, les ayant lues, vous n'ayez pas senti la gravité de l'émotion qui me les a dictées?)[5].

Croyez à ma très cordiale attention et à mes sentiments les meilleurs.

André Gide.

II. – MAURIAC A GIDE [1]

[Mai 1912] [2].

Si vous m'écrivez avec une charmante indulgence, monsieur c'est que sans doute vous avez senti dans mon article [3] qu'à votre propos ma bouche démentait mon cœur à tout moment.

Certes j'ai lu et relu *votre enfant prodigue* comme tous vos ouvrages depuis les cahiers d'André Walter [4]. Mais je ne peux croire qu'il soit selon le cœur de Dieu, ce prodigue fatigué qui conduit lui-même son jeune frère jusques aux marches du perron et le pousse vers toutes les voluptés défendues [5]...

Je n'ai pas besoin Monsieur de vous assurer d'une admiration que vous connaissez. J'ajoute que si souvent vous m'avez troublé, je n'ai reçu de vous que du bien, si c'est un bien d'aimer [6] la vie plus que je ne l'aimais avant de vous connaître.

Croyez je vous prie à ma respectueuse gratitude.

François Mauriac,
45, rue Vaneau VII [7].

III. – MAURIAC A GIDE [1]

Paris, le 10 juillet [19]17 [2] – 89 r. de la Pompe.

Dès mon adolescence, Monsieur, vous fûtes pour moi le maître secret de qui j'essayais de ne point trop subir le prestige parce qu'une autre discipline me tenait [3]. J'ai été celui à qui vous disiez : « Nathanaël, à présent jette mon livre... quitte-moi [4]... » Ainsi en différant de vous, je savais accomplir votre vœu. Infidèle à votre livre, je me sentais fidèle à votre Esprit. Tout de même quel regret souvent de me dire que le maître qui m'avait donné la plus forte ivresse était celui que je ne connaissais pas [5]! Ces deux beaux volumes [6] sont là comme un témoignage de l'heureuse fortune que j'eus de vous rencontrer enfin [7]. Je vous prie, Monsieur, de ne pas douter du prix que j'y attache ni de ma respectueuse gratitude.

François Mauriac.

IV. – MAURIAC A GIDE [1]

Vémars (Seine & Oise) [2]
30 juillet 1920

Cher Monsieur Gide,

Vous savez de quel cœur j'ai accueilli le précieux petit livre que vous avez bien voulu m'offrir [3]. Comme tout ce qui me vient de vous, il me donne une joie mêlée d'inquiétude. J'ai vu hier qu'un critique important parle de votre ironie et prononce à votre propos le nom d'Anatole France [4]. Il me semble que c'est la plus grande sottise qu'on puisse écrire de vous. Non, votre pasteur ne prête pas à rire. Il me fait penser à cette forme religieuse de l'hypocrisie qui rendait haïssable à Stendhal, tout le XVIIe siècle (et Racine même). Mais n'y a-t-il pas dans ses ruses pour se tromper lui-même, et dans cet abus qu'il fait des interprétations personnelles de l'Écriture un vice particulier de la Réforme? Il vous a plu de ne point insister sur la conversion de Jacques [5]. Vous osez clore le récit à l'instant où nous nous flattions de recevoir de vous, votre secret. Ce je ne sais quoi d'achevé, de parfait et cependant d'incertain nous l'avons aimé, mon cher maître dans chacune de vos œuvres et cette joie déçue a plus de prix pour nous que les affirmations des autres... D'ailleurs, avec mon éducation catholique, je tire tout de même une morale de votre symphonie. Il faut se garder de livrer à nos passions l'usage des paroles du Christ : votre pasteur me rappelle ces amoureuses qui se rassurent avec ce que notre Seigneur dit de Marie-Madeleine [6]. Ensuite nos bons élans, nos mouvements de charité sont aussi mis à profit par la chair et le sang. — Nul de nous, s'il veut être parfait, ne saurait donc se passer de M. Singlin [7]. Me pardonnerez-vous, cher Monsieur Gide, d'oser, à propos d'un récit délicieux, soulever des questions de casuiste, et de ne pas m'abandonner à l'enchantement de cette découverte du monde et de soi-même que fait votre enfant aveugle [8]? Veuillez ici, je vous prie, trouver l'expression de ma gratitude et de ma respectueuse sympathie.

Fran. Mauriac [9].

Comment votre pasteur qui connaît si bien
l'Évangile, écrit-il qu'il n'y est nulle part
question de couleur [10] : « Le Soir, vous dites :
il fera beau, car le ciel est *rouge*. Et le
matin : il y aura aujourd'hui de l'orage car
le ciel est d'*un rouge sombre...* » (Matth. 16-2 et 3.)
«... ils jetèrent sur lui un manteau d'*écarlate* »
(Matth. 27.)
Je crois que l'on trouverait d'autres textes.

V. — GIDE A MAURIAC [1]

29 décembre [19]21.

Mon cher Mauriac,

Je ne puis vous dire, et vous ne pourrez savoir, combien votre article me touche [2]. Depuis deux mois je ne reçois que coups (à la seule exception d'un petit article dans le... *Radical!*) [3]. La plupart des attaques sont d'une sottise rassurante [4]; il ne me semble pas qu'on m'attaque vraiment; c'est une caricature de moi que l'on brime; mais cette fausse image [5] s'accrédite, usurpe ma place et devient mon frère ennemi. Vous êtes le premier, le seul, qui osiez prendre un peu ma défense [6] (je dis : oser, car il y faut du courage, vraiment) et je vous remercie de comprendre et de dire que mon grand crime est d'avoir toujours voulu être naturel, sincère et de bonne foi. Quel repos! quel répit, de lire enfin une appréciation qui ne soit point dictée par la haine [7]. Et que je suis heureux que cet article soit écrit précisément par vous, pour qui depuis longtemps je sens mon affection grandissante — et qui peut-être deviendrait une amitié véritable si nous nous connaissions un peu mieux. Alors vous comprendriez vite que la seule indication de votre « réponse » qui ne soit pas tout à fait exacte... Mais que sert de vous la désigner aujourd'hui? Au surplus vos dernières lignes la corrigent; persuadez-vous que ce sont celles où je me sens le mieux compris [8].

Depuis mon retour à Paris, je souhaitais de vous revoir? Combien plus encore, à présent!

A bientôt, n'est-ce pas? Et bien vôtre

André Gide.

VI. — MAURIAC A GIDE [1]

4 janvier 1922 [2].

Mon cher Maître et ami,

L'indigence de ce petit article [3] me rend plus sensible à l'affection que vous me montrez. Pris de court et pour ne pas perdre une occasion qui s'offrait [4], j'ai dû livrer des notes au lieu d'une étude longuement méditée. Le pire fut qu'on négligea de me communiquer les épreuves... Mais l'essentiel est de ne pas vous avoir blessé. Moi qui sais qu'*il faut* choisir et qui ne choisis pas [5], comment vous jugeraisje? Maurice de Guérin comparait sa pensée à un feu du ciel qui frémit à l'horizon entre deux mondes [6]. Vous fûtes toujours pour moi ce feu du ciel entre le Royaume de Dieu et les nourritures terrestres. Ce feu m'a souvent éclairé jusques dans mes abîmes. Il ne m'a pas perdu. Ceux qui parfois me donnèrent le dégoût des choses divines, ce sont des moralistes, des sociologues, dupeurs et dupes, avec de fausses ailes d'ange et un sexe honteux. Mais, mon cher maître, je crois qu'il faut choisir d'être un saint. Vous nous avez enseigné une sincérité qui nous défend toute complaisance pour une attitude qui nous semble la seule logique, *hors la Foi*. La sottise d'un Massis est de prétendre appliquer à un incroyant la loi catholique et son mensonge est de feindre l'indignation parce que cet incroyant n'écrit pas comme s'il croyait! La « politique religieuse » d'un Barrès et d'un Maurras ne me choque pas — loin de là —; mais je ne saurais me défendre de mieux aimer une âme incapable de pragmatisme. L' « utilisation » de l'inimaginable Trinité pour des fins sociales et morales me choque plus que le drame d'un cœur divisé, déchiré — sans doute parce que ce drame est le mien. Car le tout n'est pas de savoir qu'*il faut* choisir, hélas! De tout cela aussi j'aimerais causer avec vous [7].

Veuillez me croire, mon cher maître et ami, votre respectueux et dévoué.

François Mauriac.

P.-S. — Ce défaut d'épreuves eut une suite déplorable. Je n'aurais certainement pas laissé ce « *contre Valéry* » [8] qui a peiné notre ami et qui me privera peut-être désormais de sa sympathie. Comment pourrait-il croire qu'il n'y a là qu'une inadvertance? Car c'est incroyable et c'est pourtant vrai... S'il me pardonne [ce] ne saurait être que par amitié pour vous. Je vous conjure de vous y employer et vous en remercie.

VII. – GIDE A MAURIAC [1]

24 jan[vier] [19]22.

Mon cher Mauriac

Je vous prête donc ce petit carnet [2]... en témoignage de ma confiance et de ma sympathie. Puis-je vous demander de ne vous en dessaisir que pour me le rendre. Vous comprendrez, n'est-ce pas, que c'est un prêt confidentiel.

Bien affectueusement votre

André Gide.

VIII. – MAURIAC A GIDE [1]

[Février 1922] [2].

Mon cher ami

Le zèle de Madame Ch. [3] est fort édifiant! Tout cela n'est rien; tout cela pourtant peut servir à votre œuvre : Aussi loin que vous soyez descendu en vous-même, il faudra pénétrer plus avant et même de cette haine vous ferez votre nourriture. Ah! cette accusation de sécheresse! Ce reproche de ne pas souffrir [4]! Aucun de ces gens-là ne sait lire...

Veuillez croire, mon cher maître, à ma respectueuse affection.

F. Mauriac.

IX. – GIDE A MAURIAC [1]

Dimanche [février 1922] [2].

Mon cher Mauriac

Votre article me console(rait, si je m'en affectais) des sottises et des incompréhensions de la « presse ». Je quitte Paris dans quelques heures; urgent besoin de repos — mais pas avant de vous avoir redit toute ma gratitude affectueuse.

André Gide.

X. – MAURIAC A GIDE [1]

Vémars (S & O) 25 [2] juin [19]22.

Mon cher ami je voudrais être sûr que mon article [3] ne vous a pas blessé : j'étais pris entre mon admiration, mon affection — et ma foi : des confrères malveillants m'épiaient [4]. Il ne fallait rien écrire qui pût ressembler à un revirement. Ainsi ai-je dit tout ce que je pensais de plus sévère. L'auteur de *Numquid et tu*, m'aura compris n'est-ce pas? Il me semble qu'il n'y a que cela de *grave* dans votre cas — ce génie de « devier » le texte de Dieu [5].

Si je vous ai fait de la peine, je vous en demande pardon et vous assure, mon cher maître et ami de ma respectueuse et fidèle admiration — de mon attachement.

François Mauriac.

Voudriez-vous me rassurer [6]?

XI. — GIDE A MAURIAC [1]

Porquerolles [2] [1er juillet 1922] [3].

Mon cher Mauriac,

Vous aurez entre-temps reçu ma lettre, qui déjà vous aura rassuré [4]. Votre article reste ce qu'on a dit de plus intelligent et de mieux sur Saül [5]; sans doute, un peu moins timoré, l'eussiez-vous pu meilleur encore. Certainement je n'ai jamais écrit rien de plus *moral* que cette pièce; je veux dire : de plus monitoire. Au sortir des *Nourritures terrestres*, je compris le danger de ne plus se défendre et dressai le spectre de ce vieux roi démantelé comme un « Cave [6]! » — Peut-être auriez-vous pu montrer cela — indiquer ce carrefour de nos deux routes. Car ne pensez-vous pas, au fond, qu'on puisse trouver quelque enseignement dans ma peinture? et prétend-on sérieusement que je propose en exemple la déchéance de Saül?

Pour ce que vous dites de mes interprétations tendancieuses des textes saints... 1° Je ne pense pas que l'histoire de Saül se puisse expliquer autrement — et quand je forcerais un peu la note, de-ci de-là — les interprétations pieuses du Cantique des cantiques (par exemple) ne la forcent-elles pas bien autrement... et Bossuet, *passim* (voir méditations sur « N'éteignez pas le lumignon fumant [7] » — entre autres, etc., etc.) 2° Je tiens les livres saints, tout comme la mythologie grecque (et plus encore) d'une ressource inépuisable, infinie, et appelés à s'enrichir sans cesse de chaque interprétation qu'une nouvelle orientation des esprits nous propose. C'est pour ne pas cesser de les interroger que je ne m'en tiens pas à leur première réponse [8].

Au revoir; croyez à mes sentiments bien affectueux.

André Gide.

XII. – MAURIAC A GIDE [1]

11 décembre 1922.

Mon cher maître et ami

J'ai relu, sur votre conseil, *la confession d'une jeune fille* [2] — Et regrette que ces pages m'aient échappé... cet article [3], écrit hâtivement, pour qu'il pût paraître assez tôt bénéficie d'une réminiscence dont je m'excuse auprès de vous [4] : car c'est vous, je m'en souviens à présent, qui avez comparé à une forêt où il est délicieux de se perdre, l'œuvre de Proust [5]. Il nous reste d'espérer beaucoup de ce « Temps retrouvé [6] » où Proust a retrouvé peut-être l'atmosphère d'éternité qui baigne le « côté de chez Swann ». Il semble que les gens du monde et les domestiques lui aient imposé, après *les jeunes filles en fleur*, leur propre déchéance, il y a là une étrange influence de la bête étudiée sur l'homme qui étudie...

Mon cher Maître et ami, les dernières lignes de votre lettre [7] m'ont touché à un point que je ne saurais dire. Si Cuverville [8] n'était pas si loin et pouvait être atteint entre deux trains il me serait doux d'aller causer au coin de votre feu — et dans cette campagne de décembre de ne rien faire que vous écouter.

Il me semble que *le fleuve de Feu* pourra vous plaire par certains côtés. Sans doute n'en aimerez-vous pas la fin [9]... Mais comment finir? et nous qui ne savons rien concilier en nous, notre œuvre ne saurait être que l'image de cette lutte sans issue, de ce débat dans notre cœur, entre Dieu et la passion à quoi Dieu nous soumet et qui pourtant est voulue de Lui.

Je suis heureux d'écrire à la N.r.f. [10]... après quinze ans, je retrouve un Rivière [11] pareil à l'adolescent entrevu — c'est un diamant que la vie n'a pas rayé.

Veuillez croire, mon cher ami, à ma respectueuse et fidèle affection.

Fr. Mauriac.

XIII. – MAURIAC A GIDE[1]

89 r. de la Pompe,
28 juin 19[24].

Mon cher ami

Vous avez bien raison de ne rien laisser perdre de ce que vous écrivez. Vos moindres notes recèlent un miraculeux stimulant. Vous êtes de cette race d'esprits — à laquelle appartient Stendhal — et qui ne laissent pas une phrase — fût-ce la plus « incidente » — sans radium. Merci de vos deux précieux livres[2].

J'ai lu l'autre, aussi : celui que vous ne m'avez pas envoyé[3] — que vous en dire? Je ne saurais vous blâmer ni vous approuver sans mille restrictions — S'il n'existait que des homosexuels désespérés et voués au suicide, je vois bien la nécessité de leur montrer qu'il n'y a rien dans la nature qui ne soit naturel et qu'il peut être bon de les accoutumer à contempler leur corps et leur cœur sans dégoût... Mais il existe tous les autres, chaque jour plus nombreux et qui ne s'embarrassent pas d'être ce qu'ils sont.

Et puis j'entends mal votre distinction entre homosexuels et invertis... Quand je songe à tous ceux que je connais, je ne vois que des malheureux, des diminués, des êtres déchus, dans la mesure où ils ne luttent pas...

Mais c'est vrai qu'il y a là un grand mystère et que l'hypocrisie du monde a trop vite fait de ne pas méditer... Ce qui importe ce n'est pas ce que nous désirons — mais le renoncement à ce que nous désirons. L'objet de notre tentation, il ne dépend pas de nous que ce soit celui-ci ou celle-là — mais ce qui dépend de nous, c'est le refus...

J'ai lu hier, ce petit livre, sur un banc des Tuileries songeant à tout ce qu'il représentait, d'audaces, de reprises, de renoncements, de témérité, de douleurs. Être bon et faire le mal; ne savoir qu'aimer et donner la mort spirituelle; comment échapper à ce dilemme? Je parle pour moi; en ce qui vous concerne, je m'empare avec joie du commandement : « Ne jugez pas » et je vous serre la main avec une respectueuse affection [4].

Fran. Mauriac.

XIV. – GIDE A MAURIAC [1]

Dimanche matin [1927?] [2].

Mon cher Mauriac

La carte de vous, que la Sorcière [3] recevait hier, ne porte pas votre adresse; mais j'espère que la Pompe [4] fera « suivre » aussitôt ceci. Oui, ne manquez pas d'aller à « *la Souco* » l'exquise maison qu'habitent les *Simon Bussy* [5] — à un kilom. au-dessus de la station de *Roquebrune-Cap Martin*. Demandez à n'importe qui; tout le monde les connaît dans le pays.

Je me réjouis pour vous et pour eux de cette visite, bien assuré que vous ne la regretterez pas. (Allez-y donc le matin, pour être plus sûr de les trouver) — ou avertissez-les par un mot. Bien affectueusement

André Gide.

XV. – GIDE A MAURIAC [1]

[1927] [2]

Mon cher Mauriac

Pigot (Capitole) [3] me communique votre article que je lis avec une vive émotion. Si l'Église n'avait formé que des chrétiens comme vous, je serais depuis longtemps catholique! Vous le savez, du reste, et que, de là, mon affection pour vous.

Croyez qu'elle est profonde et fidèle.

André Gide.

XVI. – GIDE A MAURIAC [1]

7 octobre [1927]

Mon cher Mauriac

Permettez-moi de protester, amicalement, mais avec force, contre l'interprétation que vous donnez ici [2] de ma pensée. Les lignes de moi auxquelles vous faites allusion [3] furent écrites à la suite d'une conversation avec Ghéon [4], qui venait de se convertir. Comme je lui parlais alors de repentance et de contrition, il m'exposa chaleureusement que son zèle et son amour pour le Christ étaient si vifs qu'il ne pouvait éprouver que de la joie; qu'il lui suffisait d'avoir horreur du péché et de tout ce qui pouvait désormais le détourner du Christ, mais qu'il se sentait à peu près incapable de contrition et n'avait que faire de repentance et de reporter ses regards sur un passé qui ne devait plus exister pour lui.

C'est alors, en pensant à celui qui durant si longtemps avait été mon plus intime ami, que ces paroles du Christ s'éclairèrent. Il ne me paraissait pas admissible, ni même possible, qu'une adhésion totale aux vérités de l'Évangile n'entraînât pas, aussitôt et d'abord, une contrition profonde, ni que le simple désaveu de ses péchés, sans repentance, pût suffire. Et n'est-ce pas là, précisément, ce que signifiaient ces paroles, qui s'éclairèrent aussitôt pour moi d'un jour neuf : « Quiconque ne se charge pas de sa croix et *me suit* *, n'est pas digne de moi. » C'est-à-dire : quiconque prétend me suivre sans s'être d'abord chargé de sa croix... Et c'est à ce propos que je remarquai l'erreur commise par la plupart des traducteurs, et me reportai et rattachai strictement à la version de la Vulgate. Quant à l'idée d'assimiler la croix même à la faute et de transformer l'instrument de supplice rédempteur en un oreiller voluptueux, elle n'a même pas effleuré ma pensée.

Je m'excuse d'apporter à vos pages une rectification si tardive, et seulement sur le « bon à tirer ». A première lecture, cette erreur ne me paraissait pas si importante [5]; et d'autre part vous y parlez avec une aménité si charmante qu'il me paraissait malséant de protester; il l'est surtout de protester si tard; mais certain article que je viens de lire dans une revue très catholique (*Études* du 5 octobre) [6] me laisse voir combien il est dangereux de laisser une confusion s'établir sur ce point. N'y va-t-on pas jusqu'à voir dans ce titre : « Si le grain ne meurt... » une apologie « gidienne » de la pourriture!

Je puis douter si l'idéal grec ou gœthien doit céder le pas à l'idéal chrétien; je puis chercher parfois à marier l'un à l'autre; je puis croire que le problème moral se pose particulièrement pour chaque individu, etc..., mais je tiens que l'abandon *de soi*, au sens chrétien du mot, et l'abandon *à soi* sont deux inconciliables. Je l'ai dit et je le répète : il ne s'agit pas, pour le vrai chrétien, d'interpréter dans un sens ou dans un autre les paroles de l'Évangile, mais d'y croire et de les mettre en pratique. Ce qui ne veut nulle-

* Au lieu de « et ne me suit pas », selon le texte de la plupart des traductions françaises. [Note de Gide.]

ment dire que je prétende l'avoir toujours fait. Si j'écris : « Le dormir est réconfortant », s'ensuit-il que je ne connaisse pas l'insomnie? Il m'arrive de m'écarter du Christ, de douter, non certes jamais de la vérité de ses paroles, ni du secret de bonheur surhumain qu'elles enferment, mais bien de l'obligation de les écouter et de Le suivre. Mais lorsque je me détourne de Lui et cesse de Le suivre, je n'ai pas cette impie prétention de me faire suivre par Lui [7].

Croyez à mon affection bien fidèle.

André Gide.

XVII. — GIDE A MAURIAC [1]

Paris, le 24 avril 1928.

Ce n'est peut-être pas de vous directement que je tiens votre *Jean Racine* [2], car il ne porte aucune dédicace; mais du moins puis-je vous remercier de l'avoir écrit. C'est vraiment un livre admirable (je n'ai guère usé de ce mot pour qualifier des œuvres d'aujourd'hui). Sans doute est-il bien inutile de vous dire combien il me touche; vous avez bien voulu laisser connaître que parfois vous pensiez à moi en l'écrivant [3]. Ah! combien je vous sais gré de décamoufler un grand homme [4]. Tout vaut mieux que le buste-idole. Laissons Souday parler de « calomnie » [5]. Mais convenons que Racine sort terriblement diminué, ou du moins *désauréolé* d'entre vos mains. Votre connaissance de l'homme va plus avant, ici, que dans pas un de vos romans peut-être, et je crois que je préfère l'auteur de *Racine* même à l'inquiétant auteur de *Destins* [6].

Me permettez-vous une petite remarque? Vous écrivez (page 132) : « En dépit de la fable, rien de moins criminel que le trouble de Phèdre ». Mais, cher ami, même en atténuant le caractère incestueux de cet amour (faussement incestueux, je pense exactement comme vous sur ce point) vous devriez n'oublier point que la passion de Phèdre n'en reste pas moins adultère. Est-ce là ce que vous appelez un peu plus loin : « le plus ordinaire amour »? Tout votre développement sur ce point est des plus intéressants et serait des plus justes. Dommage qu'il parte d'une fausse donnée.

J'écrivais tout ceci avant d'avoir achevé le volume. Vos derniers chapitres ne sont pas moins bons. Ce sont peut-être les meilleurs, au contraire; les plus habiles en tout cas [7]. Mais que de restrictions le dernier en particulier me force de faire. Lorsque vous parlez de mon inquiétude, il y a maldonne [8]; cher ami, l'inquiétude n'est pas de mon côté; elle est du vôtre. C'est bien là ce qui désolait affectueusement Claudel : je ne suis pas un tourmenté; je ne l'ai jamais mieux compris qu'en vous lisant, et que ce que vous avez de plus chrétien en vous, c'est bien précisément l'inquiétude. Mais, en dépit des replis de votre spécieuse pensée, le point de vue chrétien de Racine vieillissant et votre point de vue de romancier chrétien diffèrent jusqu'à s'opposer. Racine rend grâce à Dieu d'avoir bien voulu le reconnaître pour sien, *malgré* ses tragédies qu'il souhaitait n'avoir point écrites, qu'il parlait de brûler (car il comprenait beaucoup mieux que Massis cette phrase qui faisait, bien à tort, bondir celui-ci : « Il n'est pas d'œuvre d'art où n'entre la collaboration du démon » [9]). Vous vous félicitez que Dieu, avant de ressaisir Racine, lui ait laissé le temps d'écrire ses pièces, de les écrire *malgré* sa conversion. En somme, ce que vous cherchez, c'est la permission d'écrire *Destins*; et c'est ce qui vous les fait écrire de telle sorte que, bien que chrétien, vous n'avez pas à les désavouer [10]. Tout cela (ce compromis rassurant qui permette d'aimer Dieu sans perdre de vue Mammon [11]), tout cela nous vaut cette conscience angoissée qui donne tant d'attrait à votre visage, tant de saveur à vos écrits, et doit tant plaire à ceux qui, tout en abhorrant le péché, seraient bien désolés de n'avoir plus à s'occuper du péché. Vous savez de reste que c'en serait fait de la littérature, de la vôtre en particulier; et vous n'êtes pas assez chrétien pour n'être plus littérateur.

Votre grand art est de faire de vos lecteurs vos complices. Vos romans sont moins propres à ramener des pécheurs au christianisme, qu'à rappeler aux chrétiens qu'il y a sur la terre autre chose que le ciel.

J'écrivis un jour, à la grande indignation de certains : « C'est avec les beaux sentiments qu'on fait de la mauvaise littérature ». La vôtre est excellente, cher Mauriac. Si j'étais plus chrétien, sans doute pourrais-je moins vous y suivre. Croyez-moi bien amicalement vôtre.

XVIII. – GIDE A MAURIAC [1]

Paris, le 10 mai 1928.

Mon cher ami,

J'apprends que vous êtes de retour à Paris. Je me décide donc à vous envoyer cette lettre [2], que d'autre part vous pourrez lire dans le numéro de juin de la N.R.F., car j'ai pensé que vous ne trouveriez pas mauvais que je fasse connaître au public mon admiration pour votre livre, en dépit des quelques restrictions que j'apporte à votre pensée. Je ne pense pas me surfaire la valeur de votre *Racine*, car je vois avec joie que mon sentiment est partagé par les quelques personnes à qui je le donne à lire. Si occupé que je sois, si surmené par le travail et par les soucis d'un déménagement [3], j'aurais bien grand plaisir à vous revoir.

Veuillez croire à mon affection bien fidèle.

André Gide.

P.-S. — Excusez cette copie, je me trouve par mégarde avoir confié à la revue les feuilles plus décentes qui vous étaient destinées.

XIX. – MAURIAC A GIDE [1]

[mai 1928] [2]

Mon cher ami

Comment ne serais-je pas heureux de voir cette lettre imprimée [3]? Peut-être appellera-t-elle une réponse. Malgré la répugnance que j'éprouve, il faudra bien que je m'explique un jour, sur ma position religieuse. Il y a d'abord ceci : je n'ai pas *choisi* le christianisme; il m'a été inoculé dès ma naissance — et avant même que je sois né. A 42 ans, je suis assuré que je ne l'éliminerai jamais [4]. Vous vous rappelez ce fragment de Pascal (je cite de mémoire) « On a beau dire, il y a de l'extraordinaire dans le christianisme — c'est parce que vous y êtes né, me dira-t-on... — Non, car justement parce que j'y suis né, je me gendarme contre; mais bien que j'y sois né... etc. [5]. » Un *Maritain*, un *Ghéon* [6], venus de l'autre rive, ne peuvent comprendre cette fureur. Je secoue d'autant plus violemment les barreaux que je les sais indestructibles. Je ne crois pas, je ne veux pas croire à votre tranquillité [7]. Du p[oint] d[e] v[ue] chrétien, elle serait le signe de l'abandon à vous-même — du découragement de Dieu en ce qui vous concerne... Mais je vous *vois* sourire. Si vous saviez comme j'entre facilement dans votre état d'esprit! Oui, j'ai pensé à vous, je pense souvent à vous. Votre *parti pris* me paraît ce qu'il y a de plus tragique, dans le monde actuel. Votre « cas » a une signification qui me fascine.

Si je ne vous ai pas revu [8], c'est que je ne pensais pas (et je ne pense pas encore) vous intéresser. J'en juge par moi-même : un homme, même si je l'admire, m'ennuie dès qu'il a montré tout son jeu... Vous, je persiste à penser que vous avez encore une carte ou deux cachées dans votre manche... Et puis je vous aime bien.

Je n'ai pas répondu à votre lettre au sujet de mon petit

article sur « Gide et l'Évangile [9] ». Mon silence est un acquiescement. D'ailleurs il ne faudrait jamais parler de ces choses-là — on est sûr de trahir la vérité. Merci d'aimer *Racine*. Vous savez qu'aucune approbation ne peut avoir à mes yeux plus de prix que la vôtre. Si vous voulez me faire signe, j'accourrai avec joie. Je suis de tout cœur votre

F. Mauriac.

XX. — GIDE A MAURIAC [1]

Paris, le 4 février 1929.

Mon cher Mauriac,

Il faut pourtant que vous compreniez que mes sentiments à votre égard ne sont point du tout simplement ceux de littérateur à littérateur. Ma reconnaissance pour votre intervention spontanée et généreuse, au moment des attaques de Massis, reste aussi vive qu'aux premiers jours [2]. Je me trouverais proprement monstrueux si je vous payais de retour par une « perfidie »; c'est pourquoi, cher Mauriac pour qui je ne sens que de l'amitié (et je parle d'une amitié de la qualité la plus rare et la mieux soutenue et guidée), les deux mots que vous disiez hier [3], encore que sur un ton enjoué, me tourmentent. Et ce matin j'ai vraiment besoin de vous écrire : si j'avais pu penser que ma lettre [4] dut vous peiner, faire plus que *vous éperonner*, j'eusse beaucoup hésité à vous l'écrire; et en tout cas je ne l'eusse pas livrée au public, pour si peu qu'elle eût pu vous nuire. A vrai dire il me paraissait inadmissible que, personnellement, vous en prissiez ombrage, car c'est d'abord mon admiration pour votre *Racine* qui m'invitait à vous parler ainsi. Je craignais d'accentuer un possible désaccord, et de souligner la situation un peu délicate où vos livres risquaient de vous mettre vis-à-vis du clergé. C'est pourquoi je demandai d'abord votre assentiment [5]. Je n'insiste pas sur ce point, car je sais qu'il m'est arrivé de donner mon *approbatur* à des critiques, à des attaques même, qui m'étaient extrêmement pénibles; mais je viens de relire cette lettre : si vraiment vous y voyez trace de méchanceté, de traîtrise... alors tant pis! Je ne comprends plus, et il ne me reste qu'à m'excuser tardivement de vous avoir involontairement blessé, et croyez que je le fais le cœur plein d'une toute amicale tristesse.

André Gide.

P.-S. — Est-ce vraiment *vous* qui avez pu trouver ma lettre perfide? ou plutôt ne vous êtes-vous pas laissé dire — et persuader — qu'elle l'était [6]??

XXI. – MAURIAC A GIDE [1]

5 fév[rier] [19]29.

Mon cher Gide,

Non, je ne crois pas que vous ayez *voulu* être perfide — et moi-même je n'ai été sensible à la malice de votre lettre que lorsque je l'ai lue dans la *N.r.f.* [2]. C'est le danger de ces correspondances livrées au public. Vous conviendrez que la même phrase rende un son différent selon qu'elle est dite dans le privé ou qu'elle nous est adressée à la face du monde! Mais Dimanche [3], vous avez dû voir, comprendre, à quel point je vous demeure attaché. *Dieu et Mammon* [4] ne contiendra ni plus ni moins d'allusions à vous et à votre œuvre que mes autres « examens de conscience ». Vous demeurez pour moi, au sens le plus noble du mot, l'adversaire, celui qui aurait pu me vaincre, qui pourrait me vaincre. Mais, moi aussi, « j'y ai mis bon ordre ». Vous m'aidez à prendre conscience de moi-même. Votre pensée m'a toujours servi de repère. J'ai 43 ans. Je n'en peux plus d'être écartelé. Je cède à mon plus grand amour. Mais plus j'y cède et plus je me sens guéri de cette indifférence aux autres qui naguère m'aidait à vivre. Je me range du côté du plus faible — du Christ — mais non pour combattre — pour aimer.

Ce n'est pas faiblesse, « vacillement »; c'est vraiement [*sic*], appel profond, que rien n'a pu recouvrir.

Je ne me séparerai pas de vous ni de vos amis, bien que chaque n[umér]o de la *N.r.f.* semble prendre position contre J[ésus]-C[hris]t. Puisque vous semblez tous avoir un peu d'amitié p[ou]r moi, je veux rester, au milieu de vous, comme le pauvre ambassadeur d'une Puissance méconnue.

Cher Gide, la question n'est pas de savoir si nous aimons celui-ci ou celle-là — ou du moins c'est une question qui, à mesure que nous approchons de l'estuaire et de l'océan, perd chaque jour de son importance. La question est de savoir si vieillir ne doit pas être se sanctifier. Cette chair, qui ne peut être aimée de personne, nous détournera-t-elle plus longtemps de cet Esprit qui échappe au temps et qui lui aussi, lui surtout, lui uniquement est fait pour aimer — est amour?

Je ne vous juge pas. J'ai toujours exécré les « jugements [5] ». Je me juge moi-même, et cela me suffit. Je ne crois pas d'ailleurs que votre « histoire » soit finie [6].

Cette lettre est pour vous seul et vous n'y ferez pas de réponse publique, n'est-ce pas? Donc, chaque fois que je parlerai de vous ou que je ferai allusion à vous, vous saurez que c'est un *ami* qui pense à votre destin, bien plus souvent que vous ne pouvez l'imaginer.

François M.

XXII. — MAURIAC A GIDE [1]

[1930] [2]

Mon cher Gide,

Je suis profondément touché de votre affectueuse dédicace [3]. Vous savez qu'à tort ou à raison, c'est à notre Le

Grix que j'en voulais [4] — mais non à vous qui n'avez rien dissimulé de votre attitude vis-à-vis du Catholicisme.

Je vous suis très particulièrement reconnaissant d'avoir mis dans la bouche d'un prêtre un peu sot mais honnête, et non dans celle de votre Tartufe [5], ce que je vous avais répondu, à propos du texte de Mgr de La Serre [6].

C'est à votre destinée de ne rien écrire qui ne donne à réfléchir à ceux qui croient. Sachez-le : leur plus grande honte, c'est de donner de leur amour une image si basse, et de calomnier le Christ par tous leurs gestes et leurs propos...

Veuillez me croire toujours votre

François Mauriac [7].

XXIII. – GIDE A MAURIAC [1]

Dimanche matin [10 mai 1931] [2].

Cher Mauriac

Me voici bien confus du raffut que j'ai fait hier [3] autour de ces pages — fort médiocres et mesquinement querelleuses, m'a-t-il paru hier soir en les relisant sur un double. Notes prises au cours d'une lecture; leur ton est peut-être explicable (je ne dis pas : excusable) ainsi; mais je ne comprends plus par quelle aberration j'avais pu les laisser imprimer; ni comment cette médiocrité ne m'est pas apparue aussitôt en corrigeant les épreuves; mais sans doute n'avais-je de regard (et fatigué) que pour la typographie. En tout cas il n'y a pas d'hésitation possible : les déchirer [4].

Et ne m'en veuillez pas, je vous en prie, de m'être ainsi « découvert ».

Bien affectueusement

André Gide.

XXIV. – MAURIAC A GIDE [1]

11 mai 1931.

Mon bien cher Gide,

Veuillez excuser cette lettre tapée, mais je veux répondre immédiatement à votre pneu [2]. Les pages que vous m'avez confiées [3] ne sont nullement médiocres; elles ne sont pas de votre « meilleur ». Je ne crois pas qu'elles placent la discussion entre nous sur son véritable terrain. Il est évident que le goût que vous dénoncez en nous pour les textes interpolés est injuste. Pascal n'eût-il pas existé, le problème de la « direction » resterait le même. De même l'éternel reproche de stagnation. Rien ne ressemble moins à l'immobilité que la vie chrétienne; elle en est même exactement *le contraire.* Vous me direz que cela n'est vrai que sur le plan de la vie morale. Eh bien, non : l'esprit bénéficie de la pureté intérieure; et cela, je puis vous l'affirmer. J'ai une vie intellectuelle beaucoup plus active depuis que je vis plus chrétiennement; j'éprouve beaucoup plus de curiosité, beaucoup plus d'intérêt pour les idées. Nous savons trop bien, hélas, que lorsque nous vivons mal, il n'y a qu'une seule chose, au fond, qui nous intéresse...

Mon cher ami, je ne voudrais pas que vous regrettiez la conversation que nous avons eue samedi [4]; vous savez quelle affection j'ai pour vous. J'avoue que j'ai été aussi stupéfait de votre reproche de vous avoir « blasonné » dans *Dieu et Mammon* [5], que vous l'avez été vous-même du reproche de perfidie que je vous avais adressé au sujet de votre lettre publique [6]. Il faut en conclure que nous n'avons pas voulu nous faire de peine l'un à l'autre.

Croyez-moi, mon cher Gide, bien affectueusement vôtre.

François Mauriac.

XXV. – GIDE A MAURIAC [1]

14 juillet [19]31.

Mon cher Mauriac

Je ne me décide pas à vous envoyer la lettre assez longue que je vous écrivais après lecture de votre livre [2]. Il m'a longuement et profondément occupé. J'en connaissais déjà, du reste, presque toutes les pages. Il en est pourtant deux qui ne figuraient pas dans ce qui en a paru dans la N.R.F. Vous y parlez de moi, à propos de mon Voyage au Congo, d'une manière qui me va droit au cœur et me fait mieux sentir combien est vive la sympathie que je vous porte. Celle que vous me témoignez dans ces deux pages, étonnera, indignera peut-être même, certains de vos lecteurs; je vous sais gré d'aider à leur ouvrir les yeux. On peut crâner; mais certaines préventions restent extrêmement douloureuses...

Croyez-moi tout amicalement votre très reconnaissant

André Gide.

XXVI. – GIDE A MAURIAC [1]

17 avril [19]32.

Mon cher Mauriac

Je rentre d'une longue cure de repos — silence-oubli, en Suisse [2], pour

1° apprendre que vous avez récemment subi une opération, avec heureux résultat [3]; peut-être pourtant n'est-il pas trop tard pour vous souhaiter de tout mon cœur un prompt et complet rétablissement.

2º lire le *Nœud de Vipères*, dont j'entends parler autour de moi avec les plus grands éloges [4].

3º m'inscrire enfin à la S[ociét]é des Gens de lettres. Évidemment, j'attendais pour en faire partie, que vous en deveniez président, pour le plus grand réconfort de tous les membres [5].

Croyez, cher Mauriac, à mes sentiments bien attentivement amicaux.

André Gide.

XXVII. – MAURIAC A GIDE [1]

26 avril [19]32.

Cher Ami

Oui, j'ai été rudement secoué. Je remonte la pente maintenant. Mais si vous veniez un jour j[usqu']à moi, vous me trouveriez bien changé [2].

Vous nous avez enseigné à trouver partout notre richesse. La souffrance physique la maladie m'ont beaucoup appris. (Pas tout à fait, selon votre méthode. Il s'en faut de beaucoup!)

Je n'ai pu faire aucun service de presse [3]. Pardonnez-moi. Je vous enverrai mon livre. Je garde un peu l'espoir de vous le donner « de la main à la main ». Chose curieuse il a été compris, aimé par beaucoup de lecteurs, ce livre dur.

J'ai été opéré en même temps qu'il paraissait, trois jours avant mon élection à la S[ociété] [des] g[ens] [de] L[ettres]. Si vous saviez quelle lumière je découvre dans ces « coincidences » [4]... Je m'attablais...

Peut-être à bientôt, si un jour vos voyages vous obligeaient de traverser Auteuil [5]. De tout mon cœur votre

Fr. Mauriac [6].

XXVIII. – GIDE A MAURIAC [1]

21 juillet [19]32.

Mon cher Mauriac

Avec quelle émotion je lis votre article de l'*Écho* [2], qu'un ami me communique! Que j'ai de mal à ne pas me laisser aller à vous, et combien les « raisons » de l'esprit ne sont-elles pas moins entraînantes que les persuasions du cœur! En écrivant les lignes de moi que vous citez [3], je savais bien que je vous donnais contre moi des armes (et j'ai très particulièrement songé à vous en les écrivant). Non, vous du moins ne trichez pas; je le sens de reste. Et c'est moi qui tricherais au contraire en n'abandonnant point mon cœur à la sympathie profonde que je vous ai toujours gardée. Vous du moins vous aurez compris ce qu'il y a d'affreux à ne pouvoir penser qu'à l'encontre de ceux que l'on aime, de ceux qui vous sont le plus chers.

Je me souviens de votre : « Je ne vous aime que trop », en me quittant, à Pontigny [4]... Ah! je peux bien vous le redire.

Votre

André Gide.

XXIX. – MAURIAC A GIDE [1]

3 juin [19]33.

Mon bien cher Gide,

Votre petit mot me touche profondément [2]. Ces « honneurs [3] » servent au moins à provoquer des gestes de confiance, d'affection.

Et je tiens à vous dire qu'en dépit de « tout [4] », je ne vous sens pas loin de moi et que je causerais avec vous avec la même confiance...

Vos derniers feuillets [5] éveillent en moi bien des réflexions que je rédigerai, peut-être, cet été.

Le reproche que vous fait Vandérem est absurde; mais je regrette que vous le retourniez contre le christianisme... Je m'expliquerai sur tout cela [6].

Et ce qui m'a été doux, en tout cas, dans ces pages, c'est votre désir de sauvegarder le Christ; de Le tenir en dehors du débat; de Le réserver... Ne Le reniez jamais : tapez sur nous qui ne sommes pas Lui.

A vous, bien affectueusement

Fr. Mauriac

XXX. – GIDE A MAURIAC [1]

11 août 1933.

Mon cher Mauriac,

Le courrier de ce matin m'apporte le n[umér]o de la *Revue du Siècle* qui vous est consacré [2]. Il m'est très particulièrement douloureux de n'avoir pu vous apporter ici mon hommage; il me serait bien plus encore si vous deviez voir dans cette exclusion une abstention volontaire de ma part. Je garde à votre endroit, en plus d'une haute considération littéraire, un sentiment, que je n'éprouve pour nul autre, fait d'affection profonde, d'interrogation un peu craintive, de respect et de reconnaissance. Tout cela j'aurais été heureux de l'exprimer et d'en donner publiquement témoignage. Mais la *Revue du Siècle* s'est gardée de me pressentir, après s'être conduite envers moi de manière infâme dans son premier et dans son troisième n[umér]o [3]. Je ne commencerais à attacher réelle importance à ses calomnies que si, par leur suite, celles-ci pouvaient vous amener à douter de ma très profonde et fidèle amitié, que j'ai besoin de vous redire.

Votre

André Gide.

XXXI. – MAURIAC A GIDE [1]

16 août [19]33.

Mon bien cher Gide

Je ne sais ce que vous auriez écrit dans ce N[umér]o d'« hommages [2] » — mais, en tout cas, je n'aurais pu en éprouver plus de plaisir et d'émotion que je n'en ressens de votre lettre. Vous avez bien compris que mes réactions violentes à tout ce que vous écrivez contre ce qui est, à mes yeux, la Vérité, sont l'exacte mesure de mon affection. Rien de vous ne me laisse, ni ne me laissera jamais insensible...

Pourquoi ne nous voyons-nous jamais? Je crains que vous ne me preniez pour un indiscret « convertisseur [3] ». Au vrai, je n'ai jamais cru que l'on puisse convertir personne. « Dieu et moi » répétait Newman [4]. Oui « Dieu et Gide » — « Dieu et Mauriac »... *Le combat est toujours singulier.*

Les amis peuvent prier et, s'ils en sont dignes, souffrir, mériter pour leur ami; mais cela les concerne seuls — et le reste est le silence.

Si je vous réponds, quelquefois (Je compte le faire sur le sujet de l'Église et de la Richesse) c'est à cause de certains lecteurs que vous avez inquiété [*sic*], non avec la prétention de vous « changer [5] ».

Cher Gide je vous remercie de ne pas avoir fait flèche contre moi, de ma réussite temporelle : c'eût été si facile [6]! ne vous inquiétez pas des calomnies. Elles n'ont aucune prise sur vous. On ne peut rien contre un homme aussi « livré » que vous l'êtes. Mais ne doutez pas que ceux qui vous aiment vraiment [*sic*] soient parmi vos adversaires apparents. Je vous redis toute ma profonde affection.

Fr. M.

XXXII. – GIDE A MAURIAC [1]

14 décembre [19]37.

Mon cher Mauriac,

Je ne vous ai pas aussitôt remercié [2], d'abord pensant que vous n'aviez que faire d'une lettre de plus; et puis j'aurais eu trop à vous dire et le temps me manquait. Mais j'ai pu envier Jules Romains, mon voisin de balcon à la représentation d'*Asmodée*, lorsqu'il m'a dit avoir pu longuement s'entretenir avec vous de votre pièce. Pour moi elle prolonge le débat ouvert avec votre admirable *Dieu et Mammon*, un dialogue entre vous et moi qui n'est pas près de finir.

En livrant votre Couture [3] aux concupiscences de la chair, il me paraît que vous l'avez avili à dessein et fort habilement, de manière qu'on ne s'y pût méprendre. L'Église a fort bien fait de le vomir. Mais sinon (et cette concupiscence de surcroît n'était nullement indispensable) de combien de catholiques, et de ceux d'aujourd'hui, ne pourrait-on dire, ou penser : « C'est un Couture! » De combien de laïcs ou de prêtres! Il ne me déplaît point, parbleu, que vous jetiez sur eux le discrédit. Mais au profit de quoi? c'est ce que l'on ne voit pas très bien dans votre pièce. Il n'y aurait pas beaucoup à y changer, me semble-t-il, pour en faire une pièce nettement antireligieuse; et même je ne doute pas que ce petit travail de légers changements ne se fasse, fût-ce à leur insu, dans l'esprit de nombre de vos spectateurs. Autrement dit : votre pièce me paraît fort peu édifiante.

Je rentre les éloges (ou les remets à plus tard) ce serait trop long.

Veuillez redire à votre fils (Claude? je crois) [4] le grand plaisir que j'ai pris à causer avec lui l'autre soir — et croire à mon amitié bien fidèle.

André Gide.

XXXIII. – MAURIAC A GIDE [1]

26 décembre [1937].

Mon cher Gide

Je n'ai pas voulu être édifiant. Je n'ai pas voulu non plus scandaliser. Cela ne me gêne en rien que des catholiques se reconnaissent, ou soient reconnus, dans M. Couture. Lorsque nous la servons mal, lorsque nous nous servons d'elle au lieu de la servir, lorsque enfin nous la trahissons, la Vérité, « notre » vérité *se venge en nous déformant*. C'est vrai pour les catholiques, pour les protestants, pour les communistes, pour tous ceux qui se réclament d'un absolu... Mais, cher Gide, je m'étonne que vous, si aigu dès que vous touchez à toute autre question vous ne puissiez considérer le problème catholique qu'à travers l'antipathie que certains catholiques vous inspirent. Vous, le plus bel esprit critique de ce temps [2] (ce n'est qu'un des aspects de votre personnalité) vous me faites penser à ce que me disait si drôlement, un jour, Mme de Noailles [3] : « le catholicisme? C'est ma belle-mère! »

Je vous accorde que si toute vérité trahie se venge en nous déformant, cela frappe davantage quand il s'agit du Christ et que l'être hideux qui apparaît en nous est une caricature de saint : Tartuffe est un type commun à tous les partis, mais il n'atteint le comble de la hideur que chez nous (je dis « nous » parce que vous êtes « du Christ », vous aussi...)

Claude [4] qui, depuis sa petite enfance, vit au milieu des gens de lettres les plus connus, est revenu un soir, dans un état d'émotion incroyable! « Papa, j'ai vu Gide! Je lui ai parlé... » Ce que vous étiez pour moi, vous l'êtes pour lui... Je n'en ai aucun chagrin, cher Gide. Je n'ai jamais cessé de vous admirer et de vous aimer, — de croire en vous.

De tout cœur vôtre

Fr. Mauriac.

XXXIV. — GIDE A MAURIAC [1]

Jeudi [22 juin 1939] [2].

Cher ami

Ce petit billet pour vous souhaiter bon départ, bon voyage et bonne arrivée à Malagar [3]. Il me tarde de vous dire de vive voix combien m'a touché votre aimable proposition de vous y rejoindre [4] — puisque un dentiste cruel s'oppose à ce que [je] voyage avec vous. Claude vous aura déjà transmis mes regrets, n'est-ce pas? Il me dit qu'un train rapide me déposerait à Bordeaux lundi soir, où vous pourriez me cueillir... mais je pense prendre, de préférence, un train de jour mardi (je consulterai l'indicateur) — qui pourrait m'amener jusqu'à Langon. Je vous récrirai dès que fixé. Et si, par grande impatience, je me décidais pour le train de nuit de lundi, vous aviserais par dépêche [5].

Quel ouf! je pousserai quand je me sentirai près de vous. Je vis dans cette attente — et suis votre ami

André Gide.

XXXV. — MAURIAC A GIDE [1]

Samedi 24 juin [1939].

Cher ami

Nous vous attendons avec beaucoup de joie — et (moi) un peu d'inquiétude [2] : Malagar est un climat orageux. Il y a très peu d'eau... Ne serez-vous pas trop « inconfortable »? Mais du calme, du silence et de l'amitié, vous en aurez, — vous le savez. Et si vous ne vous trouvez pas bien, nous pourrons toujours nous promener aux environs et visiter ce sud-ouest que vous connaissez très mal, je crois...

Cher ami, nous attendons votre lettre ou votre télégramme avec la plus affectueuse impatience...

Fr. M. [3].

XXXVI. – MAURIAC A GIDE [1]

17 juillet [19]39.

Cher ami

C'est maintenant que je mesure mieux la valeur du don que vous nous avez fait, à Claude et à moi : deux semaines de votre vie — deux semaines d'intimité [2], comme si nous avions toujours été des amis... Mais nous l'avons toujours été, en effet, et je doute que je vous eusse mieux connu si nous nous étions rencontrés plus souvent — tant vous vous êtes donné dans une œuvre que je me flatte de posséder mieux qu'aucun de vos plus vieux compagnons. Il n'empêche que votre confiance de ces derniers jours a scellé cette amitié. Je ne vous en remercie pas. Je m'efforcerai seulement de vous montrer que j'en étais digne. Avez-vous vu la rentrée en grâce de l'*Action française* [3]? J'imagine que le feu a dû vous sortir par le nez et par les yeux et que vous avez « pétillé » d'indignation et de malice? Attendons la fin de cette aventure, avec la conviction de l'universelle tricherie... Mais Dieu, lui, ne triche pas.

A propos du passage de votre « Journal [4] » où vous tirez parti de mon indifférence (très exagérée) pour ce qui touche aux sciences naturelles, connaissez-vous ce passage de Montaigne (livre II, ch. 17) [5] « (je) ne sais la différence d'un grain à l'autre, ni en la terre ni en grenier si elle n'est pas trop apparente, ni à peine celle d'entre les choux et les laitues de mon jardin. Je n'entends pas seulement le nom des premiers outils du ménage, ni les plus grossiers principes de l'agriculture et que les enfants savent. Et puisqu'il me faut faire la honte toute entière, il n'y a pas un mois qu'on me surprist ignorant de quoi le levain servait à faire pain... »

J'en sais un peu plus que Montaigne sur ces questions où vous êtes un maître...

Cher ami, j'irai *deux ou trois jours* à Pontigny *à la fin* de la décade (à moins que vous ne veniez au début...) [6]. Je vous dis encore toute la joie que j'ai gardée de votre venue à Malagar et vous serre affectueusement les mains.

Fr. Mauriac.

XXXVII. – GIDE A MAURIAC [1]

Hôtel Sarciron,
Le Mont-Dore, 22 juillet [19]39.
Puy-de-Dôme.

Cher ami,

Le plus admirable c'est que vous trouvez encore le moyen de me remercier!... Et je m'en veux un peu d'avoir laissé votre lettre devancer la mienne. (Ma mère, qui attachait grande signification aux convenances : « lettres de château » et « visites de digestion », souffrirait de constater que je suis resté si mal élevé, en dépit de tous ses efforts!) (Elle m'eût dit : « Ton ami, passe encore : c'est un artiste. Mais tu imagines ce que va penser de toi Mme Mauriac! ») Le vrai c'est que je me suis laissé, de nouveau, culbuter par la vague et que je me ressaisis à peine, ce matin du second jour de cure. Je partais pour Challes-les-Eaux [2] lorsque je vous ai quitté. J'ai constaté qu'il était tout de même plus pratique de repasser d'abord par Paris. Rencontré Pierre Mortier [3], au conseil de la Radio, lundi dernier. « Qu'est-ce que vous allez faire à Challes? C'est le Mont-Dore qu'il vous faut! » Le même soir je vais consulter Hautan [4], qui confirme; et, docilement, j'obéis. Du reste c'est presque toujours avec joie que j'accueille tout ce qui vient chambarder mes projets... Pourtant le projet Pontigny pourrait bien tenir; une lettre très pressante de Mme Desjardins [5] a raison de ma résistance. Je ne puis, décemment me dérober. D'autre part, d'insurmontables difficultés de service rendent Cuverville inhospitalier cet été. J'écris donc aux Desjardins qu'ils peuvent compter sur moi pour toute la décade (3me) [6]; heureux si je dois vous y retrouver, et Claude j'espère — et le plus longtemps sera le mieux.

Même, constatant que ma cure s'achève le 10 août, et ne sachant où aller dans l'entre-temps, il est fort possible que j'assiste également à la seconde décade (du 14 au 24 août) sur « le problème des Étrangers en France ». J'écris à Claude à ce sujet, pour lui demander si peut-être Dubois [7]...?

Cher ami, je crois que vous ne vous rendez pas compte de ce que Malagar, votre invitation, votre accueil, votre affection, vos soins constants, ont été pour moi — à un moment de ma vie où, par profond désespoir, je sentais un besoin presque vital de me raccrocher à quelque chose [8]... Oui, ce temps passé près de vous a été pour moi très important [9].

De toute manière : à bientôt, n'est-ce pas; mais c'est beaucoup l'espoir de vous y retrouver qui me fait accepter Pontigny.

Votre ami

André Gide.

Ci-joint une lettre de Bergamin [10], que peut-être vous n'aurez point lue et qui mérite de vous intéresser.

XXXVIII. – GIDE A MAURIAC [1]

17 août [19]39.

Charmant ami, vous êtes un affreux lâcheur! Me voici donc à Pontigny, où Claude [2] me dit qu'il faut perdre l'espoir de vous attendre. Au fond, je ne puis que vous approuver, et je comprends de reste que d'autres soucis, de travail et même de tranquillité, vous retiennent.

J'avais chargé Claude d'un petit message pour vous; mais j'ai plaisir à vous dire moi-même ceci : j'ai emporté de Malagar, par mégarde et pris dans un livre de lecture, dont je coupais les pages, un petit couteau d'ivoire, quelque peu ébréché, auquel j'attachais le souvenir d'un séjour si charmant pour moi — et que je garderais volontiers, si seulement j'étais sûr qu'il n'est pas un souvenir amical ou familial pour vous-même — auquel cas, je le confierais à Claude, qui vous le restituerait. C'est ce que je l'avais prié de vous demander. Mais je préfère profiter de l'occasion pour vous redire mon affection bien attentive. Veuillez transmettre mes hommages à Mme Mauriac, qui, me dit Claude, est à Malagar près de vous.

Fidèlement et amicalement

André Gide.

XXXIX. – MAURIAC A GIDE [1]

23 août [19]39.

Cher ami

Je ne sais quel est ce coupe-papier. Mais je n'en ai aucun que vous ne puissiez garder si le cœur vous en dit et je me réjouis que vous souhaitiez d'avoir un souvenir de Malagar. Dans la solitude où je vis, le formidable coup de poker allemand [2] me laisse hébété. Ce que je croyais impossible devient tout à coup si proche... Il n'y a plus qu'à attendre et à demeurer en présence de Dieu, autant que nous le pouvons : je ne pense pas plus à Claude, à Bruno Gay-Lussac [3] qui est auprès de moi qu'à tous les autres...

Demain les 80 petits espagnols de Verdelais [4] viennent goûter à Malagar. Ils ont fait pour vous et pour moi deux cahiers de dessins. Chacun a garni une page... Adieu. Je ne puis rien ajouter. Je vous serre affectueusement les mains.

François Mauriac.

Les Maurois sont venus hier [5]. Vous verrez André à Pontigny [6].

XL. – GIDE A MAURIAC [1]

26 septembre 1939.

Quelle signification prennent aujourd'hui nos jours d'intimité à Malagar! Vous avez senti, n'est-ce pas, combien ils m'attachaient à vous... Et par la suite, à Pontigny, j'ai pu m'attacher à Claude plus encore.

XLI. – GIDE A MAURIAC [1]

Cabris, près Grasse, Alpes-Maritimes,
4 octobre [19]39.

Mon cher ami,

Vous jugerez et déciderez de quelle manière il sied de déclarer, en faveur de Giono, une sympathie et une estime qui n'impliquent nullement l'approbation de l'attitude d'insoumission qu'il a prise et qui lui vaut, vous l'aurez appris, d'être présentement incarcéré au Fort Saint Nicolas de Marseille [2]. Nous savons, entre nous soit dit, que l'on peut tout craindre des autorités militaires dont il dépend. Il y aurait, sans aucun doute, lieu de leur faire savoir (car elles peuvent l'ignorer) et le plus tôt possible, la place que Giono occupe dans les lettres françaises et combien est grand son renom à l'étranger. De plus Giono serait extrêmement sensible au moindre témoignage de sympathie. Pour gagner du temps, je viens d'écrire directement à Daladier [3] une lettre dont voici le texte. Encore que j'y dise « nous », cette lettre n'engage que moi. Vous jugerez si vous estimez devoir et pouvoir appuyer de quelque manière que ce soit mon initiative. Mais il est bon que les autorités militaires soient à même de se rendre compte du déplorable retentissement que risque d'avoir, en France même et à l'étranger (et du parti qu'en tirerait l'Allemagne) — non point l'incarcération (elle n'était que trop prévue) mais peut-être une sanction plus grave ou simplement des traitements sans égards. Je ne sais ce que d'autres auront cru devoir faire à cette occasion en vue de protéger (la vie de) Giono. Le temps manque pour demander à X. et Y. s'ils consentent à contresigner ma missive. Vous êtes le seul à qui j'en parle. Veuillez y voir une marque de profonde confiance et d'amitié.

Avec vous de tout cœur

André Gide.

Double. Cabris, 4 octobre [19]39.

Monsieur le Président,

L'arrestation de Jean Giono, actuellement incarcéré au Fort Saint Nicolas de Marseille, nous émeut sans beaucoup nous surprendre. L'intransigeance des déclarations de notre ami, dans de récents écrits nous la faisait prévoir.

Si nous nous adressons à vous, ce n'est point pour protester contre ces mesures prises, mais dans l'espoir que vous veillerez à ce que Jean Giono soit du moins traité avec les égards dûs à un écrivain qui honore si hautement la culture et les lettres françaises et dont l'œuvre a connu un si grand retentissement à l'étranger.

Veuillez accepter, monsieur le Président, l'assurance de mes sentiments bien cordiaux et de ma haute considération.

André Gide.

XLII. — GIDE A MAURIAC [1]

40, rue Verdi, Nice [2].
9 janvier [19]40.

Cher ami

Je relis, dans la dernière N.R.F., votre *Alys* [3] avec une émotion très vive. Elle ne vient pas seulement de la beauté des vers, mais bien aussi de tous les souvenirs qui se rattachent à la lecture que vous nous en aviez faite à Malagar.

J'ai, sur ma table, l'album des *Maisons fugitives* [4] ouvert à cette page qui montre la terrasse au pied de laquelle, entre les blocs, nous guettions des extrémités de couleuvres... De quel secours, alors, fut votre amitié pour le désemparé que j'étais! Les tragiques événements qui ont suivi de près ces jours tranquilles vécus près de vous donnent à ce passé une sorte de solennité singulière. Heures bénies que je revis souvent en pensée...

J'ai besoin de vous redire mon affectueuse reconnaissance, au seuil de cette année ténébreuse où ma main, je le sais, cherchera la vôtre et celle de Claude bien souvent.

Les Simon Bussy, de qui je suis l'hôte, me chargent pour vous et les vôtres, de tous leurs vœux.

Croyez aux sentiments fidèles de votre ami

André Gide.

XLIII. – GIDE A MAURIAC[1]

Ginoles-les-Bains[2] par Quillan, Aude.
3 juillet [19]40.

Cher Mauriac,

Les journaux annoncent que les relations postales sont rétablies, dans les régions du Sud, jusqu'à Bordeaux (avec quel serrement de cœur j'avais vu la carte qui montrait l'occupation englobant Langon!) J'ai donc espoir que cette lettre vous parvienne. A cause de mes changements d'adresse[3] je n'ai plus de nouvelles de personne, depuis près d'un mois. Sans doute Claude m'a-t-il écrit; mais ma correspondance reste embouteillée à Vichy, où je m'étais d'abord réfugié. Je ne sais plus comment l'atteindre, sinon à travers vous, et reste bien anxieux à son sujet. Combien je vous serais reconnaissant d'un mot de vous qui me rassurerait.

Toutes communications sont, pour longtemps encore, impossibles avec Cuverville où étaient restés les Drouin[4], mes nièces et mes petits neveux. L'aîné des fils, mon filleul[5], pris dans la retraite de Dunkerque[6], avait pu envoyer une dépêche de Londres; et, depuis, plus rien. Plus rien de son frère[7], que je savais périlleusement exposé.

Êtes-vous à Malagar avec les vôtres? Je le souhaite. Si, comme je l'espère, vous pouvez atteindre Claude, ayez la gentillesse de lui donner mon adresse. Il me tarde après vous, après lui, et de vous savoir bientôt de nouveau réunis.

De toute mon amitié je pense à vous, et reste fidèlement vôtre

André Gide.

XLIV. — GIDE A MAURIAC [1]

[Cabris, 29 juillet 1941] [2].

Cher ami. Fort ému de recevoir par même courrier votre excellente carte et une de Claude [3]. Vais lui récrire [4]. Oh! certes non, je ne vous oublie [ni] l'un ni l'autre! Avons-nous jamais eu plus besoin d'amitié? Si heureux de me sentir souvent si près de vous et « jetés dans le même sac ». Complètement ressaisi, regonflé. Me réjouis de lire la Pharisienne [5]. Ah! je voudrais bien vous revoir! Bien peu nombreux sont ceux à qui je puis dire cela; sur qui pouvoir compter. Très fidèlement votre

André Gide.

XLV. — GIDE A MAURIAC [1]

6 octobre [19]41.

Cher ami,

Avec quel intérêt, quels frémissements parfois, j'ai lu, j'ai dévoré *la Pharisienne* [2]*!* Quelle joie de passer avec vous ces quelques heures, et comme je me sentais près de vous! fût-ce pour m'opposer à vous, parfois... mais si peu. Ne m'oubliez pas trop, je vous en prie et transmettez à Claude mes plus affectueux souvenirs. J'hiverne à Nice [3] et m'efforce de travailler, sans résultat bien appréciable [4]. Je vous envie ce livre, ceux qu'il annonce et nous fait espérer. C'est surtout d'espoir que je vis, par ce temps d'épreuves. Celui de vous revoir est vif, et je veux que vous me sentiez très fidèlement votre

André Gide.

XLVI. – GIDE A MAURIAC [1]

13 décembre [19]41.

Cher Ami,

Je viens de lire une étude sur vous qui me paraît fort bonne. Elle est signée Pierre Jaccard; j'espère qu'on aura pu vous envoyer, de Suisse, le n[umér]o des *Cahiers Protestants* où elle a paru [2].

Combien souvent je pense à vous; et à Claude! Que devenez-vous? Que devient-il? Quelle dure épreuve que cet éloignement, ce silence! Du moins, ne cessez pas de me sentir, de cœur et de pensée, bien près de vous.

André Gide.

XLVII. – GIDE A MAURIAC [1]

220, rue Michelet [1], Alger,
le 13 décembre [19]44.

Mon cher Mauriac

Il faut pourtant que vous sachiez avec quel [sic] attention, quel intérêt passionné, quelle approbation de cœur et d'esprit, nous lisons, Anne Heurgon et moi tous les articles de vous que nous pouvons (parfois à grand-peine) nous procurer [3]. Quel réconfort, souvent, ils nous apportent! Anne Heurgon voulait vous écrire; mais remet de jour en jour, accaparée par les soins du ménage. Grâce à ses prévenances, je n'ai pas trop à souffrir d'un exil qui se prolongera jusqu'au printemps sans doute [4], attendant que la température, matérielle et morale, se soit faite un peu plus clémente. Mais il me tarde beaucoup de pouvoir revoir certains amis.

Vous êtes trop occupé pour m'écrire et avez certes mieux à faire; mais Claude peut-être... Je reste sans nouvelles de lui. S'il savait le plaisir que m'apporterait un mot de lui!

Veuillez lui redire, s'il est à Paris, mon affection profonde; et vous, cher ami, ne doutez point de mes sentiments bien fidèles.

Votre

André Gide.

XLVIII. – MAURIAC A GIDE [1]

2 jan[vier] [19]4[5] [2].

Cher ami

Je vous remercie de votre lettre. Nous aussi nous pensons bien à vous. J'aurais des volumes à vous écrire — mais il faudrait du loisir, il faudrait pouvoir sortir du courant, s'asseoir sur la berge on n'est pas toujours libre de choisir son rôle — on se trouve être le ténor de la troupe, à la suite des circonstances. On est « porté »; mais ce n'est pas très rassurant. Du temps de[s] boches, je me cachais. La clandestinité comportait le trou de souris. Je vivais chez mon ami Blanzat [3], à 2 pas de chez Paulhan [4]... Aujourd'hui, je vis chez moi, mais on me téléphone à 4h du matin que je suis condamné à mort... Enfin, il ne faut pas « exagérer » : la vie est tout de même passionnante, les hommes sont ce qu'ils sont : mais les événements les démasquent, et ce n'est pas toujours beau.

Enfin vous faites bien d'attendre un peu, de voir venir — quoique votre position soit très forte : les réactions à l'attaque d'Aragon [5] l'ont prouvé.

On ne s'habitue pas à cette joie de « leur » départ [6]. Surtout depuis qu'on a (follement) craint leur retour.

Pas un mot de ce que je viens d'écrire n'exprime mon véritable état d'esprit, ni ne saurait vous donner l'idée de l'atmosphère de Paris. Mais Claude a dû vous envoyer une lettre, comme on en écrit à son âge [7].

Notre petit Jean [8] est engagé. Il est alpin (secteur calme) mais le froid est atroce. Il souffre beaucoup.

Il faut que je vous dise pourtant que c'est une sensation étrange que d'être en contact direct avec un public frémissant. (Je reçois 50 lettres par jour.) Écrire engage terriblement : Béraud le sait, Maurras [9] va le savoir... Vous l'avez toujours su, je crois...

Il y a des types ici qui vous intéresseraient; le groupe de « Combat » (Camus, Sartre...) [10].

A quand, cher Gide? Me reverrez-vous [11]? Mais je suis entre les mains de Dieu. Que j'aime cette prière du vieux Siméon! « in manus tuas, Domine, commendo spiritum meum... » Je vous adresse mes vœux les plus affectueux. Ne m'oubliez pas auprès de vos hôtes.

Je suis votre fidèle

Fr. Mauriac.

XLIX. – GIDE A MAURIAC [1]

29 juin 1946.

Cher ami

Je reçois l'heureux faire-part et vous demande de transmettre aux nouveaux époux tous mes vœux [2].

Je voudrais que vous me sachiez et sentiez de grand cœur avec vous dans la joie aussi bien que dans la tristesse. J'écris ce dernier mot à propos du deuil affreux qui vous a frappé récemment, mais que je n'ai appris, incidemment, qu'avec un tel retard que je n'ai plus osé vous dire ou vous écrire la part affectueuse que j'y prenais — à votre tristesse et à celle de Claude. Quel souvenir ému j'avais gardé de votre plus jeune frère; son exquise gentillesse restait pour moi mêlée à celle de votre accueil à Malagar et ce deuil m'affectait profondément [3]. Oui, je veux que vous le sachiez, vous et Claude. Comment oublier ce qui fait le meilleur de la vie?

Je vous serre la main tout amicalement

André Gide.

L. – GIDE A MAURIAC [1]

26 novembre [19]46.

Cher ami

Êtes-vous sûr que soit de Forain [2], le mot que vous citez dans votre excellent article sur les pamphlétaires [3]? J'y reconnais la phrase de Léon Bloy à Henry de Groux [4], que celui-ci me rapportait avec indignation et qui fut un des motifs de leur rupture : « il faut, mon cher de Groux... il faut se vomir... sur les autres ».

Mais il se peut qu'elle soit *aussi* de Forain; cette fois à l'usage d'autrui. Je signalais de même à M.P. Fouchet [5], que la phrase exquise qu'il donne au dos de sa revue *Fontaine* comme étant de Stendhal : « De mémoire de rose on n'a vu mourir de jardinier », je la croyais de Fontenelle — et la crois encore, jusqu'à plus ample information [6].

Oui, ce que vous dites du et des pamphlétaires me paraît excellent. Une seule phrase me laisse songeur : « On ne commence jamais par le pamphlet. » ...Tout de même, Pascal... [7]?

Bien affectueusement votre

André Gide.

LI. — MAURIAC A GIDE [1]

28 nov[embre] [19]46.

Cher ami

Merci de votre lettre — de vos livres, de vos deux livres et de leurs affectueuses dédicaces [2]. Je vous en voulais « un petit peu » pour une certaine note de votre Journal [3] dont vous ne pouviez ignorer qu'elle avait fait scandale à Alger... mais ce n'est rien. Je suis engagé dans cette lutte absurde qui m'oblige à me défier de tout ce qui pourrait être utilisé par l'adversaire [4]. Je suppose que vous-même avez eu des moments de votre vie où elle vous échappait, où vous n'occupiez pas la place que vous aviez choisie.

Je crois pourtant qu'il n'est pas mauvais, dans ce monde effroyablement hypocrite, que quelqu'un dise sans précautions, à haute voix, ce que presque tout le monde pense... Au moins je m'efforce de m'en persuader.

Cher ami, croyez que je vous admire et vous aime. Si vous entrez un jour dans ma chambre vous verrez 2 admirables portraits de vous, au piano et devant votre table...

De tout cœur votre

F. Mauriac.

J'ai beaucoup goûté *Hamlet*. La pièce m'a paru moins mystérieuse, plus claire... Cela tient-il à votre traduction? on ne se pose plus de question sur Hamlet... on est au fait du personnage.

A partir de l'admirable scène avec sa mère, tout fiche le camp... et Ophélie est impossible à la scène.

LII. — GIDE A MAURIAC [1]

1er décembre [19]46.

Cher ami

« Faire le jeu de l'ennemi », lui « fournir des armes »... il y aurait beaucoup à broder sur ce thème [2]. C'est avec de pareils arguments qu'on nous bâillonne, et que l'on voulait, par exemple, me retenir de publier mon « Retour de l'U.R.S.S. [3]... » Je crois pourtant que j'ai bien fait de passer outre — et vous de même dans nombre de vos articles, et des meilleurs. Je les lis tous (et les fais lire autour de moi) avec un intérêt passionné, presque toujours avec une approbation totale, une sorte de soulagement du cœur et de l'esprit, et vraiment de la *gratitude*. Que de fois j'ai failli vous écrire pour vous remercier de parler ainsi!

Nous sommes trop affairés l'un et l'autre pour pouvoir nous abandonner au plaisir d'une correspondance suivie, si intéressante qu'elle pût l'être... Mais, au reçu de votre lettre du 26 nov[embre] [4], il me faut pourtant vous dire combien je reste peiné de vous avoir déplu par cette note de mon *Journal* où je citais une phrase de vous [5]. Ce qui m'affecte, c'est que vous ayez pu voir (ainsi qu'il m'est revenu tardivement) dans cette citation imprudente, quelque malignité de ma part, quelque intention de vous compromettre. Cette phrase de vous me paraissait (me paraît encore) excellente; mais de toute manière, je reconnais qu'il y avait abus à l'extraire d'une lettre toute confiante, pour arguer : « Et du reste X. pense comme moi » (sans tout au moins l'assentiment de X. à ce sujet). Pardonnez-moi, je vous en prie, cette imprudence (qui devient grave par le temps qui court), mais, pour l'amour du ciel, et par respect pour l'amitié, n'y voyez point une perfidie, dont j'espère bien que je ne serai jamais capable et qui serait particulièrement vilaine envers vous, pour qui je n'ai qu'affection et reconnaissance.

Mais voici qui m'explique certain retrait (pour ne pas dire plus) de vous à mon égard — qui me chagrinait grandement, de sorte que je vous sais gré d'y revenir et de m'en donner la raison que je n'avais su entrevoir. Et persuadez-vous que mon amitié pour vous reste aussi vive, plus vive encore qu'aux temps de paix. De tout cœur avec vous

André Gide.

6 décembre.
Cette lettre traîne sur ma table depuis 6 jours... Dois-je vous l'envoyer?... Oui, n'est-ce pas.

A. G.

LIII. — GIDE A MAURIAC [1]

21 juin [19]48.

Cher Mauriac,

Vous trouverai-je aux bureaux du Figaro, ce soir?... Je le souhaite, et ce billet deviendrait inutile; mais il me plaît de laisser un témoignage écrit de l'émotion que j'éprouve en lisant votre bel article [2].

Fussé-je du plus mauvais vouloir (et vous savez qu'il n'en est rien) comment considérer en adversaire celui qui vous désarme en vous donnant envie de l'embrasser...? Tout bien considéré, et déjà votre *Pierre d'achoppement* [3] le faisait fort bien comprendre et sentir : un grand ennemi commun nous rapproche. Qu'il s'appelle mensonge ou fraude, duplicité, mauvaise foi... et combien je me sens à vos côtés dès qu'il s'agit de le combattre! Mais combien aussi je vous sais gré de ne chercher nullement à tricher sur nos positions, et non plus sur la mienne que sur la vôtre — de sorte que je puisse de tout cœur, au nom de cet amour dont vous parlez si bien, me sentir, en deçà de tout dogme ou par-delà, et profondément, et quoi qu'il advienne, joie ou douleur

Votre ami

André Gide.

LIV. – MAURIAC A GIDE [1]

23 juin [19]48.

Cher Gide

Je vous remercie du fond du cœur d'avoir pris cet article [2] pour ce qu'il était, un témoignage d'affection, de fidélité. Je crois, je suis sûr que le troupeau invisible du Seigneur dépasse infiniment son troupeau visible. Et mon ambition en ce qui vous concerne, cher Gide, n'est nullement de vous voir devenir l'occasion d'une « victoire » de l'Église, d'une « Revanche » : mais simplement que *dans le secret*, vous vous souveniez encore de votre premier amour, de ce Jésus qui est venu pourtant, qui est un « fait », qui a dit ce qu'il a dit. « Impossible que Dieu soit, impossible que Dieu ne soit pas... » C'est la parole du Christ qui pour moi m'aide à choisir entre ces deux impossibilités. A l'égard du « Dieu des philosophes et des savants » que j'eusse été aisément athée! Mais non à l'égard du Père que le Fils nous a appris à connaître et à aimer.

Oubliez ces Catholiques qui vous agacent, vous irritent, vous scandalisent, même cette Église dont vous ne *pouvez* voir que ce qui en paraît au-dehors et qui est fait pour rebuter un esprit tel que le vôtre, mais je prie pour que vous aussi vous priiez quelquefois Celui en qui vous avez cru... De tout mon cœur votre

François Mauriac.

LV. — MAURIAC A GIDE [1]

19 [2] jan[vier] [19]49.

Merci, cher Gide, d'avoir pensé à m'envoyer ces notes sur Chopin [3].

J'espère que vous allez bien. Je pense souvent à vous...

François Mauriac.

Pardonnez ce griffonnage : je sors de la grippe.

LVI. — GIDE A MAURIAC [1]

5 juillet [19]49.

Cher ami,

Encore mal remis d'une crise hépatique qui m'a maintenu plus d'un mois en clinique [2], je n'écris qu'avec peine et application — mais veux pourtant que vous sachiez combien je suis sensible à votre article du *Figaro* [3].

Je reste soucieux de ce que vous dites des vers de Lafon et de J. de la Ville de Mirmont [4], tout prêt à les ajouter dans une édition nouvelle de cette anthologie, si vraiment ils méritent d'être sauvés de l'oubli. Mon excuse (fort mauvaise, je le reconnais) c'est que je ne les connaissais pas; et je vous sais grand gré de me les signaler. Cette anthologie, loin de pouvoir être considérée comme définitive, reste ouverte et accueillante aux perfectionnements que des amis voudraient bien m'indiquer; j'aurais dû dire cela dans ma *Préface*.

Quant à Mme de Noailles [5], je m'y suis repris à trois fois, relisant durant trois étés successifs la totalité (ou presque) de son œuvre poétique, sans parvenir à trouver un seul poème d'elle qui résistât à l'examen critique.

Me reprochez-vous vraiment de n'avoir pas cité *in extenso* la *Tristesse d'Olympio?* (je fais déjà la part si belle à Hugo!) ou le *Moïse* de Vigny?...

Je vais donc me procurer et lire *La Maison pauvre* [6].

Merci encore — et tout affectueusement votre

André Gide.

Villa Joyeuse [7],
rue Fontaine-du-Pin,
Juan-les-Pins
Alpes-Maritimes.

LVII. — MAURIAC A GIDE [1]

jeudi 11 nov[embre] [19]49.

Bien cher ami

On me dit que vous attendez un mot de moi pour envoyer à *la Table Ronde* [2] un texte précieux. Je vous serais obligé d'aider cette revue qui me semble avoir un rôle à tenir dans le désordre actuel. Et vous avez vu comme nous demeurons près de vous en dépit de tout. Je vous demande pardon pour une petite phrase écrite cet été sans malice et dont on m'assure qu'elle vous a blessé [3]... Je croyais au contraire vous faire sourire. Mais vous savez ce que vous êtes pour moi.

Cette amitié, cette confiance m'incitent à vous avouer que les lettres du F[igaro] litt[éraire] [4] m'ont *bouleversé* : j'ajoute aussitôt que c'est Claudel qui me choque surtout. Vous, vous restez fidèle à votre poste de livrer toutes les pièces du procès. Mais Claudel... Mais ce grand débat entre vous que nous avons pris tellement au sérieux... ah! cette petite phrase sur Rivière de Claudel, sur « le pauvre Rivière [5]... ».

Peut-être vais-je en écrire dans la T[able] [Ronde] cet hiver : je vous soumettrai le texte [6]. Car cette revue, je voudrais qu'elle fût *la vôtre*.

Qu'on est triste et fatigué! Je vous dis mon cher Gide, mon affection, ma confiance que vous trouverez Dieu *tout seul* — et sans les pharisiens qui toute votre vie vous ont obsédé — oui, que le Christ *que vous aimez*, à vous qui avez eu toutes les chances, accorde la suprême, celle de vous endormir sur son épaule, contre son cœur.

Fr. Mauriac.

LVIII. – GIDE A MAURIAC [1]

13 novembre [19]49.

Cher ami,

Je reçois de vous la plus exquise des lettres; en la lisant, je sentais fondre mon cœur. Mais naturellement, je n'aurais fait que sourire de votre petit coup de patte à votre « vieux Narcisse » s'il eût été donné dans une lettre particulière. Mais le gros public se plaît aux bisbilles : ce qui m'a gêné et peiné, c'est que vous l'invitiez à croire à quelque maligne hostilité de votre part à mon égard. Il n'a pas manqué de mésinterpréter votre phrase [2].

C'est bien aussi pourquoi j'ai été d'autant plus sensible à la mention d'un texte de moi dans les excellentes pages que vous avez données dans un n[umér]o récent de *la Table ronde* [3]. Croyez que je vous suis tout acquis; et je n'ai pas attendu votre sollicitation d'hier pour confier à Thi[erry] M[aulnier] [4] le seul écrit de ces temps derniers dont je sois à peu près satisfait [5]. Puisse-t-il ne pas trop vous déplaire!

J'espère vous revoir bientôt. (Peut-être dès demain soir, au *Figaro* [6].)

Tout affectueusement

André Gide.

LIX. – MAURIAC A GIDE [1]

30 nov[embre] [19]49.

Bien cher Gide,

Jean Denoël [2] me dit que vous avez un « journal » de votre « maladie » *(Cannes)* [3] que vous donneriez peut-être à *la Table* [4]... Si c'est exact, avec quelle joie nous le publierions! Je crois que cette année notre petite revue va faire comme le « petit orchestre » de Capet : elle va croître et prospérer!

Je n'ai pu vous envoyer les épreuves de ma *lettre* sur la correspondance Claudel-Gide [5], car je n'ai pu les garder que le temps de les corriger; mais je ne crois pas que les sentiments que j'exprime à ce propos vous puissent offenser : je vous les ai communiqués de vive voix [6] et après avoir avoué le malaise que j'ai ressenti, je mets l'accent sur la préoccupation *éthique* qui inspire chez vous ces sortes de publications. Claudel aurait plus de raison d'être mécontent; mais il a le cœur dur et ne sent rien. Je parle à la fin de ma lettre d'un « *sentier de chèvre* » au sujet duquel j'aimerais que vous me répondiez (par lettre privée) [7]. Je ne vois pas pourquoi nous vous avons assommé avec le Catholicisme, vous qui n'y êtes pas né... Mais veuillez attendre d'avoir lu ces pages pour me répondre...

de tout cœur votre

Fr. M.

LX. – GIDE A MAURIAC [1]

11 décembre [19]49.

Cher ami,

Comment ne pas vous écrire aussitôt combien m'émeut votre pathétique *Lettre à Jacques Rivière* [2]? Il n'est peut-être pas de voix, aujourd'hui, qui me paraisse plus *entrante* que la vôtre; il n'en est peut-être pas que je laisse plus volontiers entrer en moi. Mais elle *n'entre* plus du tout, cette voix, lorsqu'elle s'abrite sous (ou se double de, ou prend appui sur) la plus tendancieuse interprétation, par la plus abusive des veuves [3], d'une phrase entre toutes sujette à caution*.

« Vous, Jacques, qui avez été sauvé *à la dernière seconde* », avez-vous soin de dire. Et, ceci, vous êtes parfaitement en droit de le supposer; mais nullement de l'affirmer. Et je n'ai nullement le droit d'affirmer, mais bien celui de supposer le contraire. Tout ce que nous savons, c'est que Rivière, dans les derniers temps de sa vie, se maintenait en véhémente révolte contre Claudel et son enseignement, contre la morale, contre Isabelle et tout ce qu'elle représentait pour lui. Isabelle ignorait, du reste, à peu près tout de sa vie « privée »; et peut-être a-t-elle sincèrement cru inventés de toutes pièces les témoignages des confidents de Jacques et tout ce qui gênait sa construction arbitraire.

« Je ne me pique plus que de deux choses », disait Jacques peu de temps avant sa maladie dernière, « de bien mentir et de bien baiser ». Alors que, « à la dernière seconde », le mensonge l'ait soudain épouvanté, qu'il ait fait un brusque retour, il se peut; en tout cas il est permis à vous de le supposer, je le répète; mais l'affirmer... vous ne le pouvez sans imprudence. J'ai trop grand respect de la religion

* V. post-scriptum. [Note de Gide.]

pour ne point souffrir chaque fois que je la vois recourir à des armes truquées ou douteuses. C'est affaire de simple honnêteté; oui, d'honnêteté laïque. Et quand vous parlez, pour l'opposer au monde de la Foi, au monde de Claudel, d'un « monde délicieux » (qui serait le mien) où « tout est permis » je sursaute. Tout permis?... Non! précisément pas *cela*.

Il m'étonnerait beaucoup d'être le seul à avoir éprouvé la gêne dont je vous fais part ici — et qui ne m'empêche pas de me sentir sur tant de points si proche de vous et profondément votre ami

André Gide.

P.-S. — Jean Schlumberger s'est amené, tandis que j'achevais cette lettre. Je lui ai tendu la *Table Ronde*, qu'il n'avait pas encore reçue. — « Mauriac, me dit-il, ne cite pas exactement la phrase de Rivière; telle du moins qu'elle nous fut aussitôt rapportée : « Je suis miraculeusement sauvé. » Il y ajoute deux mots qui en précipitent le sens : « Je sais que... »

Moi. — « J'avoue que je ne vois pas bien quelle importance tu attaches à ces deux mots... »

J. S. — « Une importance très grande : ils comportent une interprétation mystique, qu'il ne nous appartient pas, en toute bonne foi, de leur donner; que nous ne sommes nullement en droit de supposer que Rivière leur donnât lui-même. Nombre de ses amis les plus intimes estiment qu'il ne faisait allusion alors qu'à la brusque opération, toute physiologique, d'un médicament dont l'efficacité ne s'était pas encore fait sentir. »

Moi. — « M'autorises-tu à la dire à Mauriac? »

J. S. — « Je fais plus : je te demande de lui en parler de ma part. »

A. G.

LXI. — GIDE A MAURIAC [1]

Juan [2]
7 mars 1950.

Cher ami

Vous n'en ratez pas une [3]!... Fargue ne figure pas dans mon anthologie pour la simple et unique raison qu'il vivait encore lorsque le « bon à tirer » fut donné [4]. J'eusse fait preuve sinon de la plus noire ingratitude, ou de je ne sais quoi de plus vilain encore. N'empêche que *vous* faites l'opinion du public et qu'il retient ce que vous dites, si peu équitable que cela soit. Je m'attriste en raison de la tendre et constante affection (et admiration) que je portais à Fargue — si réciproque de sa part (et jusqu'aux derniers jours). (V. son dernier article du *Figaro* [5].)

Mais je vous aime bien tout de même : rien à faire à ça.

Votre très fatigué, mais fidèle

André Gide [6].

LXII. — GIDE A MAURIAC [1]

André Gide
L'Oiseau bleu
Bd du Littoral
Juan-les-Pins [2]

Juan-les-Pins le 5 avril [19]50.

Cher ami,

Si fatigué que je sois [3], j'ai pourtant besoin de vous dire combien me touche le sentiment qui vous fait, dans votre particulièrement bel article sur Léon Blum, m'inviter à me tenir près de vous devant cette tombe ouverte [4].

Croyez à ma vieille et fidèle affection

André Gide.

LXIII. – GIDE A MAURIAC [1]

12 décembre 1950 [2].

Cher ami,

Quelle joyeuse émotion m'apporte votre texte [3], que me montre hier Mr. Touchard [4] — et quelle heureuse surprise; car je lui avais dit : non! n'ennuyez pas mon ami Mauriac en lui laissant connaître le plaisir que me ferait sa participation. C'est pourquoi je m'étais retourné vers Paulhan [5] pour « présenter » la pièce. Mais c'est moi-même, l'auteur, que vous présentez au public; et c'est parfait ainsi. Votre gentillesse est exquise et me va droit au cœur. Merci.

André Gide.

Documents

1.

François Mauriac, « Enquête sur la jeunesse : la jeunesse littéraire », La Revue hebdomadaire, *avril 1912, pp. 59-72.*

Mauriac vient de parler des aspirations des jeunes écrivains catholiques. Voici le passage se rapportant à Gide :

Mais à côté de ces catholiques, je vois d'autres jeunes gens inquiets aussi de renouveler le lyrisme et de trouver une discipline; pourtant ils ne souhaitent pas que cette discipline s'applique aux sentiments non plus qu'aux idées, ils condamnent les ouvrages où apparaît l'ambition de prouver quelque chose; l'art, pensent-ils, ne saurait se proposer d'autre fin que lui-même. Les voici donc bien éloignés d'une religion qui, prenant l'homme tout entier, dans chaque instant de sa vie, exige qu'il lui soumette à la fois son intelligence, sa volonté et son cœur. Ces jeunes gens se groupent autour de *La Nouvelle Revue française*, et bien que le nom de M. André Gide n'y figure pas officiellement et que la plus grande indépendance soit donnée à ses collaborateurs, chacun d'eux a le souci de contenter un maître qui, comme on sait, n'aime pas les œuvres d'accès facile, ni celles où l'on entre de plain-pied. Il faut leur rendre ce témoignage qu'ils atteignent quelquefois à le satisfaire. Cependant, comme l'écrit le plus subtil de ses commentateurs, « Gide peu à peu s'arrache au symbolisme, un des premiers il nous indique la voie, il retrouve la vie que trop de complaisance en nous-mêmes nous avait fait oublier, il est un de nos guides vers une nouvelle époque de la littérature ». Prenons garde que cet écrivain, dont je n'évite pas d'ailleurs la séduction, réussit bien mal à se délivrer de lui-même. Son style qui chaque jour se simplifie, découvre une âme singulièrement apte à ne pas choisir, à servir non pas seulement deux maîtres, mais d'innombrables maîtres. En vain dédaigne-t-il de compter parmi « les arrivés » qui n'avancent plus et que les générations nouvelles dépassent. André Gide, parce qu'il est un homme qui ne prend pas parti, s'éloigne de nous. Après *L'Immoraliste*, où la volupté de vivre en dehors de toute loi est exprimée avec tant de persuasion qu'une jeune âme vivante et sensible met du temps à s'en délivrer, nous eûmes ce petit livre complexe et trouble : *La Porte étroite*, que nous voudrions nous défendre d'aimer, et où la volupté du renoncement s'impose à nous comme la plus aiguë. Ce magnifique artiste ne s'est refusé à nous décrire aucune source de joie. Mais les âmes se multiplient parmi nous que ne soutiennent plus les « nourritures terrestres », et si nous ouvrons les livres inspirés, ce n'est plus pour nous prêter, dans une suprême recherche, au jeu sacrilège que nous propose Gide, lorsque, recomposant la parabole de l'enfant prodigue, il la dépouille de son sens divin » (pp. 66-67).

2.

François Mauriac, « *A propos d'André Gide*, *Réponse à M. Massis* », L'Université de Paris, *n° 237*, *25 décembre 1921*, *p. 5.*

Une pratique plus ancienne du catholicisme ne vous aurait-elle préservé, Massis, d'appliquer à un chrétien — fût-il Gide — l'épithète de « démoniaque »? Gide n'est peut-être pas si ennemi de Dieu qu'il vous plaît à dire. Sans doute Claudel, Jammes, bons chiens bergers, grondent et tournent autour de cette brebis perdue, qui pousse le goût de la conversion jusqu'à se convertir chaque jour à une vérité différente. Efforçons-nous pourtant de comprendre, chez Gide, un cas de sincérité terrible : nulle trace en lui de ce que Stendhal appelle injustement hypocrisie et qu'il dénonce chez les hommes du XVIIe siècle. C'est vrai que le choix d'une doctrine nous oblige, dans les instants où des forces en nous la renient, à continuer de la professer des lèvres, jusqu'au retour de la Grâce. Gide est l'homme qui ne se résignerait pas à incliner, fût-ce une minute, l'automate.

Quelle louange dans ce reproche que vous lui faites de n'avoir voulu exprimer que sa jeunesse, « ...sans souci d'exprimer rien d'autre et ne souhaitant que de l'exprimer mieux... »! A ce goût de la perfection, à ce scrupule, accordons une valeur même morale. Un livre de Gide nous est une leçon de mesure, de renoncement — un renoncement formel mais qui intéresse aussi le cœur. Apprenons de lui le refus des succès faciles et cette dignité de l'écrivain qui est, Massis, une éminente vertu. Le mépris de la gloire viagère, lequel de nos aînés nous l'enseigna?

Il ne signifie rien de dire que Gide ne choisit pas. Il choisit de penser, mais la pensée est action; il choisit de « goûter », mais le goût est actif. Un Gide sert d'autant mieux qu'il ne prémédite pas de servir; il sert la France en écrivant le français mieux que personne au monde; asservie à une fin morale, sa langue serait peut-être moins pure; cet art exquis vaut par son désintéressement; en tout cas, utilisé, il serait autre; il ne s'agit pas de l'ériger en exemple : à chacun sa mission, et je vous accorde qu'il ne faudrait pas beaucoup de Gide dans les lettres... mais je ne crois pas à ce péril...

Ce que vous appelez « l'antagonisme de l'esthétique et de la morale » donne à l'œuvre de Gide sa valeur humaine. Les créateurs catholiques reconnaissent ici le grand débat qui les déchire (les créateurs, je ne dis pas : les critiques); si, converti, il nous est donné de le clore enfin, ce débat, devons-nous insulter nos maîtres et nos camarades moins heureux? Hors le catholicisme, l'attitude de Gide n'offre rien qui choque la raison : son désordre intérieur devient la matière de son art, sans doute, mais c'est là le plus noble usage que l'homme sans Dieu puisse faire de sa misère.

Dénonçant le goût de Gide pour « les natures félines », pour les êtres primitifs et sauvages, vous obtenez, Massis, un facile effet de cour d'assises. Pourquoi omettre de rappeler que ce goût est commun à tous les artistes? Il explique en partie l'œuvre de Stendhal et celle de Mérimée (pour citer des noms que votre chapelle honore). L'un en Italie, l'autre en Espagne et en Corse n'ont rien fait que chercher des Lafcadios — des êtres se faisant à eux-mêmes leur loi. Voulez-vous toute ma pensée? Il ne m'a jamais paru, si l'on n'est pas catholique, qu'on puisse aimer le peuple d'une autre manière.

Une pratique plus ancienne du catholicisme vous aurait

révélé le secret de Gide. Il dut être de ces enfants dont on dit dans nos familles chrétiennes : il a la vocation. Car cet homme si ondoyant fut toujours la proie d'une fixe passion : agir sur les jeunes cœurs. A ce signe reconnaissons l'homme prédestiné à l'apostolat. Mais, né hors du bercail, que ferait-il de ce redoutable don? Il joue, il s'en divertit. Ce don lui devient une « fin en soi ». N'empêche que son œuvre rend témoignage. Elle ne nous révèle que des joies déçues, des soifs irritées, des expériences vaines, et ce silence de Narcisse vieilli, penché sur sa fontaine et détournant soudain des yeux pleins de larmes. Parce qu'il irrite notre soif, Gide nous fait souvenir de l'eau du puits de Jacob. Multiple, Gide se délivre dans ses ouvrages. Ce sont, non des disciples vivants, comme vous l'en accusez, mais les fils de son génie qu'il charge d'accomplir les gestes dangereux ou défendus. Lafcadio peut sans doute faire du mal; il peut faire du bien aussi, car tout poison est un remède; il guérit ou tue selon la dose, et selon le tempérament qui le reçoit. Quel écrivain se vanterait de ne troubler personne? Qui sait si certains « *jugements* » ne dégoûteront pas à jamais certains esprits du catholicisme? Soyons humbles, Massis!

Tout homme qui nous éclaire sur nous-mêmes prépare en nous les voies de la Grâce. La mission de Gide est de jeter des torches dans nos abîmes, de collaborer à notre examen de conscience. Ne le suivons pas au-delà; lui-même nous supplie de ne pas le suivre et de nous prémunir contre tous les maîtres qui ne sont pas le Maître. Gide démoniaque? Ah! moins sans doute que tel ou tel écrivain bien pensant qui exploite avec méthode l'immense troupeau de lecteurs et surtout de lectrices « dirigées », — et pas plus que Socrate, accusé de corrompre la jeunesse parce qu'elle apprenait de lui à se connaître. Il me souvient d'avoir entendu Gide défendre le Christ contre Valéry, avec une étrange passion : attendons le jugement de Dieu.

3.

François Mauriac, « Saül », La Revue hebdomadaire, *24 juin 1922, pp. 502-504.*

LE THÉATRE

Saül, drame en cinq actes, par M. André Gide (au théâtre du Vieux-Colombier).

On a coutume de répéter que M. André Gide est le plus ondoyant des hommes. Mais voici *Saül* qu'il composa en 1898 et qui pourrait être son ouvrage de cette année. Sa pensée fait moins songer à une eau courante qu'à un remous autour d'un obstacle secret.

Et d'abord dans *Saül*, M. André Gide a découvert déjà le style qui n'est qu'à lui : il s'établit à ce confluent où la prose insensiblement devient poésie. A le lire de près, nous découvrons que le texte de *Saül* est envahi de vers encore en chrysalides; et quelques-uns naissent soudain, incomparables. Le plus grave reproche que nous puissions adresser à Copeau, qui tenait le rôle du roi hébreu, est de ne pas nous avoir rendu sensibles ces éclosions de vers raciniens. Nous pourrions disposer, comme un poème, telles scènes du drame.

Je m'use à demeurer silencieux
Depuis que je me tais, mon âme se consume.
. . . .
Ils veulent savoir mon secret,
Et je ne le sais pas moi-même.
. . . .
Comme un oiseau se heurte aux barreaux de sa cage
Il est monté jusqu'à mes dents.
. . . .
Que ne suis-je avec lui
Près des ruisseaux, gardeur de chèvres?
Je le verrais, le long du jour.
Que ne suis-je égaré dans l'ardeur du désert,
Comme jadis, hélas! chercheur d'ânesses?

Si une telle musique ne nous put défendre contre un malaise, parfois lourd, c'est que, presque toujours, le poète est puni d'emprunter son sujet à l'Écriture, à moins qu'il ne s'y risque avec cette révérence de l'auteur dévot d'*Esther* et d'*Athalie*. Même *Booz endormi*, qui est le chef-d'œuvre d'Hugo, souffre de la comparaison avec le texte inspiré. Il n'est pas besoin d'avoir la foi, pour grincer des dents à lire les gentillesses que Rostand prête, en toute innocence, au Sauveur, dans *La Samaritaine*. Chez Gide, aucune maladresse, nulle inadvertance : c'est l'art le plus concerté. Quand il écrit *L'Enfant prodigue* ou *Saül*, il s'agit moins pour lui d'emprunter que d'ajouter au texte inspiré, de lui faire dire ce qu'il n'a peut-être pas voulu dire; de détourner doucement la Parole : il trouble la source de Dieu. Ainsi faisait Oscar Wilde, dans *Salomé* et dans les contes qu'il improvisait et dont Gide lui-même nous a rapporté les plus perfides. Gide hérita-t-il de lui le goût de solliciter dangereusement le Livre que nous savons pourtant qu'il respecte et qu'il aime plus qu'aucun autre en ce monde?

Dans *L'Enfant prodigue*, qui est peut-être ce que Gide a écrit de plus achevé, le retour du pécheur est une défaite; et le Prodigue, incapable, indigne de repartir, pousse lui-même son frère puîné vers le désert et vers les ténèbres. Dans *Saül*, ce roi que l'Écriture nous montre seulement délaissé de Dieu, Gide le livre délibérément à un démon, aujourd'hui trop nommé. Hâtons-nous d'ajouter que l'auteur, ici, ne prétend qu'à peindre un cas de possession : des légions de démons, sur la scène du Vieux-Colombier, jabotent, coassent et gloussent autour de Copeau, le roi fol, que rien n'apaise moins que la harpe de David.

Mais il est des rives où le sage n'aborde pas. Sans doute, dans une si vieille littérature et lorsque tout a été dit, un artiste est sollicité par ces terres inconnues; il explore les îles étranges et tristes, et fouille les décombres des villes incendiées, sans craindre ce Dieu qui, pour un seul regard jeté sur leurs mystères, changea des justes en statues de sel. Et c'est vrai qu'en dépit d'une réussite, presque parfaite, *Saül* nous laisse comme glacés, et l'auteur lui-même, à bout de courage, nous crie par la voix de David : « Adieu, Saül! plus pour toi seul désormais, ton secret est intolérable. »

Baudelaire a osé écrire que, pour le convertir, Dieu mit dans son esprit le goût de l'horreur, comme la guérison au bout d'une larme. La science du plus pur écrivain de ce temps, cette science qu'il a de gonfler de poison une phrase musicale, nous terrifie et par là nous sauve. La parole la plus désolée qui ait jamais été prononcée, Gide veut que son Saül par deux fois la répète : « Avec quoi l'homme se consolera-t-il de sa déchéance, sinon avec ce qui l'a déchu...? » Dans quel cœur ce cri ne susciterait-il une protestation? Dans quelle mémoire ne réveillerait-il les béatitudes oubliées? Je sais que Gide désire notre révolte et que lui-même, il croit en la parole de salut. Nous ne voulons pas être consolés, mais absous. Nous sommes déchus, mais aussi rachetés : avec qui l'homme se consolera-t-il de sa déchéance sinon avec Celui qui l'assuma?

4.

François Mauriac, La Vie et la mort d'un poète. *Bloud & Gay, 1924.*

[Extraits concernant les jeunes écrivains de l'époque.]

Considérez d'abord à qui, chez les vivants et chez les morts, va le cœur de cette jeunesse : à des écrivains aussi différents que Baudelaire, Verlaine, Rimbaud, Mallarmé, Claudel, Gide, Jammes, Proust, Valéry... différents certes mais dont nous frappe d'abord ce trait commun : ils n'ont pas fait carrière. Des abîmes les séparent et pourtant ils détiennent ensemble ce qui s'appelle un air de famille. Aucun d'eux n'a mis au-dessus de tout la réussite matérielle. Un sentiment tragique de la vie les possède. Ils savent qu'ils jouent, qu'ils sont engagés dans une partie dont formidable est l'enjeu. Sans doute il existe d'autres maîtres plus fameux, dignes aussi de vénération. Mais la leçon que ces officiels nous donnent pour la traversée de la vie, c'est le train de luxe, la meilleure place retenue — un coin marche avant et pas sur les essieux. Les jeunes gens dont je parle trouvent chez les « poètes maudits » une leçon plus adaptée à leur angoisse [...] (pp. 161-162).

« Unité multiple et multiplicité une », ainsi M. Bergson définit-il l'individu; et encore il ajoute qu'unité, multiplicité sont des vues prises sur nous de l'extérieur par notre intelligence. Rien de si affreux que d'être un carrefour grouillant. C'est peu de dire que ces jeunes gens n'y veulent aucun service d'ordre. Ils se créent à eux-mêmes des alibis, s'amusent de gestes qui ne leur ressemblent pas. *Les Caves du Vatican*, d'André Gide, ont inspiré toute une littérature à propos de crimes immotivés, « d'actes gratuits ». Mais ces jeunes écrivains ne s'y livrent pas qu'en esprit. Et n'est-ce pas violer la règle même de la vie qui est de se créer indéfiniment soi-même? Si M. Bergson a raison d'écrire que « nous sommes dans une certaine mesure ce que nous faisons », le système de ces jeunes gens est donc de se détruire et, à la lettre, de *se défaire*. Comment se connaîtraient-ils, eux qui traitent leur être comme Pénélope sa toile?

Ils se persuadent pourtant qu'en perdant leur individualité, ils sauveront en eux l'artiste, et que tout de même ils finiront par se trouver, par se découvrir dans leurs propres ouvrages. C'est la leçon que leur donne André Gide quand il proteste qu'un écrivain se doit d'abord d'ignorer ses limites et de ne se découvrir qu'à mesure qu'il crée : ses héros ont seuls missions de le renseigner sur lui-même; il trouble son eau pour mieux pêcher.

Mais justement l'œuvre de ces jeunes gens n'est révélatrice que d'une destruction systématique. Des garçons comblés d'intelligence et de finesse n'expriment plus rien dans leurs ouvrages qu'un érotisme morne. Comment Gide ne voit-il pas — en dehors de toute question morale et en ne considérant que les exigences de l'art — qu'une littérature érotique sera le fruit de sa doctrine? Ce courant auquel il veut que nous nous abandonnions sans lutte, cette marée, ce flux et ce reflux ont un nom : désir, assouvissement; assouvissement, désir. Ce qui bénéficie de cette ignorance de nous-mêmes, c'est la chair. La méconnaissance de nos limites, quel profit pour elle, et comme elle a vite fait d'empiéter! C'est elle, l'adversaire formidable dont l'empire s'étend sur les cœurs qui ne se connaissent pas. Toute confusion lui est chère, et toute ténèbre intérieure l'enchante. Ne soyez pas surpris que l'artiste, draguant cette eau limoneuse, ne ramène que des figures immondes.

Il n'en a pas été ainsi, m'opposera-t-on, pour un Dostoïevski, pour un Gide même. C'est que le premier fut sans doute, en dehors de la véritable Église, le plus passionné chrétien du XIXe siècle; et que l'autre, quoi qu'on en ait dit, entre tous les écrivains non catholiques d'aujourd'hui, apparaît le plus harcelé, le plus tourmenté. En vain se secoue-t-il comme un sanglier coiffé d'une meute : Dieu est le centre de son drame. Mais bien différents sont les enfants lamentables de la victoire — ceux qui reviennent du rivage de la mort avec cet air gavé et inassouvi, et qu'attirent l'atmosphère confuse des bars, une musique dont les rythmes divisent l'être, le dispersent, ces alcools qui tuent la conscience. Tout leur est occasion de se perdre, de s'anéantir. J'ai souvent pensé que lorsque le Christ dit : « Je suis la Vie », il l'est en effet à la lettre, et au sens le plus physique, pour tels jeunes hommes qui meurent de n'avoir pas la Vie en eux (pp. 163-167).

[...]

« Toute méthode, nous la rejetons d'avance. La vertu dominante de notre génération, c'est *la sincérité*. On peut tout nous refuser, hors cette passion de ne rien dissimuler de nous-mêmes. Ce que vous appelez érotisme n'est que le fruit imprévu de cette passion. Reconnaissez qu'il est d'une tout autre qualité que l'érotisme commercial de tel ou tel. Les futurs fabricants de manuels, et qui déjà proposent de nous réunir tous sous la rubrique *Crise de la personnalité* seraient mieux venus de choisir en guise d'étiquette, *Passion de la sincérité.* »

Ne s'agit-il pas ici d'une fausse sincérité, de la forme la plus subtile du mensonge? Ce « moi » où vous ne voulez nulle retouche, n'en effacez-vous point par un savant truquage cette note à peine indiquée [...]. Cette sincérité prétendue qui vous défend d'agir sur votre être secret, justement le modifie; ce refus d'intervenir est une intervention décisive : une part de nous-mêmes, faute de culture, s'atrophie; une autre, faute de règle, s'hypertrophie. Par cet abandon, même votre moi gauchit; vous le déformez en ne le formant pas. A quoi Gide peut-être opposera que s'ils existent en nous, ces signes d'une destinée immortelle, il suffit que l'écrivain ne se contraigne en rien, qu'il s'abandonne, pour que dans l'œuvre jaillie de lui se retrouvent les traces divines. Et c'est vrai que dans *La Porte étroite*, dans *La Symphonie pastorale*, Gide a beau ne s'appliquer qu'à une charge du sacrifice mystique ou d'une forme de l'hypocrisie religieuse, nous sentons bien que c'est à une part de lui-même qu'il en veut; rien qu'en suivant sa pente, Gide nous découvre un Gide que le Christ inquiète, obsède, et peut-être importune. Mais répétons que la méthode en tout cas ne vaudrait que pour le très petit nombre des « poursuivis » — vrai gibier de la grâce, et de qui l'immoralisme n'est qu'une réaction, une défense, une fuite hors du filet sans cesse rabattu sur eux par un chasseur inlassable.

D'ailleurs, que signifie de ne pas intervenir! Cet état d'indifférence et d'abandon à soi-même, cette sincérité totale n'est que fiction et construction de l'esprit. La philosophie, qu'expriment par exemple *Les Nourritures terrestres*, pour que je m'y rallie, il faut que je me livre sur moi-même à un travail immense; il faut que j'extirpe de moi cette connaissance du bien et du mal, ce pouvoir de discrimination qui m'est, si j'ose dire, consubstantiel; pour que la vie ne soit plus, selon l'image gidienne, « qu'un fruit plein de saveur sur des lèvres pleines de désirs », que n'a-t-il fallu détruire en moi! Quelle révolution au profit des régions basses de mon être! mais sont-elles moi-même plus que les parties hautes qu'attire le monde dont nous parle Proust, fondé sur la bonté, le scrupule, le sacrifice...? (pp. 171-175).

5.

François Mauriac, « Réponse à l'enquête sur l'homosexualité en littérature », Les Marges, *janvier-avril 1926, pp. 204-205.*

1° Cette préoccupation, depuis la guerre, s'est manifestée dans l'œuvre de Proust et dans celle de Gide;

2° Il est à craindre que la mesure ne soit pas comble : dans une très vieille civilisation où tout a été dit, redit, rabâché, beaucoup d'écrivains céderont à l'attrait de ces régions longtemps interdites, où ils n'eussent pas osé s'engager les premiers; mais maintenant ils n'ont plus qu'à suivre;

3° L'influence de ces sortes d'ouvrages sur les mœurs est certaine; non qu'ils puissent incliner à l'inversion ceux qui n'en ont pas le goût : car ce vice inspire trop d'horreur aux hommes normaux, et l'usage en demeure trop périlleux; ceux que de telles peintures troublent, c'est qu'ils étaient, à leur insu, atteint du même mal.

Beaucoup de ces malades qui ne se connaissaient pas, se connaissent aujourd'hui, grâce à Gide et à Proust. *Beaucoup qui se cachaient ne se cacheront pas;*

4° Est-ce nuisible à l'art? Non et oui. Cette préoccupation homosexuelle est d'abord une préoccupation sexuelle. Chercher à découvrir les motifs des actions des hommes par leur sexualité, cela est périlleux sans doute (et surtout que le Romancier se garde bien de mettre le nez dans la psychanalyse!) Mais que cela soit fécond nous n'en pouvons plus douter.

Pourtant, la grande folie des gens qui n'aiment pas les femmes — ou tout au moins qui ne s'intéressent pas à elles — c'est de prétendre à être romanciers. Cela demanderait de grands développements dont je vous fais grâce;

5° Certes il faut combattre cette tendance : mais dans la société d'abord avant de s'en prendre à la littérature : ne ressemblons pas à ce fiévreux qui s'irrite contre son thermomètre. Or, dans une société qui est, qui se veut de moins en moins chrétienne, ce que saint Paul appelle « des passions d'ignominie » les condamnerons-nous au nom de la Nature? Mais l'homme normal aussi pèche septante sept fois contre la Nature (saint Paul « leurs femmes ont changé l'usage naturel en celui qui est contre nature », Épître aux Romains, I, 26). *Tout est dans la nature mais la nature étant déchue, tout n'y est pas selon Dieu.* Cela aussi demanderait de grands développements. Je ne vois pas dans une société païenne que nous ayons à « tolérer », ou à « condamner » les invertis plus que les malthusiens ou que les gens qui ont des habitudes solitaires, ou que ceux qui usent mal de leurs femmes. Nous ne saurions, en ces matières, admettre la compétence d'aucun autre tribunal que la Sainte Inquisition...

6.

François Mauriac, Le Jeune Homme. *Hachette, 1926* [1].

Quelques jeunes hommes de ce temps, bien loin de souffrir comme les « enfants du siècle » de cette confusion intérieure, s'abandonnent sans résistance à leurs remous. Désespérant d'atteindre jamais en eux le fond solide, ils se persuadent que cette multiplicité est leur être même. Leur loi unique est la docilité aux impulsions : ne pas intervenir. Toute morale, évidemment, mais même toute logique les déformerait, croient-ils. On dirait que leur inconscient est un Dieu entre les mains duquel ils s'abandonnent comme un cadavre; ils interrogent leur sommeil et leurs songes, ainsi qu'ils feraient des oracles de ce dieu caché. Ils se glorifient de cette sincérité qui les porte à épouser étroitement les ordres contradictoires du dieu; ils sont des chaos vivants et s'acceptent comme chaos.

A quoi bon, m'oppose le lecteur, donner de l'importance à la manie de quelques fous? Mais ces fous sont des écrivains et des artistes; le paradoxe apparent dont ils font une doctrine, ne croyez pas qu'ils l'aient inventé. Les sources nombreuses et puissantes d'où naît ce fleuve trouble s'appellent Rimbaud, Dostoïevski, Freud, Gide, Proust. Et sans doute, c'est là une littérature de jardin ferme; pourtant ne croyez pas que cet art hermétique reste sans communications avec le public. Dans les mondes les plus éloignés de la littérature, nous relevons des traces d'infiltration. Beaucoup de jeunes gens, que les livres ne retiennent guère professent tout de même aujourd'hui que le devoir essentiel est de ne pas s'opposer à l'épanouissement de tous leurs instincts. Ils s'excusent de leur désordre sur l'obligation d'être sincères et de ne rien renier d'eux-mêmes, fût-ce le pire (pp. 75-76).

Mais l'homme mûr le mieux « réussi », qu'il ait atteint réellement son équilibre, ou que, par un camouflage habile, il se soit rendu impénétrable à nos investigations, nous apparaît presque toujours comme un spécialiste et qui, hors de sa spécialité, ne peut plus rien nous apprendre. Même ceux dont ce fut la passion de ne pas choisir, des rester « disponibles », d'accueillir toute sollicitation, leur chair a vite fait de les circonscrire. *Un vice les simplifie atrocement* (p. 87).

Ne nous approchons d'eux que si nous avons du pain à leur distribuer. Pour l'homme qui détient quelque prestige, c'est une grande tentation que de partager, entre tous les jeunes hommes qu'il charme, le fardeau dont il est accablé lui-même. Il se sentirait moins déchu, croit-il, le jour où sa déchéance paraîtrait délicieuse, et non plus criminelle, à de jeunes cœurs : Il se persuade que leur adhésion l'absout et le justifie. Mais nous ne serons pas justifiés par ces témoins candides, si nous les avons circonvenus; une foule d'enfants affamés n'examine guère la nourriture qu'on lui jette : mieux vaut se retirer d'au milieu d'eux, si nous avons les mains vides ou pleines de poison (p. 92).

7.

François Mauriac, « *L'Évangile, selon André Gide* », Hommage à André Gide. *Paris, Éditions du Capitole, 1928, pp. 133-136.*

Nous nous garderions de chercher ce qu'André Gide pense de Dieu, s'il ne nous invitait lui-même à n'être pas discret. Gide laisse la clef sur la porte et se moque de nos investigations. Sans doute se fie-t-il à l'inintelligence ou à la malignité des hommes, pour n'être pas compris, pour mourir inconnu.

Né dans le calvinisme le plus étroit, il en a rompu chaque bandelette. Si parfois il hésita, ce ne fut jamais devant le geste de se délivrer, mais devant l'aveu; encore n'était-ce pas timidité ni honte : il cédait à des conseils, à des objurgations; le scandale des indifférents lui importait beaucoup moins que le chagrin de ses amis. Aujourd'hui, mesurant la route accomplie par Gide, nous voyons que ce voyage fut coupé de haltes, mais sans retours, ni regards en arrière.

Ceci pourtant nous frappe : à quelque étape de sa vie qu'il nous plaise de l'étudier, nous ne le voyons jamais séparé de Dieu, — dans l'état d'un homme qui a renoncé Dieu. Aucun apologiste du Christianisme ne sut l'enfermer dans un dilemme : il refuse de parier. Il a tout rejeté de son enfance chrétienne, sauf l'essentiel. En vain voyage-t-il (et vers quels déserts!). Quelqu'un le suit et il ne Le renie pas. Gide a pris le parti de ne rougir ni du Christ, ni de lui-même. L'Évangile l'y aide qu'il s'ingénie à lire avec des yeux neufs. Seules, croit-il, le condamnent les interprétations officielles de l'Écriture. Les textes figés des Églises se compliquent, s'approfondissent, dès qu'il en joue; ils prennent un sens plus secret, plus conforme au destin particulier de Gide. La Rédemption épouse chaque destinée, elle est la somme des milliards de rachats individuels : Gide croit que rebuter telles exigences de son cœur serait une insulte au Créateur qui les a tellement voulues dans sa créature André Gide qu'elles en constituent l'essence même. Et c'est vrai que ses inclinations marquent singulièrement chaque homme, au point qu'elles ressemblent à la signature divine, à cette « griffe » que Baudelaire trouve « effroyable ».

Cette loi gidienne que Gide confond avec la volonté de Dieu, il l'oppose à l'autre loi, celle des pharisiens. Il demande au Seigneur d'être mis au rang de cette tourbe qui ne connaît pas la loi : « Parmi ceux-là, Seigneur, donnez-moi d'être, et maudit par les orthodoxes, par ceux qui connaissent la loi [1]. »

Chaque verset de l'écriture, Gide le tire à lui, et de toute Parole, il triomphe. « Celui qui ne prend pas sa croix et qui me suit est indigne de moi [2] ... » Mais notre croix, songe ce docteur trop subtil, ne serait-ce pas tel penchant imposé à notre chair dès le sein maternel?

Certains le rejettent : par vertu ou par prudence? Par générosité ou par calcul? « Celui qui aime son âme la perdra. » Gide éclaire ainsi ce texte : « Celui qui aime sa vie, son âme, — qui protège sa personnalité, qui soigne sa figure dans ce monde — la perdra [3]... »

Au vrai, tel est le secret qu'il dérobe à l'Évangile : le plus sûr, avec Dieu, est de jouer à *qui perd gagne.* Ne pas calculer son salut, ne pas être prudent ni circonspect. L'évangile du Prodigue, celui des Ouvriers de la dernière heure, et bien d'autres éclairent un abîme entre ce que les hommes appellent justice et cette justice de Dieu qui est proprement une injustice adorable. Toute la doctrine de la Grâce, d'ailleurs... En cette injustice, Gide met sa confiance.

Pourtant il ne saurait feindre de croire que tout chrétien qui se renonce n'agit que par goût du confort et pour s'assurer d'une bonne place éternelle. Il sait que le seul renoncement qui compte, l'amour l'inspire et que d'abord le saint est un amant. Il est vrai; mais Gide ne doute pas non plus qu'à l'artiste l'accès de la sainteté ne soit interdit. Il dénonce, dans toute œuvre d'art, la collaboration du Très-Bas; la plus pure est entachée de délectation, de superbe et de concupiscence. Gide, pourtant, veut être sauvé; il veut le salut de ses semblables. Par quelle route? Sa pensée profonde (inspirée de Dostoïevski) me paraît celle-ci : que l'homme atteigne l'extrémité de sa détresse pour trouver Dieu; qu'il accomplisse tout son destin charnel; qu'il s'accepte lui-même jusqu'à la lie : Wilde, Verlaine. Mais encore faut-il atteindre cet excès de déshonneur et de douleur. Il n'est pas donné à tous de paraître immonde aux yeux des hommes. La prière admirable que Gide récita un jour : « Mon Dieu, donnez-moi de ne pas être de ceux qui font figure dans le monde. Donnez-moi de ne pas être de ceux qui réussissent. Donnez-moi de ne pas compter parmi les heureux, les satisfaits, les repus; parmi ceux qu'on applaudit, qu'on félicite et qu'on jalouse [4]... » — cette prière n'a pas été, jusqu'ici, exaucée : Gide est admiré, aimé; et moi-même, j'écris ces lignes. Les insultes ne lui viennent que de gens qu'il méprise et dont l'applaudissement seul l'humilierait; ou d'adorateurs secrets qui redoutent de céder à ses prestiges.

C'est bien de ne pas rejeter notre fardeau : encore faut-il nous assurer qu'il a la forme d'une croix. Ne renions rien de nous-mêmes, — rien de ce qui peut devenir la croix.

Gide nous confie, dans *Si le grain ne meurt*, qu'aux pires moments de détresse, une voix lui souffle : « Tu n'es pas si malheureux que cela. » Le jour où cette voix railleuse devra se taire en lui, alors peut-être...

J'admire, dans Gide, à la fois l'agrément extrême et le péril d'interpréter, selon son sens propre, l'Écriture. D'abord tous les textes ânonnés dès l'enfance, merveilleusement s'animent sous le regard gidien : on dirait d'une source au dégel; mais où cette eau va-t-elle courir? vers quels bas-fonds? Et voici que le Retour du Prodigue, selon Gide, devient une défaite, un appauvrissement. Mieux vaut nous en remettre à la vieille Mère, à la sainte Marâtre, à l'Église, qui seule nous prémunit contre ce goût de corrompre la Parole.

Danger de la solitude avec Dieu.

« Seigneur, donnez-moi d'avoir besoin de vous demain matin [5] », s'écrie Gide. Les instants où nous avons cette faim de Dieu sont rares dans une vie; mais le salut est une œuvre de chaque seconde : il faut se sauver, même dans la pire sécheresse quotidienne. L'Église, les sacrements nourrissent une âme qui ne sent plus sa faim ni sa soif. Gide se fie encore à son désir lorsque se détournant, par hasard, des nourritures terrestres, il aspire aux célestes; mais comme il avait suivi la marée montante, il cède au reflux. Oserons-nous dire à Dieu : « J'avais, hier, besoin de vous; ce matin, vous m'importunez; demain, peut-être, si je me sens trop las de vos créatures...? » Quelle folie que de prétendre régler la vie spirituelle sur les intermittences du cœur! Nous ne croyons pas que Gide soit de ces fous, ni surtout que nous ayons, dans ces pages, exprimé sa pensée religieuse : le lecteur n'y doit chercher que nos réflexions personnelles lorsque nous songeons au chrétien Gide. Qui peut se vanter de connaître les rapports réels d'un homme avec Dieu? Que savons-nous de nous-même à ce sujet? Quelle est notre foi? Est-elle plus ou mieux qu'une espérance ou qu'une terreur? Et comment juger du dehors ce qui nous fut imposé avec la vie et qui était notre vie même avant que l'esprit en nous s'éveillât? Nous n'avons pas choisi Dieu, Il nous a choisis; et quand nous croyons jouer avec Lui, c'est Lui peut-être qui joue avec nous.

8.

François Mauriac, La Vie de Jean Racine. *Paris*, *Plon*, *1928.*

Ci-dessous quelques passages où Mauriac s'est souvenu de Gide :

Le journal le plus secret est une composition littéraire, un arrangement, un mensonge. S'il existe un seul homme qui tienne son journal pour son agrément particulier et non pour le siècle futur (et nous doutons fort que cet homme existe) il lui reste toujours quelqu'un à duper, et c'est lui-même. L'amour qui a le plus marqué dans sa vie est souvent le seul sur lequel il garde le silence; et ce qui l'expliquerait tout entier, c'est justement cela qu'il dissimule (p. 4).

On reproche à un fils [Louis Racine] d'embellir l'image de son père, sans songer que presque toujours c'est le père qui, de son vivant, a tracé de lui-même le modèle idéal auquel ses héritiers devront se conformer. L'instinct de l'homme le plus sincère n'est pas de l'être avec ses enfants; et il est remarquable que de notre temps où les écrivains montrent une telle passion de sincérité et une si forte inclination à exhiber le pire d'eux-mêmes, ils semblent s'être donné le mot pour ne pas donner la vie. S'il n'avait abandonné sa progéniture, Rousseau eût-il osé écrire *Les Confessions?*

Et si André Gide... (p. 97).

Une seule force au monde trouble quelquefois le jeu [de la destinée], arrête la fatalité, crée une fatalité nouvelle; une seule : le christianisme. C'est qu'il s'attaque en nous à la nature. Il n'y a que la grâce pour surmonter quelquefois la nature. Et jusque dans ses échecs, il existe une minute d'oscillation où l'on peut croire que la destinée de celui en qui se déroule cette lutte contre Dieu va changer de face (p. 236).

Un critique mécréant triomphait devant nous de ce que les convertis se recrutent souvent parmi les êtres de mauvaise vie. Les créatures sur qui pèsent de lourdes fatalités sont, en effet, les mêmes qui souhaitent le plus ardemment de mourir et de renaître. Nul ne les délivrera de leur corps de boue, hors Celui qui pour cela d'abord est venu en ce monde. Comment échapperaient-elles à cette alternative : se glorifier de leur misère, s'enhardir à une complaisance, à une satisfaction désespérée; se consoler de leur déchéance avec ce qui les a déchus, ou au contraire se haïr jusqu'à mériter de devenir un autre? (pp. 238-239).

Cette certitude que le mal est le mal et qu'il est haïssable, cette évidence, aujourd'hui beaucoup l'ont perdue; ils ne détestent pas le mal, même en cessant de le commettre; d'où ces fausses conversions, ces rechutes qui suscitent la risée du monde. L'excès de souffrance ramène une âme à Dieu, sans qu'elle cesse de découvrir du charme à ce qu'elle a quitté. Maints docteurs de tout âge élèvent la voix pour la supplier de ne pas se mutiler et de ne se refuser à rien. Ils légitiment son délire et donnent raison à sa folie. Le dur Nietzsche aurait eu horreur de ces faibles enfants qu'il a fournis de raisons sublimes pour s'assouvir. Il n'empêche que leur appel aujourd'hui domine tous les autres, retentit dans les cœurs malades, à mi-chemin de Dieu. Ainsi se multiplient les échecs de la grâce, les retours au vomissement. Et c'est pourquoi beaucoup, témoins de ces tristes rechutes et qui voient encore dans la religion le dernier espoir de guérir, de renaître à la vraie vie, hésitent, réservent cette suprême carte, ne peuvent se résoudre à la jouer : « Si peu qu'il représente d'espérance, dit Montherlant, ne gâchons pas Dieu. » L'atteindre, croit-il, serait le perdre à jamais (pp. 242-243).

Tout nous incline, aujourd'hui, à un reploiement désintéressé; nous cédons à une passion de lucidité qu'embarrasse (fussions-nous croyants) ce qui risquerait de changer, d'altérer notre monde intérieur : se sauver, mais se sauver tout entiers, en restant eux-mêmes, voilà sans doute la prétention de ceux d'entre nous que Dieu sollicite. Prétention démesurée : faire passer du plan de la nature au plan de la grâce leur personnalité originale, unique, sans retranchement ni diminution, tous les méandres de la pensée gidienne, par exemple, mènent à cette exigence. Elle est connue des sauveteurs d'âmes les plus habiles, les plus saints, et ils y trouvent leur pierre d'achoppement (p. 247).

9.

André Gide, « *Notes au sujet de* Dieu et Mammon [1] ».

23 mars 1929.

« Ce qui échappait à ses filets (de la " loi morale ") : le cas insolite, étrange, répugnant [2]. »

Encore que ce dernier mot me paraisse bien inutile, la réflexion de Mauriac est [3] des plus justes et importantes.

L'attitude des naturalistes en face du *monstre* a beaucoup varié au cours des siècles. L'excellent Strohl [4], avec qui je passais la soirée d'hier, s'est longuement étendu précisément sur ce sujet, dont il parle avec une grande compétence [5]. « La science, me dit-il, jusqu'à ces derniers temps, a refusé de s'occuper de l'insolite. Volontiers, devant des cas anormaux, les savants eux-mêmes eussent employé ce mot : « répugnant », dont se sert Mauriac.

— Pourtant, Geoffroy Saint-Hilaire... [6]?

— Geoffroy Saint-Hilaire se contente à peu près de classer et sérier les monstres. Trop préoccupé par une idée d'ensemble, il ne lui apparaît pas encore nettement que l'étude des monstruosités puisse être de quelque secours pour expliquer la norme. Seul, Gœthe semble avoir entrevu l'éclairement que les lois naturelles peuvent recevoir de ce qui paraît leur échapper, de ce qui se soustrait à la règle apparente. Celle-ci n'est établie que sur l'habitude, et la dictée du plus grand nombre. Méfions-nous des exceptions : elles détiennent le secret d'une loi naturelle plus générale, plus importante par conséquent, qui englobe à la fois le plus grand nombre et le cas particulier qui diffère de ce plus grand nombre. » C'est la considération de l'anormal, de ce qui échappe à la règle, qui permit la découverte : en physique, de la pesanteur de l'air (ce qui échappait « à l'horreur du vide »), et en chimie, du radium.

Strohl, que depuis six ans la question des « monstres » occupe particulièrement et qui tous les deux ans reprend, en le perfectionnant, son cours de tératologie, vient, me dit-il, de faire paraître un assez important opuscule sur la question, qu'il n'avait pas osé m'envoyer, fort déprimé par le très défavorable accueil que son travail avait rencontré dans le monde scientifique. Seul le directeur de l'Institut zoologique de Naples s'en était ému, et venait de lui écrire une longue lettre des plus chaudes, admirant les extraordinaires perspectives que ces considérations nouvelles pouvaient ouvrir à la science. Mais, ce sont ces perspectives mêmes qui gênent les savants, trop heureux, d'ordinaire de se cantonner dans des recherches précises, et qui perdent pied si quelque nouvelle découverte les contraint à changer de méthode, ou dès qu'ils ne peuvent plus opérer en vase clos.

Vous écrivez : « Un courage moins admirable à coup sûr, qu'ils ne le veulent croire [7]. » Je n'ai jamais connu ce besoin de m'admirer que, bien gratuitement, vous me prêtez; pour vous donner, aussitôt après, l'innocent plaisir de le rabattre. Mais permettez-moi de ne pas croire un instant que vous eussiez admiré davantage une témérité plus grande, qui n'eût eu pour premier effet que de causer un scandale que précisément j'espérais pouvoir éviter, ou du moins tenais à diminuer le plus possible [8]. La question de courage ne s'est, pour moi, jamais posée; mais sans doute en fallait-il autant pour écrire et publier *La Porte étroite*, alors que tous les littérateurs qui m'accompagnaient en ce temps se désintéressaient profondément des questions religieuses et morales, essentiellement anti-artistiques estimaient-ils [9], et qu'en m'en occupant, en en faisant la matière même de mon récit [10], je pouvais bien prévoir que je me disqualifierais à leurs yeux. Ajoutez qu'en ce temps nous n'écrivions que les uns pour les autres, sans aucun souci du *public*, qui vraiment n'existait pas pour nous. Cette disqualification pouvait donc nous paraître des plus graves [11].

J'ai toujours écrit ce que j'ai cru devoir écrire, ce que j'ai cru que j'étais né pour écrire. Il ne m'a jamais paru qu'il entrât là beaucoup de courage; mais, par contre, j'estimais que je ne pouvais me dérober à cet impératif sans lâcheté.

Je ne puis que me féliciter de vous avoir fourni l'occasion d'écrire quelques-unes de vos plus belles pages. Il en est certaines que je n'ai pu lire sans une émotion profonde.

Inutile de vous dire que je ne vous en veux nullement de certains traits de-ci, de-là, que vraiment je ne méritais guère, et je crois (me trompé-je?) que déjà vous le sentez un peu, et qu'à la faveur de notre dernière rencontre vous avez pu comprendre que je ne ressemblais guère à celui que vous blasonnez et offrez aux moqueries de vos lecteurs [12].

La position que vous croyez devoir prendre vis-à-vis de l'adversaire, et surtout celle où vous croyez devoir maintenir l'adversaire, position la mieux propre à faire porter sur lui le plus d'ombre possible, vous entraîne à de graves mésinterprétations psychologiques.

Dès qu'il s'agit d'avoir raison, et de prouver qu'on a raison, l'on se doit de donner tort à l'autre. Ne cherche plus la vérité celui qui croit d'avance qu'elle ne peut être que de son côté. N'y a-t-il pas là grand danger pour un romancier (danger dont vous ne parlez guère), de devoir se refuser à l'examen impartial de la position d'autrui, à l'éclairement équitable des raisons de ce que l'on condamne? N'avez-vous donc pas compris que c'était précisément ces qualités de romancier que je sentais si fortes chez vous, qui m'inquiétaient, pour vous, à ce point de vue catholique que, d'autre part, vous revendiquiez comme vôtre?

Non, non, ce n'est pas moi qui simplifie ici la question.

Comment se défendre de quelque irritation lorsqu'on vous voit chercher un point d'appui précisément sur les bases les plus fragiles : faire état et tirer profit de trois mots de Pascal que nous savons n'exister point sur le manuscrit du *Mémorial* qui nous est conservé; sur les derniers instants de Rimbaud dont nous n'avons qu'une relation assez suspecte. Chaque fois que, dans la Bible ou ailleurs, il se découvre une parole d'authenticité douteuse, l'on peut être certain que c'est précisément celle qui *leur* aura le plus servi, dont ils se seront le plus servis précisément parce que, si elle a été rajoutée, c'est que le besoin s'en faisait sentir. Et c'est bien là ce qui m'affecte surtout, dans la conviction religieuse : cet assoupissement de l'esprit critique que tout naturellement, tout fatalement, elle entraîne. Strohl me disait, ce dont bien peu de protestants se sont avisés je pense, que presque tous les naturalistes sont de formation protestante. Un certain esprit d'interrogation, d'inquisition, les pousse sur le chemin de la découverte. Et l'on peut certainement prétendre que peu importe celle-ci pour le bonheur de l'homme, et préférer la stagnation; mais du moins serait-il bon de le reconnaître [13].

Tout ceci me persuade un peu plus que lorsque l'on combat au nom de la religion, la certitude où l'on se trouve (où l'on se doit d'être) que l'adversaire est dans l'erreur et que l'erreur n'est et ne peut être que de son côté, légitime l'emploi de n'importe quelle arme, de n'importe quelle parade, de n'importe quel coup. Que Mauriac me fasse endosser un apophtegme de mon *Saül* (et que je fais proférer à Saül au pire instant de sa déchéance) *; qu'il cite de travers ma phrase : « C'est avec les beaux sentiments qu'on fait de la mauvaise littérature », et aille jusqu'à me faire prétendre qu'on ne fait de bonne littérature qu'avec les mauvais (l'on pourrait tout aussi bien faire dire au proverbe : « L'enfer est pavé de bonnes intentions », qu'il n'y a pas de bonnes intentions dans le Ciel); qu'il m'attribue sentiments et gestes dont je suis à tout jamais incapable

* « Avec quoi l'homme se consolera-t-il d'une déchéance, sinon avec ce qui l'a déchu? » [Note de Gide.]

— je ne songe même pas à m'en plaindre, sachant trop que, pour le bon motif, tout est permis. Mais, dès qu'on est du côté de l'ombre, tout ce qu'on dit devient suspect, cauteleux et répréhensible, aux yeux du croyant.

— Et, sachant cela, vous ne vous convertissez pas? me dira-t-on.

— Eh bien, non; et c'est précisément *cela* qui m'empêche.

Au demeurant, et jusqu'à concurrence des lignes où il me prend à partie, je goûte fort l'article de Gabriel Marcel [14], et partage, sans trop de restrictions, son admiration pour le livre de Mauriac, dont certaines pages, je ne crois pas qu'il en ait jamais écrites de plus émouvantes et de plus belles. Et je ne puis que me féliciter de les avoir un peu provoquées, en poussant Mauriac au pied du mur — ou, si vous préférez de la croix. Car, quoi qu'en puisse penser Marcel, ce qui ne me plaisait pas dans ses livres, ce n'était pas le catholicisme, mais bien le compromis; et c'est à celui-ci qu'en avait ma lettre. Je la récrirais aujourd'hui telle quelle et sans en changer un seul mot. Je viens de la relire, et ne puis consentir à y voir le reflet d'aucun sentiment injurieux ou perfide; sentiments qui n'ont jamais existé dans mon cœur. Je m'en suis du reste tout affectueusement expliqué avec Mauriac, et ose espérer qu'il m'a compris. S'il a pu voir de la perfidie dans ma lettre, je crois bien que ce n'est pas de lui-même, mais parce qu'on lui a persuadé qu'elle y était. Cette accusation de perfidie m'est particulièrement pénible au sujet de quelqu'un qui, naguère, avait pris généreusement et chevaleresquement ma défense, alors que rien ne l'y poussait; ce dont je n'ai, et ne puis et ne pouvais avoir, qu'une très affectueuse reconnaissance.

10.

François Mauriac, «Bonheur du chrétien», Souffrances et bonheur du chrétien, *Paris, Grasset, 1931.*

Pour certains, soumis à l'impulsion victorieuse de la chair, le christianisme existe encore, mais il est inerte : instrument nécessaire à quelques natures, inutile à d'autres, prétendent-ils, en tout cas, tel qu'un appareil dont il est bon d'user selon ses besoins, précieux aux timides, aux hésitants, aux vacillants; mais ceux qui peuvent marcher seuls n'ont pas à en tenir compte : c'est ce qu'André Gide, dans une lettre à René Schwob, appelle le *ne-pas-en-sentir-le-besoin.* Ainsi l'exigence n'appartiendrait qu'à l'homme, qu'à la passion de l'homme. L'hypothèse n'est pas même envisagée d'une vérité elle aussi exigeante, souverainement, amoureusement exigeante.

Au vrai, à ne considérer que le texte de la lettre à Schwob, le *ne-pas-en-sentir-le-besoin* est, en réalité, le *ne-plus-en-sentir-le-besoin*, puisque Gide écrit : « Il est certain qu'après l'avoir violemment éprouvée (cette contradiction) en moi-même durant une longue période de jeunesse (et même avec quelques rechutes plus tard) j'y ai mis bon ordre par la suite... »

Y mettre bon ordre... Oui, sans doute, cela est donné à l'homme, le droit au refus lui appartient.

Dieu disparaît avec la faim que vous aviez de lui, vous le dites. Mais vous dites aussi qu'il vous a fallu du temps pour le réduire au silence.

Quand les hommes d'aujourd'hui parlent de *refoulement*, il s'agit toujours de l'instinct le plus bas; c'est toujours l'inclination la plus triste qui est « refoulée ». Mais Dieu peut être, lui aussi, l'objet d'un patient refoulement. Plus d'un n'arrive pas à le repousser assez loin : un rayon fuse encore sous la porte, brûle la page où se consomme le Reniement, et leur œuvre entière en demeure, malgré eux, toute diaprée (pp. 102-104).

11.

André Gide, Journal, *pp. 1047-1048.*

Marseille, 4 juin [1931].

Ces pages du *Journal* de Mauriac, dans *La N.R.F.* de juin, ne trouvent plus aucun écho dans mon cœur. Je ne comprends même plus qu'à peine *de quoi il s'agit.* « Même dans l'état de grâce, écrit-il, mes créatures naissent du plus trouble de moi-même; elles se forment de ce qui subsiste en moi malgré moi. » Quel aveu! Cela revient à dire que, parfait chrétien, ses romans, il n'aurait plus matière pour les écrire. N'est-ce pas là précisément ce que je lui disais?

Comme il est angoissé! et que je l'aime ainsi! Mais de quel profit ces angoisses? Puisse un temps venir pour lui où celles-ci lui paraîtront aussi vaines et chimériques, aussi monstrueuses qu'elles me paraissent à moi-même aujourd'hui.

Mais, chez lui, désormais, le pli est si fort qu'il se croira perdu s'il se délivre. L'habitude de vivre la tête en bas force de contempler tout à l'envers. On impute à l'orgueil tout effort de redressement. Comme si l'on ne pouvait, sans prosternement et tout en se tenant droit, rester modeste! ou comme si cette modestie naturelle ne valait pas celle obtenue par contorsion!

Et rien de plus sincère, assurément, que ces pages. N'est-ce pas là précisément ce qui les rend effarantes : que ces tourments, ces luttes, ces débats gratuits, chimériques, puissent devenir, pour le croyant, une angoisse réelle, qu'authentiquement il nous plaigne de ne plus connaître cette angoisse, d'en avoir réchappé, d'être heureux!...

Ne figurait pas, dans la publication en revue, une page de ce journal, que Mauriac a, par la suite, rétablie dans le livre *Souffrances et bonheur du chrétien*. Elle a trait, cette page, à une lecture de mon *Voyage au Congo*, et témoigne d'une sympathie qui surprendra, indignera même, nombre de lecteurs de Mauriac. Je ne sais que trop quel courage il faut aujourd'hui, pour parler de moi, dans certains milieux, sans protestations d'horreur. Déjà précédemment Mauriac avait eu ce courage. Combien ces pages de son journal me touchent et quel écho cette sympathie trouve en mon cœur, c'est ce que j'ai besoin d'écrire ici, ne serait-ce que pour moi-même.

« Et soudain je suis pris, non par l'Afrique, mais par ce Gide si différent de ce que les journalistes ont écrit de lui, si humain, si près de la terre... Son émerveillement devant les pierres, les plantes, les insectes, rien que j'admire davantage *et dont je me sente plus éloigné.* » Rien mieux que l'étude des sciences naturelles n'est fait pour nous guérir de cette angoisse où mène nécessairement la recherche d'un Dieu métaphysique, inaccessible. Mais ceux à qui cette contemplation studieuse serait de plus grand profit s'en détournent, et de la *réalité* que leur angoisse même, et la croyance en une autre réalité, les invite à ne considérer que comme un décevant mirage (ils s'arment et se défendent contre sa séduction), un trompe-l'œil. Là pourtant gît la seule vérité que puisse atteindre l'homme, et embrasser avec quelque certitude; dont la patiente étude puisse amener pour l'humanité quelque progrès. Ceux qui cherchent à voir avec « les yeux de l'âme », sont ceux qui n'ont jamais su vraiment regarder.

[...]

Il y a là deux besoins de l'esprit, si différents, que celui à qui l'un des deux manque ne peut comprendre la gêne que ce manque peut causer à certains.

Mais nous n'adorons pas le même Dieu. Et celui-là seul auquel je puisse croire, épars dans la nature, je leur accorde qu'il ne mérite plus le nom de Dieu. Ce n'est pas de la foi, pour être vu par nous, c'est de l'attention qu'il demande. Son mystère est d'autant plus grand qu'il n'est en rien surnaturel.

12.

François Mauriac, « *Qui triche* », L'Écho de Paris, *16 juillet 1932*, *p. 1.*

Dans son journal que publie *La Nouvelle Revue Française*, André Gide cite ces paroles d'un jeune mourant : « Il n'y a pas de plaisir à jouer dans un monde où tout le monde triche. » Paroles qui n'émeuvent pas seulement la pitié par la déception affreuse qu'elles trahissent; elles nous touchent au point sensible et chacun regarde ses mains, examine les dés qu'il agite : sont-ils pipés? Sommes-nous des tricheurs? Faisons-nous semblant de croire ce que nous croyons? Du monde et de nous-même, ne retenons-nous que ce qui sert notre cause et renforce nos partis pris?

C'est ce dont Gide n'a jamais douté; d'où son irritation contre Barrès. Selon lui, Barrès est un homme que l'Asie attire, mais qui renie ses plus profonds désirs et se fabrique des idoles : la terre, les morts. Pourtant, ce qui nous importe aujourd'hui, ce n'est pas la doctrine barrésienne dont les insuffisances sautent aux yeux, mais le constant effort de Barrès pour se dépasser. Ce besoin est en lui chaque jour plus exigeant; il ne se suffit pas à lui-même; et il eût été un tricheur, justement, s'il avait agi sans en tenir compte. Jamais, d'ailleurs, Barrès n'a nié son penchant pour le rêve, ni pour la dissolution de l'être. Ce goût, il n'a pas même prétendu le détruire en lui; simplement, en demeurer le maître. Il fait à l'évasion une place dans sa vie; il s'accorde des répits : « ...Il s'agit qu'un jour, après tant de contraintes, je me fasse plaisir à moi-même... », écrit-il au printemps de 1914, à la veille de son départ pour l'Orient. Mais à peine a-t-il lâché la bride, qu'il se reprend, ou plutôt qu'une autre part de lui-même élève son exigence : « Je n'y vais pas chercher des couleurs et des images, mais un enrichissement de l'âme... »

Barrès qui n'était qu'un chrétien de désir, bien loin d'irriter Gide, devrait le séduire, puisqu'il ne sacrifie aucune de ses tendances opposées, qu'il orchestre leurs voix adverses. En somme, là où Gide a échoué, Barrès réussit en nous donnant toujours le total de lui-même. Barrès a passé sa vie, pour ainsi dire, à « s'accorder ». Gide, au contraire, s'établit dans le désaccord; il est déchiré et, jusqu'à ces derniers temps, il en a été réduit au dialogue entre le chrétien et le Grec; chacun des ennemis, dans son cœur, parlait à son tour; ou bien ils se disputaient confusément. Il n'a cessé d'être divisé contre lui-même. Sans doute, de très bonne heure, a-t-il pris son parti pour l'épanouissement libre et spontané de l'instinct; mais jusqu'à ces dernières années, il n'avait pu se résoudre à jeter par-dessus bord ce qui, en lui, protestait. Parfois même, comme dans les pages de *Numquid et tu*, le gémissement inénarrable couvrait la voix de l'homme charnel. Aujourd'hui, toute protestation est étouffée; le Gide de 1932 semble débarrassé de quelque chose ou de quelqu'un; ce qu'il écrit pèse moins lourd; il s'est terriblement allégé... En trichant? Qui le dira? Tricher, ce peut être d'escamoter une carte; désormais il manque une carte au jeu de Gide; ou plutôt, à celle qui portait inscrit, le Nom qui est au-dessus de tout nom, il en a substitué une autre (qu'elle est sale! que de traces de doigts!) où est écrit ce mot : *Progrès*. « J'aimerais vivre assez, écrit-il, pour voir le plan de la Russie réussir... Tout mon cœur applaudit à cette gigantesque et tout humaine entreprise. » Ainsi André Gide, qui enseignait à notre jeunesse que chacun de nous est le plus irremplaçable de tous les êtres, désire, maintenant, le triomphe de la termitière bolcheviste où toute créature sera interchangeable.

Et pourtant, dût l'adversaire en triompher, il faut reconnaître que si la mort n'avait interrompu la marche en avant de Barrès vers le catholicisme, il aurait dû renoncer à cette orchestration si humaine et si belle des voix opposées de son âme. Oui, Barrès aurait dû choisir, il aurait dû retrancher; il aurait dû jeter par-dessus bord, lui aussi, une part de son butin. Choisir, est-ce tricher? Si choisir est tricher, tout le monde triche, et même celui qui choisit de ne pas choisir... Et le jeune mourant dont Gide nous rapporte les terribles paroles a bien fait de mourir.

Gide protestera que lui, du moins, ne triche pas, parce que ce qu'il sacrifie c'est ce qu'il a reçu de dehors et par force, ce que l'éducation lui imposa; et ce qu'il garde, c'est ce qui lui appartient en propre et touche à sa nature la plus profonde. Mais le chrétien reprend cette affirmation à son compte; ce qui en lui résiste à tout, c'est le désir de pureté et de perfection... Débat sans fin, et qui nous départagera? Eh bien! ce sera Gide lui-même, qui écrit dans son plus récent journal : « J'ai souvent éprouvé combien une obligation facilite en moi le bonheur; une tâche à accomplir. Je ne parviendrai pas à me ressaisir sans discipline. C'est ici que triomphent les pratiques religieuses. L'être pensant qui n'a que soi pour but souffre d'une vacance abominable. Le voyage n'est qu'un étourdissement. Je suis à l'âge où je voudrais de moi le meilleur. Je n'obtiens rien, et j'ai désappris d'exiger. »

Ne triomphons pas trop vite : si la pratique religieuse n'était qu'une discipline dont, à certaines heures, un Gide même éprouve le manque, qui donc y resterait fidèle? Non, ce n'est pas une discipline toute nue, dont nous avons besoin, c'est un amour. Si ce joug n'était celui de l'amour qui le supporterait? Et voilà, sans doute, ce que Barrès, fils de Renan, comprenait mal; mais Gide, lui, sait bien ce que nous voulons dire. Il ne s'agit pas, pour le chrétien, de dresser des barrières et des garde-fous, ni de se fournir de béquilles. Un homme qui s'efforce de vivre, tant bien que mal, selon la loi chrétienne, c'est simplement le signe qu'*il préfère quelqu'un*. Il peut aimer beaucoup d'autres choses, être sensible au charme d'une vie toute différente, comprendre Montaigne et Nietzsche, — mais quelqu'un est dans sa vie, qu'il préfère, même en le trahissant. C'est une affaire personnelle entre un autre et nous-même; un débat sans fin où parfois nous nous armons contre le Christ des arguments de l'humanisme; — mais il faut toujours en revenir à la comparaison de Claudel : « Comme un ami qui préfère son ami... »

Il ne s'agit ni d'une construction de l'esprit, ni d'un monde imaginaire : quelqu'un est vraiment venu, certaines paroles ont été dites, certaines promesses affirmées. « ...Et si la perle de grand prix, insinue Gide dans son Journal, pour la possession de laquelle un homme laisse tous ses biens, se découvre une perle fausse? » Ici, Barrès eût peut-être répondu : « Que m'importe? Le catholicisme est une valeur terrestre et cela suffit; il nourrit l'âme et crée de la beauté... » Sur ce point, je me sens plus près de Gide; car si je croyais que la perle est fausse, quel que fût le bénéfice que j'en pusse attendre, avec quelle fureur je la rejetterais! Mais ici intervient cette grâce de Dieu et cette vertu de l'homme : la Foi, suivie de la petite fille Espérance. Ce matin, j'assistais à la cérémonie où un jeune novice bénédictin prononçait ses vœux. A un moment, il étendit les deux bras et chanta par trois fois, en latin, sur un ton de plus en plus élevé de supplication ardente : « Que je ne sois pas trompé dans mon espérance! » Non, aucune angoisse dans cette prière; ou, s'il en subsistait un atome, quelle vague d'amour et de joie le recouvrait, jaillie du plus profond de ce cœur pur! L'amour apporte avec lui sa certitude.

13.

François Mauriac, « Les esthètes fascinés », L'Écho de Paris, *10 septembre 1932, p. 1.*

Moscou, dont beaucoup d'ouvriers français se détournent, trouve de grandes consolations du côté de l'élite. Moscou attire plusieurs Messieurs écrivains, fort délicats et subtils — et le premier de tous, M. André Gide, que le plan quinquennal plonge dans le plus curieux délire. Au vrai, ce délire ne rappelle en rien la ferveur bolcheviste de quelques personnes de la meilleure société et dont le cas est beaucoup plus simple : à ces gens du monde, gavés de tout ce qui s'achète, il reste d'aspirer au luxe gratuit des attitudes avantageuses et des audaces qui ne coûtent rien. Mais il est délicieux de les observer lorsqu'il s'agit pour eux de se marier ou de marier leurs enfants : bien loin de chercher des alliances à l'extrême gauche, avec quelle furie, au contraire, ces bolchevistes du monde s'acharnent à décrocher, à la fois, le plus beau nom et la plus grande fortune possible! S'il leur arrive de céder sur le premier de ces articles, pour ce qui touche à l'argent, ils ne transigent jamais.

Les gens de lettres de l'élite, lorsqu'ils se tournent vers Moscou, cèdent à un attrait plus profond. Comblés, eux aussi, de tous les avantages d'une grande fortune acquise, ayant toujours vécu d'une vie préservée, retranchée, au milieu de toutes les délices de la Culture, peut-être ont-ils souffert, dans le secret, d'une mauvaise conscience? La faim et la soif de justice que le Christ met au cœur de tout homme venant en ce monde, admettons qu'ils en aient subi le tourment. Il serait injuste de refuser toute noblesse à la crise qui les tient. Mais cette faim et cette soif toutes seules n'eussent pas suffi à leur donner l'amour du bolchevisme, et les en eût bientôt éloignés. J'imagine de plus humbles mobiles.

Mon dernier enfant ne pouvait apercevoir un de mes amis indochinois sans se jeter passionnément dans ses bras : « C'est que tu aimes bien? », lui demandai-je. « Oh! non, me répondit-il, mais c'est qu'il me fait si peur... » La fascination que subissent quelques-uns de nos beaux esprits n'est peut-être pas d'un ordre très différent. Vous rappelez-vous ces premiers dessins de Jean Cocteau, dans le *Potomak*, où l'on voyait l'honnête ménage Mortimer fasciné par des monstres appelés *Eugènes?* Tels, ce petit groupe de beaux esprits, ces grands bourgeois de lettres, vêtus comme de luxueux voyageurs, et munis des mirobolantes valises de Barnabooth, chiffrées N.R.F., s'approchent à pas comptés de l'ogre bolcheviste avec force salamalecs, et lui adressent des louanges dont l'une au moins nous aide à voir clair dans cette étrange aventure. Ils professent que ceci d'abord les attire au communisme : c'est qu'il est le Progrès, article de foi qui, à leurs yeux, ne souffre pas la discussion. Et sans doute serions-nous mal venus de leur en tenir rigueur, puisqu'il faut toujours partir d'un acte de foi, si M. André Gide, relevant cette phrase d'un Révérend Père : « Il existe des principes immuables sur lesquels le doute n'est pas permis... », n'ajoutait qu'on ne peut rien imaginer de plus creux que cette phrase « ni de plus bêtement sonore [1] ». Or, lui-même ne nous permet pas de mettre en doute : 1° que l'humanité progresse; et, 2°, que cette progression se manifeste singulièrement dans le bolchevisme. Son assurance va jusqu'à trouver fort bon que cette marche en avant « bouscule un peu ces excellentes âmes ». Ce sont les chrétiens russes qu'il désigne ici. M. André Gide ne veut pas qu'ils aient été persécutés. Il en parle sur ce ton léger que les massacres inspirent toujours à une certaine espèce d'honnêtes gens. « Le sang qui a été versé était-il donc si pur? », s'écriait gentiment le girondin Barnave, au lendemain des tueries de Septembre. M. André Gide (qui a le toupet d'affirmer que seule, ou presque, la religion persécute) ne va pas si loin que Barnave : simplement, il refuse l'existence aux martyrs de l'orthodoxie russe. On ne leur a rien fait, selon lui, que de défendre à leurs prêtres « de malaxer le cerveau des enfants » (comme il ose écrire).

Mais élevons le débat et confessons, avec le bon Père dont M. Gide se moque, qu'il existe des principes immuables; il en est un en particulier, que je voudrais énoncer le plus simplement qu'il me sera possible : *Chacun de nous sait qu'il pourrait devenir moins mauvais qu'il n'est.* Aucun homme qui ne possède cette certitude : il détient le pouvoir de devenir meilleur. Et qu'on ne vienne pas protester que le « meilleur » reste sujet à discussion. J'affirme qu'il n'est personne au monde qui ne voie ou qui, du moins, n'ait vu très clairement le point précis sur lequel il doit se vaincre pour devenir, sinon un saint, du moins un honnête homme, au sens le plus haut. Je pose en principe que cette connaissance a poussé en nous de si profondes racines que nous avons beaucoup de mal à l'en détacher. Il n'a pas fallu moins d'un demi-siècle à M. Gide pour substituer, à cette vue claire qu'il avait du progrès intérieur, sa foi naïve dans le progrès matérialiste.

Laissons là le point controversé de savoir si l'humanité suit une marche ascendante. Mais il ne s'agit, en tout cas, que d'une espérance non d'une certitude. La passion avec laquelle certains hommes l'embrassent est en raison directe de celle qu'ils ont mise à détruire en eux ce tribunal de la conscience qui condamnait tous les crimes. Le progrès humain tel qu'ils le célèbrent les charme surtout parce qu'ils en attendent un renversement des valeurs, conforme à celui qu'ils ont tenté de réaliser en eux. Ils ont un intérêt profond à confondre le progrès avec ce désordre, dont ils ont besoin, pour passer inaperçus. Cette loi morale, qu'ils bafouent et qu'ils nient, ils espèrent ne pas mourir sans avoir salué l'aurore d'un monde nouveau, où elle ne sera plus inscrite dans la tradition des hommes. Que naisse enfin cette société où le cerveau et le cœur des enfants auront été si profondément « malaxés », qu'ils auront perdu tout pouvoir de discerner le bien du mal! Quelle admirable espérance, pour ces beaux esprits, que cette société nouvelle où il ne sera plus donné à personne d'avoir des remords, puisque le nom même des vices y sera oublié! « Je voudrais crier très haut ma sympathie pour l'U.R.S.S., écrit M. Gide dans *La Nouvelle Revue française*, et que mon cri soit entendu; ait de l'importance. Je voudrais vivre assez pour voir la réussite de cet énorme effort; son succès, que je souhaite de toute mon âme, auquel je voudrais pouvoir travailler; voir ce que peut donner un état sans religion, une société sans cloisons. La religion et la famille sont les deux pires ennemies du Progrès [2]. »

Religion, famille : le progrès intérieur ne trouve, nulle part, aide meilleure; c'est donc qu'il n'est pas simplement différent du progrès général de l'humanité tel que le conçoit M. Gide, mais qu'il en est l'ennemi. Nous voyons clair maintenant. Il serait vain de vouloir prouver à ce néophyte que la dictature bolcheviste est une des plus accablantes que l'humanité ait jamais subies : que lui importent les contraintes extérieures? La seule contrainte qu'il redoute, cette loi morale que fortifient, contre nous-même, la religion et la famille, il la croit vaincue enfin; victoire que, selon lui, on ne saurait payer trop cher! Il existe donc un endroit du monde où l'homme, quoi qu'il fasse, ne peut plus commettre le mal, puisque le bien et le mal y ont été supprimés par simple décret. Ô merveille! « Connais-tu ce pays? C'est là que je voudrais vivre... »

Progrès intérieur de l'homme selon le Christ, progrès matériel selon le marxisme, nous en revenons toujours aux deux cités dressées l'une contre l'autre jusqu'à la consommation des siècles. J'ai foi en la puissance de celle qui paraît la plus faible. Je pense à ces soldats de l'armée rouge qu'un rapport bolcheviste nous montre, au moment du sommeil, obstinés à faire le signe de la croix. Je relis ces lignes de M. Gide qui, dans le dernier numéro de *La Nouvelle Revue française*, précèdent presque immédiatement son acte de foi dans l'U.R.S.S. : « Il y a certains jours où, si seulement je me laissais aller, je roulerais tout droit sous la table sainte... [3] » Ici, le sentiment seul nous importe, bien que l'expression en soit basse. M. Gide ajoute que c'est la probité d'esprit qui le retient; mais nous croyons, avec Bourdaloue : « qu'il ne dépend pas de nous d'avoir ou de n'avoir pas cette lumière... » Il y a des hommes qui seront éclairés et qui seront appelés, inlassablement, jusqu'à la fin.

14.

André Gide, « Feuillets », La Nouvelle Revue française, *1er mai 1933, pp. 720-727.*

Qu'un riche puisse se déclarer pour le communisme, voici qui étonne F. V[andérem]. Il trouve cela comique. Il n'en revient pas.

Ce qui m'étonne bien davantage, c'est qu'un riche puisse se déclarer chrétien, c'est-à-dire disciple de celui qui déclarait que nul riche ne pouvait se réclamer de lui, et qui répondait : « Vends tout ton bien et le donne aux pauvres » au jeune homme fortuné qui lui demandait conseil, et lequel, nous est-il dit dans l'Évangile, « s'en retourna fort triste, car il possédait de grands biens ». Car communisme et christianisme enseignent une semblable dépossession. Mais, tandis que le communisme prétend dépouiller de ses privilèges celui qui possède, le christianisme l'invite à s'en dépouiller de lui-même. Et s'il ne l'a pas fait, qu'attend-il? Et, tant qu'il ne l'a pas fait, comment ose-t-il se considérer comme chrétien?

Mais cette parole si simple et si péremptoire du Christ, qui demeure à la base de son enseignement et pénètre de part en part l'Évangile, l'Église a permis qu'on l'interprète de manière à se permettre elle-même de lier partie avec ceux qui possèdent, avec ce que le Christ appelle Mammon.

Et c'est par là que l'Église, en dépit de ses saints, s'est perdue. Du reste le protestantisme a commis lui aussi la même faute, ne se contentant même plus de pactiser et se plaisant souvent à considérer la fortune, non plus comme un empêchement d'entrer dans le royaume de Dieu, mais au contraire comme une approbation du Seigneur, au point que la banque la plus prospère semblait la banque la plus bénie.

Il ne tenait qu'à l'Église d'empêcher le communisme; c'est en absorbant, en résorbant en elle, comme elle sait si bien faire, tout ce que le communisme contenait en lui de meilleur, et en le rendant par là même inutile. C'était à faire depuis longtemps. Ce n'est plus à faire aujourd'hui. Trop tard. Trop tard! La partie est perdue... Car rien n'était plus opposé à la doctrine du Christ que le capitalisme; et le pape même aujourd'hui semble s'en rendre compte. Mais l'Église a si bien lié partie avec les pires forces de ce monde, les plus essentiellement anti-chrétiennes, je veux dire : celles auxquelles l'enseignement du Christ est le plus opposé : capitalisme, nationalisme, impérialisme, armée, que l'on ne pourra plus aujourd'hui se délivrer de ces forces affreuses qu'en repoussant la religion du même coup.

Si le christianisme fait faillite, le Christ ne peut en être tenu pour responsable; non plus que de faire des peuples dits chrétiens s'entretuer. Il laisse au communisme la partie belle (pp. 720-721).

15.

François Mauriac, « De l'amour des richesses, de l'ambition, et de l'hypocrisie », L'Écho de Paris, *14 octobre 1933, p. 1.*

André Gide s'irrite avec raison de ce qu'un critique lui reproche d'être à la fois riche et communiste. Mais ce « coup bas », pourquoi le retourne-t-il aussitôt contre les catholiques? Pourquoi, surtout, afin de dénier au possédant le droit de se dire chrétien, sollicite-t-il l'évangile du jeune homme riche dont il ne nous rapporte que la dernière phrase?

Au jeune homme qui lui demande ce qu'il doit faire pour acquérir la vie éternelle, le Christ énumère les commandements : « N'être ni assassin, ni voleur, ni adultère, ni faux témoin; honorer son père et sa mère, aimer son prochain comme soi-même. » Puis le Christ se tait, comme s'il avait atteint le terme de ses exigences. Voilà donc ce que Dieu veut du commun des hommes. Certes, ce n'est pas peu de chose : aimer le prochain comme soi-même, quelle perfection! Mais le jeune homme riche ne rompt pas l'entretien; il s'enhardit : « Tout cela, Maître, je l'ai observé dès mon plus jeune âge. Que me manque-t-il encore? » Il cède à un attrait, il aspire à quelque chose de plus. « *Alors, Jésus le regarda et il l'aima.* » Rien n'est changé depuis que cette parole a été dite. Tous, nous sommes aimés; mais il y a le petit nombre de ceux que Jésus regarde soudain et qu'il aime de cet amour qui exige le don total : « Si tu veux être parfait, va, vends ce que tu as, donne-le aux pauvres, puis viens et suis-moi. »

Nous demandons à Gide si, depuis que ces paroles ont été dites, la vie chrétienne n'a pas épousé le rythme marqué par ces deux temps dans les exigences du Christ? Les épousailles de saint François avec la pauvreté, combien de créatures les ont, de siècle en siècle, renouvelées! Et non seulement les plus humbles esprits, mais Pascal qui écrivait : « J'aime la pauvreté parce qu'Il l'a aimée. » Ce mot résume tout.

Le Christ exige de ses plus intimes amis, non pas précisément qu'ils soient pauvres; et c'est pourquoi les Ordres les plus renoncés se recrutent en partie dans les classes les plus riches. A quoi l'adversaire me répondra que tout cela met en pleine lumière les avantages que le capitalisme trouve à répandre la pratique de la religion dans la classe ouvrière. C'est à cet argument électoral que Gide surtout s'attache. Au vrai, le chrétien doit chercher la justice d'abord, et donc s'efforcer de remédier à l'injustice sociale, — ne pas se résigner à l'injustice sociale (Gide ignore visiblement tout de la doctrine sociale de l'Église, de l'importance du syndicalisme chrétien dans le monde). Mais, parallèlement, en lui-même et dans les autres, le vrai chrétien cherche à instaurer l'esprit de pauvreté, le détachement. Aujourd'hui surtout, où ce ne sont plus seulement les individus, mais les nations qui ont des cœurs de mauvais riches. Qui sait si l'asservissement de tout un peuple à la machine et à l'économique, justement parce qu'il est collectif, ne représente pas à son plus haut degré cet esprit de richesse qui a été maudit? L'Église lutte à la fois contre la misère matérielle et prêche la pauvreté spirituelle. Tel est son paradoxe : elle multiplie les œuvres de miséricorde et, pourtant, suscite de nouveaux pauvres selon le Christ; elle peuple la terre de cœurs dépouillés.

Vous pouvez triompher de ce que les mauvais riches utilisent le Christ... (les grands financiers de gauche n'utilisent pas moins cyniquement le socialisme et la démocratie); le pire de leurs crimes est encore, en compromettant la religion, de s'être faits vos complices et de vous avoir fourni un argument pour frustrer les pauvres de l'union avec Dieu.

Mais avouons-le : l'amour des richesses est en nous le signe que nous n'avons pas commencé de faire du côté de Dieu le premier pas; même chez ceux qui ont prononcé le vœu de pauvreté, il reparaît souvent sous divers masques; et de toutes nos passions, ce serait sans doute la plus insidieuse si l'ambition n'existait pas.

Cette rapidité dans la réussite, cette aisance à toujours s'installer, sans même avoir paru y songer, dans la première place : trait significatif et qu'un honnête homme ne doit pas feindre d'ignorer, s'il le décèle dans sa vie. Parce que nous sommes dépourvus de cette ambition à gros sabots qui est la plus répandue, nous avons toujours fait profession, et en toute sincérité, d'être indifférents aux honneurs. Ayons le courage de reconnaître que la réussite est la mesure de la véritable ambition : celle qui a l'habileté de s'ignorer. Ces imprudences, cette ouverture de cœur, ces abandons téméraires, ces professions de foi, ce goût des sujets brûlants, toute cette apparente folie n'est-elle pas le fait d'un homme qui, sachant la vanité des profonds calculs que le réel toujours déjoue, se fie à un instinct en lui, — cet instinct des mules dans la montagne, lorsqu'elles longent en paix l'extrême bord de l'abîme?

Ici, l'instinct de conservation se prolonge et s'épanouit en instinct d'avancement, et se manifeste par des réflexes d'une étonnante sûreté. Il n'est pas incompatible, d'ailleurs, avec une espèce de détachement, une fois la réussite obtenue. Atteindre à tout, non pour en jouir, mais pour n'avoir plus à y penser, c'est la méthode dont usent certains chrétiens qui veulent guérir de l'ambition : ils croient n'être pas ambitieux parce qu'ils ne prennent conscience des hautes places qu'ils ont obtenues que comme d'une préoccupation écartée. Atteindre aux honneurs, tout naturellement, sans brigue, de telle sorte qu'aucun prétexte ne nous détourne plus de l'unique nécessaire, aucun saint, à notre connaissance, n'a suivi cette route pour atteindre à Dieu. Mais peut-être un Bossuet, un Fénelon ou même un Lacordaire...?

Ici, nous atteignons, si j'ose dire, à la jointure de la vie édifiante avec la prospérité temporelle, où le pharisaïsme trouve son compte (et en particulier un certain protestantisme anglo-saxon). Dieu récompense-t-il, ici-bas, par des avantages matériels, ses serviteurs? Si une vie honorable aux yeux des hommes est, presque fatalement, une vie réussie et comblée, épargnons-nous le ridicule de faire intervenir dans cette distribution de prix ce Dieu pendu à un gibet à trois clous, et dont le corps n'est qu'une plaie. Reconnaissons simplement qu'entre la vie honorable et les honneurs, il existe une relation de cause à effet.

Osons aller plus loin : cet instinct qui joue, à chaque minute, et d'autant plus sûrement qu'il échappe presque toujours à notre conscience claire, agissait aussi lorsque nous avons pris notre direction définitive et que nous avons fait notre choix. Dans quelle mesure son action fut-elle déterminante? Beaucoup d'autres motifs nous sont connus, que nous avons maintes fois analysés; mais ce secret mouvement de l'être qui cherche son avantage, diffus à travers toutes nos pensées, qui se glisse dans nos moindres paroles, qui n'est jamais étranger à nos silences, qui modère nos sympathies, qui décèle, chez les esprits les plus irritables et les moins faits pour supporter les fâcheux et les sots, d'immenses ressources de patience... Nous ne connaîtrons jamais la part exacte qui lui revient dans les décisions solennelles où notre destin s'est fixé.

Ceci ne doit point nous troubler, nous qui savons qu'il n'y a rien en nous qui ne soit corrompu : la Grâce fait flèche de ce bois pourri. Pourtant, quelle pièce aurait écrite Molière s'il n'avait point donné à Tartuffe une claire conscience de son imposture! Un Tartuffe, à demi sincère, eût été sublime de vérité, et partant, d'un atroce comique. Ce n'est pas qu'un vrai chrétien puisse ressembler, même de loin, à l'imposteur de Molière; mais d'un Tartuffe à demi sincère, nous devrions toujours avoir l'image présente, pour nous tenir sur nos gardes. En vérité, un rationaliste, qui ne vit pas en la présence de Dieu, risque d'être, plus qu'aucun dévot, proche de Tartuffe : comme Tartuffe, il rajuste sans cesse son Dieu, qui est la Raison humaine, à l'exigence de sa passion. Il est plaisant de voir nos humanistes tailler leurs principes sur mesure; et, du jour au lendemain, cela devient un devoir, à leurs yeux, de quitter sa femme, de prendre celle d'autrui, de contenter telle inclination... Tartuffe se trouve parmi eux, plus souvent que chez nous, car c'est avec l'humain qu'il est des accommodements — non avec le Ciel.

16.

André Gide et notre temps. *Gallimard, 1935.*

[*Pendant sa période communisante, Gide consentit à paraître devant un tribunal d'intellectuels à l'Union de la Vérité. L'entretien auquel prirent part MM. Ramon Fernandez, André Gide, René Gillouin, Jean Guéhenno, Daniel Halévy, Gabriel Marcel, Jacques Maritain, Henri Massis, Thierry Maulnier, François Mauriac et Georges Guy-Grand eut lieu au siège de l'Union le 23 janvier 1935. Un compte rendu fut publié chez Gallimard sous le titre ci-dessus. Nous relevons les remarques faites par Mauriac lors de ce « procès » et les réponses que lui fit Gide.*]

MAURIAC : Je voudrais attirer l'attention sur ce fait; Gide vient de dire que depuis qu'il est communiste, il ne peut plus écrire. Cela veut dire que vous vous reniez vous-même. Je voudrais avoir une explication.

[...]

GIDE : [...] Vous me demandez, Mauriac, ce qui me retient aujourd'hui d'écrire. Je vais vous le dire tout net, sous une forme paradoxale. Ce qui me retient d'écrire, c'est la peur de l'Index. Comprenez-moi; il ne s'agit pas ici d'un Index extérieur; non, c'est la crainte de n'être pas dans la norme. Dès qu'on a reconnu qu'il était bon — pour des raisons qu'on a entrevues — qu'il y ait une règle, une norme, la peur de faire cavalier seul, alors qu'il n'y a plus aucune raison de le faire, cela peut gêner beaucoup l'écrivain. Je me suis toujours déclaré l'ennemi de toutes les orthodoxies. Celle du marxisme me paraît aujourd'hui tout aussi dangereuse qu'une autre; dangereuse du moins pour l'œuvre d'art. Et s'il m'est prouvé que l'orthodoxie marxiste est utile, indispensable, provisoirement du moins, pour assurer la formation, l'établissement d'un nouvel état social, j'estime que cela en vaut la peine; oui, qu'il vaut la peine pour obtenir cela de consentir au sacrifice de quelques « œuvres d'art ». Et peut-être est-il bon qu'il y ait aujourd'hui un mot d'ordre (j'entends dans le parti communiste); mais l'œuvre d'art ne peut répondre à un mot d'ordre.

En U.R.S.S., dès aujourd'hui, les conditions sont très différentes. Cette communion qu'un Jacques Copeau par exemple [...] estime indispensable entre auteur, acteurs et spectateurs, je crois qu'elle existe en U.R.S.S. Et certainement il peut être exaltant pour l'auteur russe de sentir qu'il a l'approbation de tout le monde; mais cela peut être aussi très dangereux. Pour nous, occidentaux, le problème ne se pose pas.

Ainsi que Malraux le disait fort bien l'autre jour : un artiste, dans notre société, nage contre le courant au lieu de se sentir porté par lui. J'ai toujours écrit jusqu'à présent sans chercher du tout l'approbation du public; mais si, maintenant, j'ai besoin pour écrire, d'avoir l'approbation d'un parti... je préfère ne plus écrire, encore qu'approuvant le parti (pp. 58-64).

MAURIAC : Si la discussion est terminée, je voudrais dire à Gide combien je suis touché qu'il se soit ainsi livré à la « question », à une véritable inquisition. Je veux lui dire que si nous continuons à l'aimer beaucoup et malgré tout, c'est que toute sa vie il a été quelqu'un *d'offert*. Il nous a servi à tous, pour nous connaître nous-mêmes. On a l'impression que son œuvre a été pour notre génération une sorte de repère qui a permis à chacun de se situer.

Et je veux lui dire combien nous lui restons fidèles et continuons à l'aimer.

GIDE : [...] je remercie de tout cœur Mauriac de ses paroles si précieuses pour moi (pp. 69-71).

17.

François Mauriac, « Gide et Vendredi », Temps présent, *31 décembre 1937, p. 1.*

Une question débattue par des hommes de lettres, des « intellectuels », n'en devient pas plus claire! *Vendredi* publiait récemment une lettre ouverte à André Gide[1]! Il s'agissait de son attitude à l'égard des staliniens. Or, il était question, dans cette lettre, du dilettantisme de Gide, du soin qu'il a de sa biographie, de son goût pour la sincérité qu'il confond avec la vérité; il était question de beaucoup d'autres choses fort subtiles, sauf de l'essentiel et qui se ramène à ceci : André Gide, ami des communistes, a fait, durant son voyage à Moscou, un certain nombre d'observations qu'il a consignées dans deux petits livres. La plupart ont été reconnues exactes par les intéressés eux-mêmes.

Que Gide réagisse à sa manière, devant ces faits, et que ce ne soit pas celle de *Vendredi*, n'enlève rien de leur gravité. Le vrai est que la réaction de Gide à Moscou ne fut pas particulièrement « gidienne ». Ce fut celle de tout homme né chrétien et Français.

Et je sais bien que Guéhenno, que Chamson pour qui j'ai de l'estime et de la sympathie, sont aussi nés Français (et même chrétiens et plus qu'ils ne l'imaginent!) [2]. Mais ils sont presque les créateurs de la mystique Front populaire; ils en demeurent les derniers croyants; leur dieu n'est déjà plus que poussière, et ils en embrassent encore l'autel, étroitement...

Il n'empêche que dans le dernier numéro de *Vendredi* paraissait un commentaire douloureux de Moscou; et je ne crois pas être mauvais prophète en annonçant à Guéhenno, à Chamson : avant six mois, les garçons que vous êtes ne jugeront pas Staline et ses méthodes autrement que ne le font Gide, Bergery [3] ou Galtier-Boissière [4]. Et déjà peut-être, dans le secret de leur cœur...

18.

François Mauriac, « Les derniers feuillets de Faust », Le Figaro, *20-21 juin 1948, p. 1.*

Je lis, avec quel amer plaisir! les pages d'un dernier journal d'André Gide qui paraissent aujourd'hui dans le numéro de juin de *La Table ronde.* Le plaisir naît de cette pensée sereinement agressive comme aux plus beaux jours; l'amertume vient de ce que ce vieux Faust, qui nous est si cher, au terme de la quête de joie que fut pour lui la vie, avec la coupe du prix Nobel dans ses mains qui ne tremblent pas, s'immobilise dans la définitive affirmation qu'il faut dresser l'homme à la place de Dieu. Comment espérer qu'elle l'atteigne encore, cette tentation de Faust, lorsque les chants d'une douce nuit pascale lui rappelaient : « Le baiser de l'amour céleste qui descendait sur lui pendant le silence solennel du dimanche... »

Voici venir le temps pour le vieillard où il ne prononcera plus de paroles légères, où chaque mot qu'il dit et qu'il écrit pèse de son poids éternel. Qu'est-ce qu'un vieil écrivain, de la famille d'esprits à laquelle nous appartenons, Gide et moi-même, sinon un condamné qui rédige lui-même, jour après jour sa sentence?

Au Faust gidien, Méphisto n'a pas eu à rendre la jeunesse. La jeunesse ne l'a jamais quitté, elle l'a accompagné le plus longtemps possible. Mais voici les approches de la mer, l'heure de l'embarquement sans retour; elle ne saurait aller plus loin, il faut maintenant qu'elle s'éloigne; et c'est un très vieil homme tout à coup qu'elle abandonne sans préparation sur le sable aride, et qui continue à parler tout seul (ces pages de *La Table ronde* ressemblent à des assurances qu'il se donne à lui-même avant d'être englouti); mais il sait que nous demeurons attentifs, nous qui l'écoutons dans l'ombre, nous surtout ses amis chrétiens qui ne doutons plus qu'il ait choisi son point de chute. Humainement aucun espoir ne nous reste qu'il revienne sur ce qu'il a décidé d'être à jamais.

« Ils n'admettent pas une sérénité acquise en dehors de ce qu'ils enseignent, écrit-il des catholiques dans ces feuillets de *La Table ronde.* Toute doctrine qui s'écarte de leur Église doit aboutir au désespoir. » Que parle-t-il de sérénité lui qui écrit aussi dans ces mêmes pages : « Pour vivre, je n'ai pas trop de tout mon courage; pour vivre dans ce monde atroce. Et je sais et je sens qu'il est atroce; mais sais aussi qu'il pourrait ne pas l'être et qu'il est ce que nous le faisons. » Ce que Gide exprime ici, c'est son angoisse et c'est notre angoisse. Non, il ne subsiste plus de sérénité pour aucun habitant de notre monde criminel. Dans les ténèbres de l'athéisme, comme dans cette obscurité de la foi peuplée de présences, traversée d'éclairs qui illuminent brièvement l'horizon humain, nous nous heurtons tous à la même contradiction d'un monde abominable et d'une certitude invincible qu'il pourrait ne pas l'être. Nous voyons l'abjection humaine, elle nous prend à la gorge parfois (j'en ai touché le fond ces jours-ci, où un confrère, pour nourrir son immonde article, envoyait un enquêteur à Bordeaux et allait jusqu'à interroger, à « cuisiner » la servante qui ferma les yeux d'un être aimé. Nous voyons l'abjection humaine, et nous sentons qu'elle pourrait être surmontée, et nous savons qu'elle l'est chaque jour et que l'ennoblissement reste possible).

Cher Gide, le mot que nous croyons être celui de cette énigme, nous ne l'avons pas inventé; il nous a été donné à nous comme à vous, nous l'avons reçu de Quelqu'un qui fut le maître de votre jeune cœur et dont je vous ai toujours entendu parler avec respect et amour. Mais qu'elle est cruelle cette malice de juger l'arbre catholique sur les fruits que nous sommes! Votre démon a trop d'intérêt à ce que jusqu'à la fin le catholicisme ne se distingue pas pour vous de Claudel, de Jammes, de moi-même, des convertis de la littérature, qu'il ne se confonde jamais avec ce pauvre prêtre de banlieue qui s'est fait pauvre parmi les pauvres et qui porte sur ses épaules toute la douleur des hommes. Vous parlez « des montagnes d'absurdités » que soulève la foi? Non! pas même une montagne : une seule absurdité à laquelle le pauvre prêtre conforme sa vie et qu'il suffit de croire pour que tout le reste nous soit donné de surcroît : c'est que Dieu est amour et que c'est sur cet amour et par cet amour, chrétiens ou non chrétiens, qu'au dernier jour nous serons jugés.

19.

François Mauriac, « Une anthologie », Le Figaro, 4 juillet 1949, p. 1.

Le président de la République a inauguré avant-hier, au Panthéon, les plaques portant les noms des 197 écrivains morts pendant la dernière guerre. Aura-t-on fait aussi l'appel de ceux qui furent tués entre 1914 et 1918? Peut-être... Mais au vrai, cela ne nous importe guère. L'immortalité collective n'existe pas pour les poètes, et une liste sur un mur n'est qu'une projection de la fosse commune. Un poète qui survit, ce n'est pas un nom : c'est une voix qu'on entend par-delà la mort, et que le poème a gardée vivante.

Moi qui n'ai aucune mémoire visuelle et qui ne retiens à peu près rien de mes voyages, je me souviens des voix jusqu'à l'hallucination; il me suffit de lire un vers d'André Lafon ou de Jean de la Ville de Mirmont, depuis tant d'années redevenus cendres et poussières, pour que je retrouve leurs moindres inflexions et jusqu'à leur silence lorsqu'ils reprenaient souffle. Ils resteront vivants tant que je serai là pour les écouter. Et puis ils ne seront plus qu'un nom gravé entre tant d'autres sur le mur du Panthéon, ce temple du Vide et du Rien, cette cathédrale du Néant.

Ce devrait être le rôle des anthologies que de sauver les meilleurs parmi ces inspirés morts à vingt ans. Celle qui vient de paraître aux éditions de la Pléiade par les soins d'André Gide a plus de chance qu'aucune autre, sous cet illustre pavillon, d'aborder aux époques lointaines. Notre regret n'en est que plus amer lorsque nous songeons à tous ceux que Gide a rejetés de sa barrique. Non aux plus célèbres, bien sûr : Péguy ne souffrira guère d'avoir été exclu. Il marche sur la mer; il n'a pas besoin d'être pris à bord. C'est tout de même étrange que Gide n'ait rien retenu de Péguy poète. J'entends bien son excuse : « Le choix est impossible, lorsque l'incantation est l'effet même de la répétition. » Mais peut-être Gide, réfractaire aux grands poèmes rabâcheurs de Péguy (comme je le suis moi-même), n'a-t-il pas pensé à *La Ballade du cœur qui a tant battu?* Cher Gide, qui ne voulez pas que la postérité ignore *Les Chameaux* de Franc-Nohain, ni sa *Cantilène des trains qu'on manque*, se peut-il que vous soyez demeuré insensible à la sourde plainte de Péguy en proie à Dieu, ou peut-être à une créature, ou aux deux ensemble :

> *Cœur dévoré d'amour,*
> *Fervente joie,*
> *Mangé de jour en jour,*
> *Vivante proie.*
>
> *Cœur plein d'un seul objet*
> *O possédé...*

Comme je vous approuve de citer les trois beaux poèmes (dont l'un est admirable) qui constituent à peu près tout le bagage poétique de Catherine Pozzi! Mais quoi! pas une strophe, pas un vers d'Anna de Noailles ne vous a paru digne d'être retenu? Vous n'hésitez pas à découper, à dépecer tel chef-d'œuvre de Hugo et de Vigny, et à nous servir deux ou trois tronçons sanglants d'*Olympio* ou de *Moïse.* N'eussiez-vous pu faire bénéficier la pauvre Anna de cette méthode qui sent la boucherie et détacher à l'intention de nos arrière-neveux quelques morceaux de ce « cœur innombrable? »

Mais elle aussi marche sur la mer; elle enfonce, bien sûr, et les vagues la recouvrent; nous pouvons tout de même espérer que son ombre errante trouvera toujours le refuge d'un cœur et d'une mémoire. Les génies obscurs morts à vingt ans n'ont pas à compter sur cette chance. C'est maintenant qu'il faut les sauver, ou jamais.

« Ce n'est pas, me direz-vous, parce que vous les avez aimés qu'ils ont écrit des vers dignes d'être retenus. » Il est vrai, et il en est plus d'un pour lesquels je me résigne au silence éternel. Pour d'autres, je crains de céder à un charme qui n'agit que sur moi. Mais chaque fois que je rouvre *La Maison pauvre* d'André Lafon, je suis saisi par cette présence, j'entends une voix différente de toutes les autres, un accent unique, bouleversant. Il est aussi digne de survivre que Maurice de Guérin (que vous avez rejeté). Ah! il faudra que j'attache ma petite barque au bâtiment gidien et que j'y recueille quelques-uns de ceux dont notre ami n'a pas voulu à son bord. Ce sera l'anthologie des génies méconnus. Nous ressusciterons ces Lazares sur lesquels vous avez scellé la pierre de l'oubli.

20.

François Mauriac, « Défense d'Anatole et de quelques autres », La Table ronde, *novembre 1949, pp. 1663-1670.*

M. André Rousseaux qui, très jeune, s'est entraîné aux jugements tranchants, affûtés comme des couperets, ne craint pas d'écrire : « La fin du XIXe siècle a été une des plus basses époques de notre littérature... Il faut l'ingénuité d'un étudiant américain pour croire que Maupassant mérite une thèse de doctorat... Le seul génie des Goncourt a été de se survivre par une idée publicitaire plus étonnante que tout ce qu'on a pu inventer dans le même ordre.. Les monuments du naturalisme, ceux de Zola en premier, pourrissent par la base de leurs murs épais... »

Ce jugement sans nuance a dû faire se retourner dans leurs tombes l'honnête Faguet et Thibaudet le juste [...] (p. 1663).

...lorsque Anatole France meurt, depuis un quart de siècle déjà les écrivains que vous faites profession d'admirer et qui sont aussi mes maîtres, Claudel, Gide, Jammes, ont donné, sinon le meilleur, du moins l'essentiel de leur œuvre [...] (p. 1664).

...La victoire d'André Gide et de ses amis sur le boulevard et sur l'académisme, voilà le grand événement de notre récente histoire littéraire [...] (p. 1669).

Nous invitons [...] M. André Rousseaux à tenir compte de la chronologie. Il fait profession d'admirer Gide. Sait-il que *Les Cahiers d'André Walter* ont paru en 1891 (vingt-trois ans [1] avant la mort d'Anatole France)? *Le Traité du Narcisse* date de 1892, *Le Voyage d'Urien* et *La Tentative amoureuse* de 1893, *Paludes* de 1895, *Les Nourritures terrestres* de 1897, *Le Prométhée mal enchaîné* de 1899. *L'Immoraliste* a vu le jour vingt-deux ans avant la mort de France [...] (p. 1669).

21.

François Mauriac, « Lettre VI, à Jacques Rivière, à propos de la correspondance Claudel-Gide », La Table ronde, *décembre 1949, pp. 1842-1846.*

Si nous survivons en Dieu, cher Jacques, tels essentiellement que nous fûmes sur la terre, je ne crois pas que vous puissiez demeurer indifférent à cette correspondance entre Gide et Claudel publiée par *Le Figaro littéraire*, et qui touche au plus secret de l'une au moins de ces deux vies. Elle m'entretient depuis que je l'ai lue dans un état de rêverie ardente et un peu sombre à laquelle vous participez : si vous aviez vécu, jusqu'à l'âge que j'ai atteint, peut-être auriez-vous gardé comme moi une confiance de vieil enfant dans des aînés aveuglément admirés et chéris. Du fond de ce gouffre de lumière où vous êtes, j'imagine votre regard plein de tristesse et de reproche, fixé sur ces lettres livrées à tous, pièces d'un procès plaidé et perdu qui n'intéresse plus que l'histoire littéraire.

Pour les garçons que nous fûmes, vous vous rappelez ce qu'elles signifiaient. Nous ne les avions pas lues, bien sûr! mais nous connaissions leur existence. Ce dialogue entre le poète des *Grandes Odes* et l'auteur des *Nourritures terrestres*, concernait chacun de nous en particulier; car la question posée dépassait infiniment les singularités de

Corydon. Quel chrétien de vingt ans ne fut alors partagé entre deux tentations : celle du Dieu de Claudel et de son exigeant amour, celle du monde délicieux où « tout est permis »?

La voilà donc cette correspondance, objet d'une profanation : elle rappelle ces pauvres meubles rendus sacrés par le contact de nos morts et les souvenirs de l'enfance et qui, ravis à l'ombre sainte de la maison vendue, attendent sur le trottoir, dans l'indifférent soleil, l'heure de l'encan. Cette vente avant décès, mieux qu'aucun événement de la vie internationale, m'oblige à regarder en face cette évidence que nous appartenons à une société en pleine liquidation.

Je surmonterai mon angoisse. Aidé par vous, je m'efforcerai de dérober à ces lettres un enseignement qui ne concerne que nous deux, serais-je tenté d'écrire — s'il m'appartenait de troubler avec mes pauvres déconvenues, cher Jacques, votre inimaginable paix. Elles m'obligent à réfléchir, ces lettres pathétiques, sur la condition d'un animal étrange : l'homme de lettres, sur cette loi de l'espèce à laquelle j'appartiens encore et qui fut aussi la vôtre : ne pas s'en aller de ce monde sans avoir tout dit de nous-même, sans emporter la certitude que le dossier que nous laissons après nous est complet, qu'aucune pièce n'en a été détournée, fût-ce la plus accablante pour notre mémoire.

Depuis Jean-Jacques, depuis Chateaubriand, ce n'est plus l'œuvre qui compte, mais le drame de son auteur qu'elle commente et qu'elle rehausse de quelques images. Tout se passe comme si l'écrivain ne doutait pas de sa mission qui est d'assumer dans les siècles des siècles un certain type humain bien défini : il faut que le portrait soit achevé et que nul n'y puisse plus apporter la moindre retouche.

Chez André Gide, ce parti pris se trouve curieusement renforcé parce qu'il relève de l'éthique : l'homme qui a écrit *Corydon* et qui a choisi d'avancer dans la vie à visage découvert en tenant à la main son masque, a voulu que nos arrière-neveux aient le pouvoir de pénétrer encore plus avant dans la connaissance de lui-même : il leur livre donc les documents les plus secrets, ces carnets où parfois l'homme qui ne prie plus se soulage d'un fardeau qu'il désespère de porter tout seul : comme s'il faisait un trou dans la terre et qu'il y enfouissait sa figure et qu'il versait dans une oreille inconnue l'indicible secret de son destin. Ainsi le consentement de Gide à publier ses lettres, dans *Le Figaro littéraire*, nous le comprenons, même si nous en souffrons; et peut-être le comprenez-vous mieux encore, de là où vous êtes, cher Jacques. Ce consentement relève d'une attitude arrêtée depuis des années.

Oserai-je dire que j'entre moins aisément dans les raisons de Paul Claudel? Pourquoi a-t-il tenu à cette publication? Car enfin Gide est toujours vivant, son procès toujours en cours, le dernier mot en ce qui le concerne n'est pas dit. Ai-je tort de voir comme un renoncement prématuré, dans la mise en vente des lettres de Claudel à Gide? « L'instruction est close », semble-t-il nous dire. Mais non : nos copies ne sont pas remises avant la mort; vous le savez, vous, Jacques, qui avez été sauvé à la dernière seconde, — vous dont les dernières paroles furent : « Et maintenant je sais que je suis miraculeusement sauvé. » On dirait que pour Claudel, Gide est déjà jugé, qu'il nous faut abandonner la partie. J'entends bien qu'il reste de nous obstiner sur un autre plan : la prière, le sacrifice. Tout de même, cette correspondance livrée au public par Claudel donne à penser qu'à ses yeux les jeux sont faits et qu'il juge désormais sans objet ses efforts d'autrefois en faveur d'une âme exceptionnelle.

Mais pourquoi « exceptionnelle? » Nous touchons ici à un doute que j'éprouve moi-même et que Claudel lui aussi a peut-être ressenti. Ce combat spirituel autour d'une âme qui nous paraissait précieuse entre toutes, les écrivains catholiques l'ont mené dans cette persuasion obscure qu'un grand écrivain a plus de prix aux yeux de l'Être infini que l'humble chrétien de la rue. Ce fut là notre erreur de transposer sur le plan de l'Éternité ce prestige dont jouit à nos yeux un artiste admirable. Le total dédain de l'Église pour les romans et autres fariboles des gens de plume devrait pourtant nous préparer à la miséricorde un peu humiliante qui peut-être enveloppera toute la gent littéraire au jour du règlement de comptes. Ce jour-là, j'imagine parfois qu'il ne sera question de nos livres ni pour nous en accabler, ni pour nous en faire un mérite : ils n'existeront même pas dans la pensée de Dieu, de ce Dieu qui connaît les secrets des cœurs et qui les appréhende du dedans, et qui n'a donc pas besoin de ces témoignages truqués sur nous-mêmes, de ces portraits retouchés où nous tenons la pose — de nos livres enfin.

Peut-être Claudel a-t-il compris lui, l'auteur de ce vers, de ce raccourci accablant : « L'homme de lettres, l'assassin et la fille de bordel » que tous les prêtres et tous les fidèles qui prient et souffrent en secret pour le salut d'un grand écrivain, et qui ne le feraient pas pour un marchand de marrons du coin, surclassent démesurément les gens de lettres. Nous sommes en réalité les frères des comédiens et, plus encore, des prostituées par notre comportement qui est de perdre notre personnalité, d'en revêtir d'autres, de nous livrer au premier venu, d'ouvrir nos cœurs comme d'autres leurs corps et de nous vendre.

Mais peut-être Claudel garde-t-il aussi, comme André Gide, le souci d'ajouter un trait à l'image qu'il laissera de lui-même? Que cela doit vous paraître étrange de là où vous êtes, cher Jacques! Comment ne pas admirer chez les deux grands adversaires aux prises une croyance égale à cette dérisoire éternité promise par les manuels de littérature? Foi qu'on serait tenté de juger comique aujourd'hui où toutes les pythonisses, toutes les sybilles, toutes les Cassandre nous avertissent que notre génération n'aura pas de postérité.

C'est peut-être qu'en dépit de cette civilisation qui autour d'eux s'écroule, nos vieux maîtres se consolent en songeant que d'Antigone au pieux Énée, presque tous les protagonistes du monde antique ont pu se frayer une route jusqu'à nous à travers les débris d'Athènes, de Carthage et de Rome, et que sur les décombres de l'Europe qui fument encore, l'Ane d'Or d'Apulée remue toujours ses oreilles obscènes. Ainsi rêvons-nous, gens de lettres, qu'au-delà de l'âge atomique, les créatures que nous avons inventées occuperont encore les cœurs et les esprits des survivants. Quelle folie! Mais c'est la nôtre, de Claudel au plus récent « prix Goncourt ».

Le croyant et l'athée rêvent de la même chance pour

leurs personnages. Les frêles caravelles gidiennes, les lourds bâtiments claudéliens cinglent avec une foi passionnée vers cette immortalité dans la mémoire des hommes qui n'est que pur néant. Le croyant, lui-même, ne se défend pas d'espérer dans cette poussière, dans cette cendre, dans ce rien.

Quant à notre Gide, nous, les vivants, nous ne pouvons plus rien pour lui : vous seul, Jacques, saurez lui parler durant les heures de la nuit où il veille et songe. Il reconnaîtra votre voix amie. Dites-lui : « Cher Gide, cette correspondance que vous livrez à tout venant, ce document comme un autre pour servir à votre histoire, constitue, au vrai, l'épisode d'un drame dont nous ne connaissons pas encore la fin : tentative maladroite et avortée, mais dont l'avortement ne nous autorise à rien préjuger touchant la dernière péripétie — la seule qui compte. Vous n'avez pas eu la grâce de naître au sein de la vieille Église mère, ni de suivre la route royale qu'elle a frayée vers la Vie éternelle; mais il existe des sentiers de chèvres pour aller à Dieu. »

Guidez-le, cher Jacques, vers un de ces sentiers dérobés. Aidez-le à passer tout seul la ligne de démarcation au-delà de laquelle règne cet amour en qui vous avez cru.

22.

François Mauriac, « André Gide », Programme de la Comédie-Française, Les Caves du Vatican *d'André Gide, 1re représentation le 16 décembre 1950.*

Il ne faut pas attendre de moi un jugement sur André Gide; j'apporte ici un témoignage. J'étais très jeune quand j'ai commencé de lire, à Bordeaux, *Les Nourritures terrestres* et *L'Immoraliste.* Un adolescent qui se croit prisonnier de sa province, de sa famille, de ses « principes », cherche de livre en livre la clef du cachot imaginaire où il étouffe. Barrès, d'abord, le Barrès du *Culte du moi*, l'avait secouru. Mais entre eux, les idéologies barrésiennes (la terre et les morts, le nationalisme) déjà faisaient écran. Gide, lui, s'était dépêtré de toute doctrine : il avait rompu la dernière amarre qui le rattachait au calvinisme, il ne cherchait plus de défense contre lui-même. Avec le Jammes de l'*Angélus de l'aube* et des *Élégies*, avec le Claudel de *Tête d'Or*, il nous rendait conscients de cette merveille : être un jeune vivant. De sa rigueur huguenote, l'œuvre d'art seule gardait le bénéfice.

Mais la rigueur de l'artiste exige la pratique de certaines vertus : honnêteté intellectuelle, sincérité envers soi-même; nous les admirons dans Gide. Qu'au long de sa vie, il n'y ait jamais contrevenu, et en particulier dans le débat religieux, on en pourrait discuter et c'est là une autre histoire. Il reste que nous avons appris de lui à ne pas nous payer de mots : notre génération lui doit d'avoir été lucide.

Le dialogue qu'il a longtemps mené avec les chrétiens, avec Claudel, avec Du Bos, se poursuivait au-dedans de nous. Je lui sais gré, quant à moi, de m'avoir montré, dans la pure lumière de ses livres, le choix qui, dès le départ, s'impose à un jeune être : jouissance de soi-même ou dépassement de soi-même. A-t-il pesé sur ce choix? C'est le secret de chacun de nous et de Dieu. Ce Lafcadio redoutable dont l'acte gratuit va être joué devant vous, ce soir, lorsqu'il fit son apparition en 1914, préfigurait le jeune surréaliste qui n'existait pas encore. Mais peut-être aussi l'a-t-il suscité.

Qu'on ne voie, dans cette note, nulle complaisance : je suis de ceux qui ont vécu « à contre-courant » d'André Gide. Mais le courant que nous remontons dans une tension de tout l'être nous est plus salutaire que le courant qui nous porte.

23.

François Mauriac, « *Un destin* », Le Figaro, *20 février 1951*, *pp. 1 et 10.*

Si comme l'enseignait M. Singlin à Pascal « la plus grande charité envers les morts est de faire ce qu'ils souhaiteraient que nous fissions s'ils étaient encore au monde », nous devons épargner au grand écrivain qui vient de passer à la vie éternelle les flagorneries funèbres. C'est sa gloire que de ne s'être jamais relâché, durant toute une vie, dans son effort pour demeurer sincère envers lui-même. Nous ne maquillerons pas cette dépouille. Et si mauvais chrétien que nous soyons nous-même, c'est en chrétien, comme il l'aurait souhaité et attendu, que nous allons méditer devant son cercueil. Nous ne feindrons pas d'avoir mal compris l'enseignement redoutable de l'immoraliste — redoutable pour lui, mais pour nous aussi dans la mesure où nous l'aurons écouté. Si ce que les chrétiens croient est vrai, Gide sait aujourd'hui ce que chacun de nous saura bientôt [1]. Que sait-il? que voit-il? Quand Lamennais fut mort, son frère errait autour de La Chesnaie en gémissant : « Féli, Féli, où es-tu? »

Car Gide fut très différent de l'image que beaucoup se faisaient de lui : il fut le contraire d'un esthète, l'écrivain le plus éloigné de « l'art pour l'art », un homme engagé à fond dans une certaine lutte, dans un certain combat. Il n'a pas écrit une ligne qui n'ait prétendu servir la cause à laquelle il s'était donné.

Quelle cause? Elle s'établissait sur deux plans : le plus apparent, le plus scandaleux aux yeux du monde, tendait non pas seulement à excuser, mais à légitimer, et même à recommander un certain amour. Ce ne fut pas le pire : Gide n'a convaincu que ceux qui l'étaient déjà. Je ne crois pas qu'il ait jamais existé de bossu par persuasion. Mais cet enseignement n'était que l'application à son cas particulier d'un parti infiniment plus grave qu'il avait pris, dès sa jeunesse, de rompre avec la loi morale sous son aspect chrétien, telle que les Églises l'ont enseignée.

L'extrême importance qu'a prise Gide dans notre vie personnelle vient de ce choix en pleine lumière qu'il fit à un moment de sa vie, choix aussi spectaculaire, si j'ose dire, que le pari de Pascal. On ne saurait avoir parié contre le christianisme avec plus de sang-froid et de raisonnement que Gide, en dépit de ses prudences, de ses repentirs, de ses brèves reprises. Ce cas est plus rare qu'on ne pourrait croire. La plupart des hommes choisissent de ne pas choisir. Très peu osent décider que le mal est le bien et que le bien est le mal. Très peu osent, pour parler comme Bossuet : « renverser ce tribunal de la conscience qui condamnait tous les crimes ». Ce qu'a accompli Gide avec une tranquillité, une sérénité, une joie qui faisaient peur.

D'où l'aspect luciférien qu'il avait pris aux yeux de ses amis catholiques. Est-ce un hasard s'il a vécu au centre d'un furieux combat spirituel? La conversion de Jammes, celle de Dupouey qui entraîna le retour à Dieu d'Henri Ghéon suivi par Jean de Menasce, par Jacques Copeau, par Charles Du Bos, la correspondance avec Claudel... Oui, Gide aura vécu dans un remous de grâces acceptées ou repoussées, et lui-même semblait céder parfois, écrivait les pages de *Numquid et tu?* si brûlantes; mais il avait tôt fait de se reprendre; il poursuivait sa route enveloppé dans sa grande cape, avec cet air terriblement heureux, préférant sa joie à tout : cette joie qu'il ne distinguait presque plus de son plaisir.

Un souci constant de culture et de tenue, un perpétuel effort, merveilleusement récompensé, pour ennoblir son type, l'allure noble, aisée, d'un seigneur de grande race le préservèrent du rôle de l'ilote qu'il a laissé à d'autres auteurs plus minces, venus après lui. Il faut que nous vivions à une époque bien inattentive et qui ne saisit plus la portée des événements, pour que le prix Nobel accordé à André Gide n'ait pas suscité dans le monde un mouvement de stupeur ou même de terreur. Oui, le destin de Gide m'a toujours paru tout pénétré de surnaturel... comme celui des autres hommes, direz-vous. Non, pour la plupart, ils sont des pécheurs, de pauvres pécheurs. Gide n'était pas un pauvre pécheur, mais un étrange pilote, dressé au-dessus d'une génération vouée « aux erreurs étranges et tristes », et tenant la barre d'une main puissante.

Il se peut que je dramatise ce destin. Peut-être le purgatoire de Gide sera-t-il de découvrir qu'aux yeux de l'Être infini ce qu'il a écrit n'a que très peu d'importance, beaucoup moins que le plus petit sacrifice consenti par une des nombreuses âmes qui n'ont cessé d'intercéder pour lui, infiniment moins que cette larme qui tremble à jamais sur la joue amaigrie d'Alissa.

Son œuvre littéraire? Elle demeure une des plus significatives de ce temps. Il faudra étudier à part l'influence de l'esprit critique gidien, incarné dans *La Nouvelle Revue Française*, et la mise en place des vraies valeurs qu'il suscita. Pour moi, *Les Nourritures terrestres*, *L'Immoraliste*, *Amyntas* demeureront toujours pénétrés du charme dont les a revêtus la ferveur de ma vingtième année. Mais Gide avec Jean-Jacques, avec Chateaubriand, appartient à cette race d'écrivains dont la vie l'emporte en intérêt sur l'œuvre. A l'opposé, Shakespeare, Racine disparaissent dans le rayonnement des personnages qu'ils ont inventés. Comme *Les Confessions*, comme *Les Mémoires d'outre-tombe*, et pour les mêmes raisons, il me semble que *Si le grain ne meurt* et que le *Journal* d'André Gide entretiendront longtemps dans la pâte humaine le ferment qu'il avait reçu mission d'y jeter... Pour le mal? pour le bien? je n'en déciderai pas. Il faut ici se souvenir du mot sublime que Bernanos met dans la bouche de son curé de campagne mourant et qui perce d'un trait de feu les ténèbres de la prédestination : « Tout est grâce. »

Nous ne sommes pas juges de ce que Dieu attend d'une vie et d'un être. Comment croire qu'un Nietzsche, qu'un Gide n'ont pas été voulus tels qu'ils étaient? Et que se passe-t-il dans ce crépuscule où l'âme, près de se détacher du corps, n'entend ni ne voit plus rien de ce monde? Durant sa lucide agonie, Gide a peut-être retrouvé les mots qu'il avait écrits autrefois, il n'y a pas si longtemps, dans ce petit livre dédié à Charles Du Bos, *Numquid et tu? :* « Seigneur, je viens à vous comme un enfant; comme l'enfant que vous voulez que je devienne, comme l'enfant que devient celui qui s'abandonne à vous. Je résigne tout ce qui faisait mon orgueil et qui près de vous ferait ma honte. J'écoute et vous soumets mon cœur. » L'homme qui reçut un jour l'inspiration de cette prière, peut-être s'en est-il souvenu dans le silence de la dernière heure.

24.

Opéra, *21 février 1951*, « *Ses amis* », *p. 10. Témoignage de François Mauriac sur la mort d'André Gide.*

Une pratique ancienne du catholicisme nous aide à pénétrer le secret de Gide. Il dut être de ces enfants dont on dit dans les familles chrétiennes : il a la vocation. Car cet homme si ondoyant fut toujours la proie d'une fixe passion : agir sur les jeunes cœurs. A ce signe, reconnaissons l'homme prédestiné à l'apostolat. Il nous a fait connaître les plus beaux cœurs et les pires. Sa mission est de jeter des torches dans nos abîmes, de collaborer à notre examen de conscience. Ne le suivons pas au-delà : lui-même nous supplie de ne pas le suivre. Attendons le jugement de Dieu.

25.

François Mauriac, « Le film sur André Gide », Le Figaro, *26 février 1951, p. 1.*

Que retiendra le grand public de ces images bouleversantes pour ceux qui ont connu Gide et qui l'ont aimé? Un vieux mélomane explique à une fillette comment il faut interpréter Chopin. Un bon-papa-gâteau assiste au réveil de ses petits-enfants, les amuse avec des tours d'adresse, s'attendrit de leur babil. Le grand public n'entendra pas, dominant la douce musique humaine que composent les voix mêlées de l'aïeul et des tout petits, le cri que Gide a poussé à l'orée de ce siècle : « Familles, je vous hais. » Ainsi un homme dont l'ambition, chaque jour exprimée et poursuivie avec une ténacité admirable, fut de laisser aux générations une image de lui-même exacte jusqu'à l'horreur (quoique retouchée) survivra dans un film « éducatif » et si édifiant que le président de la République et le ministre de l'Éducation nationale ont voulu — et à bon droit — l'honorer de leur présence le soir où il fut présenté.

Ce n'est point qu'il y ait eu chez l'auteur du film une intention de mensonge, ni que Gide lui-même s'y soit prêté. Mais lui, dont toute l'œuvre témoigne que l'indicible n'existe pas, a été vaincu, si j'ose dire, par « l'inmontrable ».

Vous ne pouvez pas nous montrer ce dont vous vous êtes glorifié pendant un demi-siècle : à peine, ici ou là, une allusion que seuls les initiés saisissent. De ce qui fut votre raison d'exister, votre apostolat parmi les hommes, la bonne nouvelle que vous leur avez annoncée, presque rien sur cet écran ne transparaît, presque rien n'y pouvait transparaître. Ce vieux berger qui se manifeste devant la foule et qui a jeté sur ses épaules puissantes une peau de brebis, j'avoue qu'il me fascine. Je regarde son œil qui brûle à travers le masque; il apprivoise les agneaux : ils n'ont pas peur de lui et viennent manger dans sa main. Je me souviens d'un titre de Balzac : *La Dernière Incarnation de Vautrin.* Et certes, une part de nous-même chérit Vautrin, quoi qu'il fasse et sous tous les déguisements; et nous ne cessons de chérir Gide, même lorsqu'au seuil de la mort il joue au grand-père.

D'ailleurs, pourquoi en eût-il ressenti de la honte? En vérité il ne joue pas : il aura été *aussi* ce bon grand-père. C'était son plaisir de l'avant-dernier jour qu'il tenait en réserve, — après quoi il ne lui reste plus rien à espérer. Il aura épuisé toutes les joies, même les très pures. Je lisais, ces jours-ci, le petit livre lucide et glacé que vient de lui consacrer M. Pierre Herbart : « Comme il l'avait souhaité, écrit-il, Gide meurt *désespéré.* Les catholiques sont refaits. » Hélas! qui n'est pas refait dans cette histoire? Et d'abord Gide lui-même, puisque le voilà condamné à tromper par omission non sans doute les lecteurs qui le connaissent, mais l'immense foule appelée à ne rien savoir de lui que ce que livre l'écran. Comme gêné par son involontaire imposture, à la fin du film, l'immoraliste soulève à demi le masque. Mais la parabole de Thésée dont il se sert, je doute qu'il ait jamais cru que le public du cinéma en pénétrerait le vrai sens. « Derrière moi, je laisse la cité d'Athènes (ici le Gide du film a ajouté : “ mon œuvre, plus encore que ma femme et mon fils je l'ai chérie... ”) Ce que cela signifie, bonnes gens aux yeux écarquillés? que l'œuvre littéraire est une idole goulue et qui exige des victimes humaines. « Plus encore que ma femme... » Mais personne, dans ces salles obscures où des milliers d'êtres se pressent, ne se souviendra du doux visage entrevu au début du film, le visage de celle qui écrivait à Claudel le 27 août 1925 : « J'ai éprouvé, en effet, beaucoup d'angoisse devant ce long et lointain séjour dans l'Afrique noire qu'il a souhaité — mais si j'avais plus de foi je ne me tourmenterais pas ainsi. Tous ceux qui aiment André Gide, comme mérite d'être aimée cette âme très noble, doivent prier pour lui. »

Gide-Thésée dit encore à la foule, avec un indicible accent de triomphe : « J'ai goûté des biens de la terre... » Oui, il a goûté des biens de la terre... mais quels biens? De quoi faisons-nous notre nourriture? Beaucoup d'hommes meurent sans s'être aperçus qu'ils avaient été des fauves et qu'ils s'étaient nourris de proies vivantes. Si le cinéaste pouvait nous montrer sur l'écran la vraie vie de Gide, avec tous ses prolongements dans les existences qu'elle a traversées, dans les destins qu'elle a orientés, que ferait le public?

Plus d'un spectateur, peut-être, couvrirait sa figure des deux mains pour ne plus voir ou pour prier.

26.

François Mauriac, « La Victoire de Spartacus », La Table ronde, avril 1951, pp. 9-13.

C'est en chrétien que dans *Le Figaro* j'ai commenté la mort de Gide. Je me suis appliqué ici à me tenir hors de toute considération religieuse.

F. M.

« Les plus avisés de ses admirateurs littéraires se plaisent à oublier que sur cinq ou six points les plus importants de la pensée humaine il est affirmatif et net autant qu'aucun esprit réputé vigoureux et brutal... » Ce mot de Barrès sur Renan, comme il nous éclaire André Gide!

Cet esprit qui se voulait « non prévenu » et qui s'y efforça, et qui crut l'être, ne fut, sur l'essentiel, qu'affirmation. Son charme venait de ce contraste : qu'il cédait aisément à vos raisons! Avec quel feint détachement il vous laissait le dernier mot! Mais rendu à lui-même, devant la page de son carnet, il réoccupait avec force tous les points sur lesquels il avait paru céder, passait à l'attaque, s'armait de toutes les concessions qu'on avait cru habile de lui faire, les retournait avec une verve feutrée contre vous, ce qui n'eût rien été, mais surtout contre la vérité dont vous vous imaginiez l'avoir convaincu. Le *Journal* n'est fait que de ces solitaires et cruelles représailles aux dépens de l'interlocuteur assez stupide pour avoir cru un seul instant qu'on peut avoir raison contre André Gide.

Charmant, souple, ondoyant, « bénin et gracieux », prompt à s'attendrir, capable d'effusion, pour un rien au bord des larmes, d'un commerce exquis, on ne saurait trop le dire, parce que chez aucun autre homme une intelligence si aiguë ne s'allia à ce je ne sais quoi de frémissant, d'ouvert, de livré — oui, mais sous tant de grâce et de charme, une volonté tendue, une dure mâchoire serrée, un état de constante alerte contre toute puissance extérieure menaçante pour son autonomie. Un état d'alerte? Ce n'est pas assez dire : sous chaque mot qu'il a écrit se poursuit un travail de sape contre la cité ennemie : celle où la nature est combattue, où l'assouvissement des passions s'appelle le mal, où une malédiction particulière pèse sur le plaisir, sur ce qui pour Gide est le plaisir.

Mais cette cité ennemie, c'est tout de même la sienne, celle où le calviniste André Gide est né dans la servitude, celle où dès sa jeunesse il a souffert, lui et les millions d'êtres humains sur qui les lois de la cité chrétienne font peser le même interdit.

Il y a un Spartacus dans Gide. Il a été le chef des esclaves révoltés au centre même de l'ordre romain. Mais l'héroïque Spartacus a été abattu, n'ayant résisté que deux années; André Gide, lui, après un demi-siècle de constantes victoires, jette *Corydon* à la figure des bourgeois, des pasteurs et des prêtres, se glorifie dans son *Journal* de plus d'exploits qu'il n'en a fallu à Oscar Wilde pour connaître la sombre gloire du hard labour — et en échange de tant de provocations, obtient le prix Nobel.

Il n'est pas sûr qu'André Gide n'ait au secret de son cœur subi ce constant bonheur comme une malédiction. La grandeur de Wilde, celle de Verlaine, il savait bien que c'est d'avoir payé dès ici-bas jusqu'à la dernière obole. Je crois qu'à certains moments Gide s'est voulu martyr. Un soir, il y a bien des années, il m'a parlé avec nostalgie de la prison où Gustave Hervé expiait ses opinions antimilitaristes. Et voilà où Gide m'apparaît grand : ce n'est pas un penchant à l'exhibitionnisme sénile qui lui dicte, dans ses derniers « journaux », d'humiliants aveux; mais il tenait à témoigner devant le monde qu'il avait commis ces mêmes actes pour lesquels d'autres hommes sont encore condamnés et déshonorés. Jamais la relativité de la morale n'éclate comme dans les conjonctures de cette sorte, lorsque l'étalage d'une action mauvaise ou même horrible répond à une exigence de justice.

Par-delà le bien et le mal, vers la terre promise d'une moralité neuve, Spartacus a entraîné ses troupes d'esclaves qui se croyaient délivrés. En réalité, Gide seul s'est rendu libre; il a réussi pour lui seul ce prodigieux renversement, mais la race infortunée n'en a eu aucun bénéfice. Tous les dons de l'artiste, la plus haute culture entretenue, enrichie jusqu'à son dernier jour, un art de vivre délicieusement en désaccord avec une société dont il rejeta toutes les exigences, tous les devoirs, mais dont il sut ne négliger aucune des commodités qu'elle dispense à ses privilégiés, cet art suprême, Gide ne l'a légué à aucun de ses disciples : les épigones de ce prodigieux baladin du monde occidental, observez-les lorsqu'ils étendent sur la place publique la descente de lit râpée de leur alcôve et qu'ils recommencent indéfiniment leur hideux et morne numéro conjugal.

Inimitable Gide! Avec quelle feintise il sut toujours se débarrasser de ses adversaires pesamment armés! Comme il eut tôt fait de les abattre les uns après les autres et ils s'écroulaient dans le fracas de leur cuirasse maurrassienne et de leur armure thomiste, et lui, si leste, dans le pourpoint et sous la cape de Méphistophélès (mais n'était-il pas plutôt Faust déguisé avec les défroques du diable?) il enjambait leurs corps et courait à ses plaisirs ou à ses lectures.

Virtuose du tirage limité, de l'édition introuvable, de l'insuccès apparent et secrètement cultivé en vue d'une gloire solide, il a su dès le départ jouer sur le petit nombre des lecteurs. C'est qu'en France, pays de la paysannerie et de la boutique, trois mille délicats dispensent la gloire littéraire. Il n'existe plus chez nous de littérature nationale. *La Nouvelle Revue Française*, émanation de Gide, a été le journal officiel de cette élite dispensatrice de la gloire. Gide, par elle, a réglé l'opinion des jeunes hommes que nous étions entre 1910 et 1914. De Théophile Gautier à Bourget et à Henri de Régnier, le nombre d'auteurs de toutes les époques qu'il nous faisait jeter par-dessus bord, cela me paraît incroyable quand j'y songe. Mais comment n'eussions-nous pas été séduits? Il est très rare que la culture et le goût culminent à ce degré dans un même esprit, d'ailleurs libéré de toute entrave idéologique. J'ai écrit que Gide, comme Jean-Jacques et comme Chateaubriand, ne survivra que par ceux de ses livres qui traitent directement de sa propre histoire : *Si le grain ne meurt*, *Journal*, parce que c'est lui qui nous intéresse et non ce qu'il invente. C'était oublier qu'il demeure l'unique sujet de ses ouvrages d'imagination : *L'Immoraliste*, c'est lui; *La Porte étroite* décrit l'amour de tête sur lequel il a édifié l'équivoque douloureuse de sa vie. A travers *Les Faux-Monnayeurs*, roman peut-être raté, court la veine gorgée de sang du journal d'Édouard. La présence de Gide dans tout ce qu'il a écrit assure la pérennité de son œuvre.

Gide virtuose du dialogue : avec ses amis, avec ses adversaires, avec lui-même, avec le Christ. Le seul de mes aînés qui ait possédé ce don admirable, Barrès était retranché : un monstre d'indifférence et d'inattention à ce qui n'était pas lui-même. Claudel? le Cervin que l'on contemple avec amour depuis sa fenêtre. On ne cause pas avec le Cervin. Jammes pétillant d'esprit et merveille de poésie jaillissante... mais il ne comprenait rien aux autres. Avec Gide, comme on causait! ou plutôt, comme on aurait bien causé! Malheureusement, n'importe quel jeune homme l'intéressait plus que vous. Je n'ai réellement joui de son commerce que durant deux décades de Pontigny : là où il était attaché, il fallait bien qu'il broutât, mais le diable, c'était précisément de l'attacher.

Le vieil Ariel a été rendu aux éléments et son départ est une dernière grâce qu'il nous accorde; elle secoue un peu notre république assoupie dans les salles de rédaction de la presse hebdomadaire : « Ah! que la mort de M. Renan sera intéressante! » s'écriait le jeune Barrès, à l'âge de Roger Nimier. Impertinence qui recouvre le plus bel éloge qu'un vieil écrivain puisse mériter de ses cadets. La mort de Gide ne le sépare pas de nous. Ce n'est pas de lui que l'on pourra écrire, comme de Barrès précisément : « Gide s'éloigne... » Il ne s'éloignera pas tant que nous serons là. La mort de Gide est un épisode et non le moins réussi (comme s'il l'avait réglé lui-même...) de ce destin qui n'a pas été subi, mais qui a été conduit et orchestré avec quelle maîtrise! et qui continue par-delà la tombe à séduire et à provoquer.

P.-S. — Je m'étonne de la hargne que, dans *Opéra*, Marcel Arland a manifestée contre « les juges » d'André Gide. Même les morts doivent être protégés de leurs amis : s'il n'avait dépendu que d'Arland, on n'eût donc pas parlé de cet illustre départ plus que de celui d'un écrivain que Charon a pris dans sa barque en même temps que Gide : Lenormand? Ou n'eût-il fallu que lui jeter des fleurs et ne point user à son égard de cette liberté d'esprit dont il nous a donné l'exemple? Et que dire de la confusion que crée Arland entre les attaques dont Gide a été l'objet de son vivant et contre lesquelles je l'ai défendu, et le jugement qu'appelle une grande vie arrivée à son terme et qui, à peine le dernier soupir exhalé, « fait tableau » à jamais? Gide a tout disposé en vue de cette vie posthume qui commence pour lui telle qu'il l'a voulue et qui le maintient au milieu de nous comme un signe de contradiction.

27.

François Mauriac, « *Les Catholiques autour d'André Gide* », Hommage à André Gide, *La N.R.F.*, *1951*, *pp. 103-107*.

André Gide s'irritait parfois de sentir autour de lui tous ces chrétiens à l'affût. Il s'en irritait, en dépit du plaisir qu'il avait à entrer dans le jeu et à leur donner la réplique. Mais il attribuait leur acharnement à ce trait de leur nature : ils n'ont de cesse, croyait-il, qu'ils n'aient fait tomber le plus de gens possible dans leurs filets. Certains peut-être lui ont-ils en effet donné quelques raisons de se persuader qu'il s'agissait surtout à leurs yeux d'avoir le dernier mot. J'ai moi-même connu de ces spécialistes de la conversion qui tenaient un carnet de chasse, et l'on eût dit qu'ils portaient, suspendues autour de leurs reins, les chevelures des pénitents qu'ils avaient conquis sur le monde.

Mais si les chrétiens qui couraient sur la piste de Gide n'avaient obéi qu'à cette manie irritante, ils eussent dû aussi poursuivre et forcer d'autre gibier. Or nous n'avons jamais entendu dire que Giraudoux ou que Jules Romains, ou que tout autre libertin de lettres ait été importuné par les convertisseurs. Il faut bien admettre que le cas de Gide était particulier : et d'abord, c'était lui qui avait commencé — je veux dire qui avait commencé, étant lui-même né chrétien et fervent, par instaurer un débat où nous le sentions partagé : dépris de tout dogme, mais non de l'Écriture, détaché du calvinisme natal, mais atteint par l'affirmation catholique et hésitant à passer outre — conscient de ce remous de grâce qu'entretenaient autour de lui les conversions successives de Claudel, de Jammes, de Dupouey, de Ghéon, de Copeau, et Du Bos, de plusieurs autres... Ce mystère de la conversion d'un homme si souvent renouvelé tout près de lui, le concernait, qu'il le voulût ou non. Il ne le niait pas. *Numquid et tu?* témoigne d'un état passager de ferveur chez ce héros de notre drame spirituel et qui, avant son dernier souffle, n'a pas un instant quitté la scène. Cédant et se dérobant tour à tour pour mieux attaquer, Gide, presque jusqu'à la fin, aura très subtilement tenu tête à ses amis chrétiens. Il a écrit lui-même dans *Si le grain ne meurt*, lorsqu'il évoque son premier embarquement pour l'Afrique : « Je ne dis pas adieu au Christ sans une sorte de déchirement, de sorte que je doute aujourd'hui si je l'ai vraiment quitté. »

Ce déchirement a causé, du point de vue chrétien, sa faute essentielle. Incapable de renoncer au Christ comme il l'était de renoncer à lui-même, il lui restait de tirer à lui chaque parole du Seigneur : ce fut un jeu où il excella. Son *Retour de l'enfant prodigue* est, de ce point de vue, un chef-d'œuvre de gauchissement. La première lettre que j'aie reçue de lui en avril 1912 et datée de Florence, est pour protester presque violemment contre cette constatation que j'avais faite, dans je ne sais quelle revue, que *Le Retour de l'enfant prodigue* détourne de son sens la parabole évangélique — ce qui est tellement évident que je me souviens de ma stupeur lorsque je l'en sentis peiné et blessé : « Si je vous écris, me mandait-il, c'est pour protester de toutes mes forces contre ce mot de *sacrilège* que vous employez à propos de mon *Enfant prodigue* et contre cette accusation d'avoir dépouillé de son sens divin la parabole de l'Évangile. C'est avec piété et respect que j'ai écrit ces pages (se peut-il vraiment que vous les ayez lues ou que, les ayant lues, vous n'ayez pas senti la gravité de l'émotion qui me les a dictées?). » On voit ici l'équivoque : comme si la gravité et l'émotion n'aidaient pas, dans *L'Enfant prodigue* gidien, au gauchissement!

Mais cette protestation même était le signe que le chrétien Gide mesurait la gravité de l'accusation portée contre sa fausse parabole. Du point de vue de la foi, il n'est rien qui ressemble autant à ce que signifie « péché contre l'esprit ». Et c'est la vraie raison de l'acharnement que montrèrent certains de ses amis et d'abord Claudel qui avait, le premier, foncé sur lui, armé du casque empanaché de l'espérance, du tomahawk de la foi et de la hache à double tranchant de la charité. Le cas de Gide ne ressemblait à aucun autre : la plupart des chrétiens n'ont jamais dépassé la lettre du catéchisme : ils n'ont pas connu Dieu. C'est un mot qui n'a jamais rien recouvert pour eux. Ils nient, mais ils ne renient pas. Le Christ n'a jamais été dans leur vie, comme il le fut dans celle de Gide, cet ami dont parle Lacordaire que nous avons rencontré un jour de notre jeunesse à un tournant de la route, et qui nous a aimé et que nous avons aimé. Ils ne se sont pas appliqués à lui faire dire ce qu'il n'avait pas dit avant de se détourner ouvertement de lui. Si l'on admet que ceux-là seuls seront perdus qui ont délibérément renoncé à Dieu en toute connaissance de cause et par un choix longuement pesé, je ne crois pas en avoir jamais rencontré un cas plus saisissant que celui de Gide. Il va de soi que dans la perspective chrétienne, Dieu seul est juge des raisons qui ont décidé de l'attitude gidienne et dont quelques-unes sont, sans conteste, très hautes. Oui, sans doute, mais parlons net : la convoitise de Gide fut le centre même de son drame. Le combat de Gide a été celui-là et non un autre : il s'agissait de légitimer une certaine convoitise. Ce qui non plus n'était pas d'un esprit vil : Gide exigeait l'accord total avec lui-même et de ne rien refuser, et de ne rien renier des aspirations contradictoires de sa nature profonde. Mais rien ne peut faire que cette exigence n'aboutisse au renversement inexpiable : à prétendre que le mal est le bien. C'était là que tendait cette entreprise où Gide s'était engagé avec *Le Retour de l'enfant prodigue* : l'adultération de la Parole « qui est esprit et vie » l'amenait à une essentielle subversion.

Ici, il faudrait insister sur le problème particulier de Gide. Le Christ, dans son enseignement, paraît ne s'être jamais inquiété de nos goûts singuliers. Il ne lui importe aucunement de connaître les bizarreries des inclinations. Son exigence, sa terrible exigence, et qui est la même pour tous, c'est que nous soyons purs, c'est que nous renoncions à notre convoitise *quel qu'en soit l'objet.* La réprobation du monde à l'égard de l'homosexualité, et qui est d'ordre social, n'offre aucun caractère commun avec la condamnation que le Christ porte contre *toutes* les souillures, ni avec la bénédiction dont il recouvre les cœurs qui se sont gardés purs : *Beati mundo corde quoniam ipsi Deum videbunt.* Combien parmi ces cœurs purs ont jugulé en eux la tendance que Gide, non content d'excuser, approuve et glorifie! Au vrai, Gide réclamait une prérogative à l'égard d'un vice particulier. Me rappelant le mot que Pascal met dans la bouche du Christ : « Je t'aime plus ardemment que tu n'as aimé tes souillures », je songe que Gide a préféré à tout sa souillure, mais en niant d'abord qu'elle fût souillure.

Et ici intervient pour le croyant un autre aspect de la destinée gidienne : son aspect angélique. Sur un tel sujet nous répugnons aux effets et aux phrases. Pour faire comprendre aux agnostiques l'intérêt pénétré d'angoisse que le cas de Gide éveillait chez ses amis chrétiens, je citerai, sans les commenter, trois textes (mais j'en aurais trouvé bien d'autres du même ordre). Les deux premiers sont de Gide lui-même : l'un se trouve au début de la deuxième partie de *Si le grain ne meurt :* « Enfin s'il m'est récemment apparu qu'un acteur important : le Diable, avait bien pu prendre part au drame, je raconterai néanmoins ce drame sans faire intervenir d'abord celui que je n'identifiai que longtemps plus tard. » Et voici l'autre qui est extrait du *Journal des Faux-Monnayeurs :* « Et je sens en moi, certains jours, un tel envahissement du mal qu'il me semble déjà que le mauvais prince y procède à un établissement de l'enfer. » J'emprunte le dernier texte à Julien Green, dans une page toute récente où il décrit le comportement de Gide à son égard : « Depuis mon retour en France, en 1945, je n'eus jamais l'occasion de voir Gide qu'il n'essayât d'une façon ou de l'autre de porter atteinte à ma foi. »

Qu'on me comprenne bien : dans la perspective catholique, il n'est rien là qui doive nous faire désespérer du salut de notre ami dont les raisons ne furent jamais basses et relevaient souvent d'un souci moral sur les points les plus troubles et où l'on s'y fût le moins attendu. C'est ainsi que certains aveux de son dernier *Journal* ne sont là que pour témoigner qu'il a commis les mêmes actes qui déshonorent les autres hommes et qu'il a eu le privilège de n'en être pas atteint : il réclame sa part d'opprobre. Il n'est aucun cas où nous ayons plus de raisons de nous rappeler le précepte : « Ne jugez pas! » et l'enseignement de saint Jean : que le Seigneur lui-même n'est pas venu pour juger les hommes, mais pour les sauver. Je n'ai cherché ici qu'à éclairer les raisons de cette espèce d'agitation maladroite des amis catholiques d'André Gide aussi longtemps qu'il a vécu. Non que nous nous sentions moins pécheurs que lui. Mais justement! Gide ne fut jamais un « pauvre pécheur » : il fut une créature redressée et triomphante, *un être de défi.* Or pour nous, chrétiens, au grand scandale des sages, le dernier mot de la sagesse tient dans cette confession du psalmiste dont Gide se fût sans doute armé contre nous : « Le sacrifice selon Dieu, c'est un esprit brisé. »

28.

François Mauriac, « Une parole de Gide mourant », Le Figaro, *27 novembre 1951, p. 1.*

Mieux que tous les raisonnements, cet « Hommage » publié par *La Nouvelle Revue Française* rendra sensible le charme d'André Gide à ceux qui ne l'ont pas subi. Que tant d'esprits opposés s'assemblent autour de ce grand mort énigmatique, il y a là de quoi nourrir plus d'une réflexion. L'étrange est que ce charme ait enchanté jusqu'à des chrétiens, que beaucoup (je suis l'un d'eux) tout en tenant Gide pour l'adversaire le plus redoutable de leur foi et l'ayant toujours traité comme tel, soient demeurés jusqu'à la fin ses amis. Les *Conversations avec André Gide*, que Claude Mauriac fait paraître ces jours-ci chez Albin Michel, donnent une peinture fidèle de cet état d'amitié armée.

Voilà ce qui aurait dû frapper M. Albert Camus. Mais au contraire, dans son hommage à Gide, il s'en prend avec aigreur aux chrétiens qui, selon lui, ne se sont point assez réjouis de ce que la mort de Gide avait été heureuse, car « une mort heureuse rachète un peu la création », ne craint pas d'écrire notre penseur nº 2. Il n'existe de mort heureuse pour personne, Monsieur Camus, même pas pour ceux qui s'endorment dans l'espérance parce qu'ils s'endorment aussi dans le tremblement s'ils n'ont pas été des saints, —

et même les saints près de mourir poussent quelquefois le cri du Fils abandonné. Quant aux autres... il y a bien du spectacle dans la sérénité de Socrate. Non! pour l'être humain qui n'a d'autre choix que le néant ou que le compte à rendre jusqu'à la dernière obole, je ne vois devant l'éternité aucune place où loger une once de joie.

Mais si cette angoisse, qui n'épargne aucune agonie tant qu'elle demeure lucide, était une ruse de la miséricorde pour sauver à la dernière seconde ce qui était perdu? C'est parce que nous aimions Gide et que nous nous tourmentions à son sujet que nous nous sommes réjoui de découvrir, à la fin de cette série d' « hommages », le signe vainement cherché jusque-là dans les rapports que nous avaient faits les témoins de sa mort : André Gide lui aussi a soutenu une lutte sans cri à l'extrême bord du dernier banc de sable que le vent du large balaie. Le témoin que j'invoque mérite plus qu'aucun autre d'être cru : un ami de Gide, mais aussi son médecin, un clinicien mais un humaniste et que sa profession oblige à vivre aux confins de la chair et de la pensée, à l'intersection de l'esprit et de l'âme : « Pendant quelques instants, écrit le professeur Jean Delay, je restai seul avec lui dans la chambre étroite qu'emplissait son souffle. Sa respiration avait pris le rythme de Cheyne-Stokes, fait d'oscillations croissantes et décroissantes et suivies d'une pause. A la fin d'une de ces pauses, il ouvrit les yeux. Son visage semblait douloureux. Je lui demandai s'il souffrait. Il murmura, mais distinctement : " *C'est toujours la lutte entre le raisonnable et ce qui ne l'est pas*". »

Gide reprochait avec véhémence aux chrétiens de tirer les grands morts à eux. Je proteste qu'il ne s'agit nullement ici de donner à cette parole plus de portée qu'elle n'en a. J'admets qu'elle puisse n'exprimer qu'un débat tout intellectuel — moins encore peut-être. Mais il se peut aussi que, dans la bouche de cet homme où nous savons que chaque mot pesait tout son poids, cette parole, cette dernière parole (mais a-t-elle été la dernière?) doive être prise à la lettre. Valéry s'indignait qu'on attachât plus d'importance aux derniers instants d'une vie qu'à tout le reste. J'accorde que par eux-mêmes ils ne devraient pas être en effet plus importants — à moins qu'il ne s'y passe quelque chose... Quelle chose? Une lutte précisément, un combat, ce combat auquel il se peut qu'ait fait allusion le propos que nous rapporte Jean Delay. Dans la perspective chrétienne, à quel autre moment les êtres de défi, comme était Gide, pourraient-ils être sauvés, sinon à cette heure dernière où le souffle leur manque, où ils n'ont même plus la force de dire non, où il ne leur reste même plus les quelques secondes nécessaires pour revenir sur le faible oui qui leur a échappé peut-être et dont l'Amour éternellement se contentera?

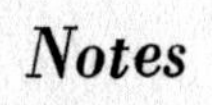

Notes

INTRODUCTION

1. *La Rencontre avec Barrès*, La Table ronde, 1945, p. 15; « Le Bloc-Notes », *Le Figaro littéraire*, 27 octobre-2 novembre 1969, p. 4.

2. « Mes premières années à Paris », *Le Figaro*, 16 mars 1940.

3. *Ibid.*

4. Lettre du 15 avril 1912.

5. Lettre de [mai 1912].

6. Lettre du 10 juillet 1917.

7. *Journal d'un homme de trente ans*, Egloff, 1948, p. 116.

8. « L'Influence de M. André Gide », *La Revue universelle*, 15 novembre 1921, pp. 500-509.

9. « Fragments d'un journal », *N.R.F.*, 1er juin 1921, p. 854.

10. *La Vie et la mort d'un poète*, Bloud & Gay, 1924.

11. Lettre du 29 décembre 1921.

12. Lettre du 2 janvier 1922.

13. Lettre du 25 juin 1922.

14. Lettre du 28 juin 1924.

15. *Nouveaux Mémoires intérieurs*, Flammarion, 1965, p. 154.

16. « Le Bloc-Notes », *Le Figaro littéraire*, 11 août 1956.

17. *Ibid.*, 4-10 mars 1965.

18. *Hommage à André Gide*, *N.R.F.*, 1951.

19. Lettre de mai 1928.

20. Lettre du 7 octobre 1927.

21. Lettre de mai 1928.

22. Lettre du 5 février 1929.

23. Lettre du 4 février 1929.

24. « Le Meilleur témoignage », *Les Nouvelles littéraires*, 8 janvier 1927.

25. « *Dieu et Mammon* : une clef retrouvée », *Le Figaro littéraire*, 27 avril 1957. Repris comme Préface à une réédition de *Dieu et Mammon* chez Grasset en 1958. Nos indications de pages renvoient à l'édition originale, Paris, Éd. du Capitole, 1929.

26. *Ibid.*

27. *Ibid.*

28. *Œuvres complètes*, Gallimard, 1939, t. XV, pp. 516-522.

29. « Le Bloc-Notes », *Le Figaro littéraire*, 6-12 octobre 1969.

30. *Ibid.*, 27 octobre-2 novembre 1969.

31. *Mauriac par lui-même*, Seuil, 1953, p. 75.

32. « Fragments d'un journal », *N.R.F.*, 1er juin 1931, pp. 848-863.

33. Lettre d'André Gide à Roger Martin du Gard, datée du 2 juin 1930, in *Correspondance*, Gallimard, 1968, t. I, p. 400.

34. *Journal*, 4 juin 1931, p. 1047.

35. *Ibid.*, 13 mai 1931, p. 1066. (Ces pages avaient paru dans *La N.R.F.* de juillet 1932.)

36. *Ibid.*, 27 juillet 1931. p. 1066.

37. Voir Lettre XXV, note 3.

38. Lettre du 21 juillet 1932.

39. *L'Écho de Paris*, 10 septembre 1932.

40. Lettre du 3 juin 1933.

41. Lettre du 16 août 1933.

42. *André Gide et notre temps*, Gallimard, 1935, p. 7.

43. Justin O'Brien, *Portrait of André Gide*, McGraw Hill, 1963, p. 323.

44. « Au moment où j'étais de tous côtés accablé d'outrages, il a été un des seuls à me défendre [..]. », confia Gide à Claude Mauriac (*Conversations avec André Gide*, p. 40).

45. « Lettre ouverte à André Gide », *Vendredi*, 17 décembre 1937.

46. « Gide et Vendredi », *Temps présent*, 31 décembre 1937.

47. « Les Embarqués », *Le Figaro*, 17 octobre 1947.

48. Jean Schlumberger, « Un témoignage sincère sur André Gide », *Le Figaro littéraire*, 15 décembre 1951.

49. Lettre du 14 décembre 1937.

50. Lettre du 26 décembre 1937.

51. « Mon père aime à croire qu'il n'est pas de *rencontre* qui ne soit voulue par une puissance cachée — Dieu, sans doute, écrit Claude Mauriac. Peut-être le commencement d'amitié que Gide me voua avait-il cette seule raison que ni lui ni moi ne pouvions connaître : le rapprocher de François Mauriac » (*Conversations avec André Gide*, p. 161).

52. Lettre du 16 août 1933.

53. Lettres du 26 septembre 1931 et du 9 janvier 1940.
54. Lettres du 3 juillet 1940 et du 13 décembre 1941.
55. Lettre du 29 juillet 1941.
56. *Conversations avec André Gide*, p. 265.
57. Lettre du 2 janvier 1945.
58. *Journal*, 1947, II, 310.
59. *Le Figaro*, 20-21 juin 1948.
60. Lettre du 21 juin 1948.
61. Lettre du 23 juin 1948.
62. « Notre raison d'être », *La Table ronde*, août-septembre 1949, pp. 1235-1240.
63. *L'Immoraliste, Romans...*, Bibl. de la Pléiade, pp. 367 et 368.
64. *Le Figaro littéraire*, 22, 29 octobre et 5 novembre 1949.
65. Lettre du 11 novembre 1949.
66. Voir Document n° 22.

LETTRES

I.

1. Lettre autographe signée (l.a.s.), Bibliothèque littéraire Jacques-Doucet, Paris (B.L.J.D.), Fonds Mauriac, M.R.C. 1193, accompagnée d'une enveloppe portant un cachet postal : Florence 16.IV.12. (Cette lettre a été publiée dans *La Table ronde* de janvier 1953 (p. 91).

2. Gide passa le mois d'avril 1912 à Florence « dans une chambre salon très agréable (*primo piano* sur le quai) à trois lires par jour » (*Journal*, p. 378). Pendant son séjour, il travailla à la rédaction des *Caves du Vatican*, tout en échangeant une « correspondance importante » avec Claudel qui sentait que cette âme « sous l'influence du diable furieux » lui échappait. Il est possible que celle-ci rendît Gide plus sensible au reproche que lui faisait Mauriac dans l'article dont il est question.

3. Il s'agit d'un des premiers articles de Mauriac qui, jusqu'alors, avait publié surtout des poèmes, dont deux recueils, *Les Mains jointes* et *L'Adieu à l'adolescence*, intitulé « La Jeunesse littéraire », et faisant partie d'une « Enquête sur la jeunesse » lancée par *La Revue hebdomadaire*, l'article avait paru dans son numéro du mois d'avril 1912 (pp. 59-72) (voir Document nº 1, extrait de cet article se rapportant à Gide).

4. *Le Retour de l'enfant prodigue* avait d'abord paru dans *Vers et prose* (mars-mai 1907) aussitôt après sa rédaction. L'*Occident* en publia une édition de grand format deux ans plus tard, puis en 1912, les éditions de la Nouvelle Revue Française le publièrent dans un recueil de traités comprenant aussi *Le Traité du Narcisse*, *La Tentative amoureuse*, *El Hadj*, *Philoctète* et *Bethsabé*.

Gide nous dit avoir tenté, dans *Le Retour de l'enfant prodigue*, de « mettre en dialogue les réticences et les élans de [son] esprit » (*Journal*, p. 237). Il précise sa pensée dans une lettre à Christian Beck dans laquelle il avoue que son but était de mettre en garde les catholiques qui attendaient sa conversion : « si je l'avais fait, ce n'eût pu être qu'à la manière dont *mon* Enfant prodigue rentra à la *Maison* et pour aider à en sortir le petit frère... » (Lettre à Christian Beck datée Cuverville, 2 juillet 1907). Gide avait conscience de la hardiesse de son interprétation de la parabole, selon laquelle le frère aîné pousse son puîné à l'évasion en souhaitant que celui-ci réussisse là où lui a échoué. L'attaque des catholiques s'était concentrée sur la dernière phrase que l'aîné adresse à son jeune frère : « Allons, embrasse-moi, mon jeune frère. Tu emportes tous mes espoirs. Sois fort; oublie-nous; oublie-moi. Puisses-tu ne pas revenir... » Son ami le poète Francis Jammes qui était retourné au bercail en 1905 grâce à l'influence de Claudel, avait déclaré à la lecture de cette phrase que « les lecteurs [...] auront droit de se méfier et de faire un retour à l'Évangile » (juin 1907, *Correspondance* Gide-Jammes, p. 248). Et Claudel, auquel Gide avait envoyé son *Enfant prodigue* non sans quelques hésitations, avait, lui aussi, réagi à l'interprétation gidienne : « Mais comment le comprendre, lui écrivit Claudel le 3 mars 1908, ce frère puîné que vous accompagnez jusqu'au perron? Il y avait un autre conseil à lui donner que de se *sauver*, il y a un autre moyen de se sauver que par la fuite » (*Correspondance* Claudel-Gide, p. 84). Le reproche que Mauriac adressait à Gide en 1912 n'avait donc rien de nouveau.

5. Bien des années plus tard, à l'occasion de l'*Hommage* publié par *La N.R.F.* à la mort de Gide, Mauriac poursuivra sa discussion avec son interlocuteur à jamais silencieux. Reprenant cette dernière phrase, il raisonne comme suit : « On voit ici l'équivoque : comme si la gravité de l'émotion n'aidait pas dans *L'Enfant prodigue* gidien, au gauchissement!

« Mais cette protestation même était le signe que le chrétien Gide mesurait la gravité de l'accusation portée contre sa fausse parabole. Du point de vue de la foi, il n'est rien qui ressemble autant à ce que signifie " péché contre l'esprit ". Et c'est la vraie raison de l'acharnement que montrèrent certains de ses amis et d'abord Claudel qui avait, le premier, foncé sur lui, armé du casque empanaché de l'espérance, du tomahawk de la foi et de la hache à double tranchant de la charité. » (« Les Catholiques autour d'André Gide », *Hommage à André Gide*, 1951, p. 105.) Cet article fut publié également dans *La Mort d'André Gide*, éd. Estienne, 1952, où Mauriac réunit ses articles rédigés à la mort de son confrère; il le reprit finalement dans ses *Mémoires intérieurs*, pp. 187-191 (voir Document n° 27).

II.

1. L.a.s., Fonds Gide, γ 678.1.

2. La date est ajoutée au crayon; de la main de Gide, semble-t-il.

3. Voir lettre précédente.

4. *Les Cahiers d'André Walter*, publiés en 1891, sont la première œuvre d'André Gide. C'est en quelque sorte un récit autobiographique de son amour pour sa cousine Madeleine Rondeaux, dans lequel il retrace ses conflits spirituels et sensuels.

5. Trente-cinq ans après cette lettre, Mauriac ira jusqu'à proposer une autre fin : « Imaginez une autre version de *L'Enfant prodigue* de Gide :

c'est le frère aîné qui ne revient pas — et c'est le puîné que la voix de son aîné délivré fait frémir... Mais il reste fidèle, il ne renonce pas à cette nourriture qui est terrestre elle aussi : " Ceci est mon Corps livré pour vous... " Qu'y a-t-il de plus terrestre que l'Eucharistie? Et pourtant c'est le pain qui vous nourrit pour la vie éternelle » (Réponse de Mauriac lors d'une enquête à l'occasion du « Cinquantenaire des *Nourritures terrestres* d'André Gide », *La Gazette des lettres*, 18 octobre 1947, p. 3).

6. Les mots « grâce à vous » sont biffés.

7. Mauriac y avait un appartement de quatre pièces qu'il occupa de 1908 à 1913, l'année de son mariage.

III.

1. L.a.s., B.L.J.D., Fonds Gide, γ 678.2.

2. En mars 1917, « François Mauriac paludéen, épuisé par la fièvre, dépourvu de muscles, d'adresse » avait été rapatrié de Salonique. Pendant sa convalescence, le nom de Gide apparaît sous sa plume : « Bordeaux, 23 avril 1917. — Ne pas oublier lorsque nous parlons de Gide qu'un des premiers il a aimé les *Élégies* de Jammes : signe de ce que recèle encore de simple et de pur cette âme incompréhensible. Lui faire crédit à cause de cela. Gide, durant toute sa vie, restera le jeune homme qui paya l'édition d'*Un jour* » (*Journal d'un homme de trente ans*, pp. 48-49). Mauriac était revenu à Paris en juin 1917.

3. A l'occasion du cinquantenaire de la publication des *Nourritures terrestres*, Mauriac exprima ainsi l'influence de cette œuvre sur le jeune provincial qu'il avait été : « J'ai lu adolescent *Les Nourritures terrestres* et cette lecture a beaucoup compté pour moi. Il existe plus d'un rapport entre l'éducation protestante puritaine que Gide a reçue et mon étroite formation provinciale. *Les Nourritures* ont donc retenti dans ma vie comme un appel venu du dehors.... Parce que *Les Nourritures terrestres* ont tenu une telle place dans ma vie de jeune homme, je suis bien incapable de juger ce livre aujourd'hui, de le peser, de lui assigner un rang. Il vaut, en tout cas, comme toute l'œuvre gidienne : il a une valeur de ferment. Et puis il nous apprend — il nous apprenait, à nous qui le lisions en "rhétorique" — quelle chose c'est que de vivre! Ce Gide-là, et Jammes sur un autre plan — m'ont certainement ouvert les narines et les yeux, ou du moins ont collaboré à cette initiation... Mais peut-être n'avais-je besoin de personne? » (*La Gazette des lettres*, 18 octobre 1947.)

4. L'« Envoi » des *Nourritures terrestres* débute par ce conseil au jeune homme imaginaire auquel le livre est adressé : « Nathanaël, à présent, jette mon livre. Émancipe-t'en. Quitte-moi. »

5. Robert Mallet, dans ses notes de la *Correspondance* Gide-Claudel (p. 366), indique que François Mauriac, André Gide et Henry Bordeaux étaient assis sur l'estrade du Foyer rue Oudinot lorsque Francis Jammes y donna, le 19 février 1914, une conférence intitulée les *Sept Jours de la création*. Il semblerait que nos deux écrivains ne furent pas présentés.

6. Nous n'avons pas réussi à établir quels étaient les deux livres que Gide offrit à Mauriac lors de leur première rencontre.

7. C'est dans le salon de Mme Muhlfeld (baptisée la « Sorcière » par ses amis), rue Georges-Ville, que Mauriac croit avoir rencontré Gide. Ce dernier était un habitué de ce salon que fréquentait Anna de Noailles, Valéry, Jacques-Émile Blanche, et Henri de Régnier, et où le jeune Mauriac se rendait presque chaque soir avant dîner durant les années de fin et d'après guerre. Dans le journal qu'il tenait pendant ces années-là, nous trouvons la trace d'une autre rencontre : « Le 4 février 1918 — hier chez Mme Muhlfeld, long aparté avec André Gide, prêtre inquiet qui aime mieux se confesser que confesser. Il m'a dit qu'il n'a jamais pu exprimer que le "dialogue", sa propre dualité. Il n'a écrit jusqu'à présent que des livres ironiques : même *La Porte étroite* est à ses yeux une œuvre ironique. *Les Caves du Vatican* ont clos cette série. Nous n'aurons plus de lui que des ouvrages d'affirmation » (*Journal d'un homme de trente ans*, p. 76).

IV.

1. L.a.s., B.L.J.D. Fonds Gide, γ 678.21. Cette lettre a été publiée par Claude Martin dans son édition critique et commentée de *La Symphonie pastorale*, Paris, Minard, 1970; pp. 170-172.

2. Propriété de la famille de Mme François Mauriac, née Jeanne Lafon.

3. *La Symphonie pastorale* de Gide avait paru aux éditions de La Nouvelle Revue Française en 1919.

4. Paul Souday, le critique littéraire du quotidien *Le Temps*, avait fait la remarque suivante dans son compte rendu de *La Symphonie pastorale* : « Dans le *faire* même de ce beau récit, des grâces piquantes et des ironies légères rappellent un peu par instant la manière de M. Anatole France » (*Le Temps*, 29 juillet 1920, p. 3).

5. Lorsque Jacques, le fils du pasteur, se convertit au catholicisme, il offrit pour toute explication à son père : « C'est l'exemple de votre erreur qui m'a guidé. »

6. Vice dont Mauriac accusera Gide lui-même d'être coupable dans son article « l'Évangile, selon André Gide », dans *Hommage à André Gide*, éd. du Capitole, 1928, pp. 133-136 (voir Document n° 7).

7. Directeur et confesseur des religieuses de Port-Royal qui convertit Pascal.

8. Gertrude, la fille aveugle recueillie par le pasteur.

9. Le passage qui suit est ajouté au verso, à gauche, en diagonale.

10. Le pasteur avait fait cette remarque en se rendant compte de l'impossibilité d'enseigner la notion de couleur à Gertrude.

V.

1. L.a.s., B.L.J.D., Fonds Mauriac, M.R.C. 1194, accompagnée d'une enveloppe portant le cachet : Paris 29.XII.21. Le brouillon se trouve dans le Fonds Gide, γ 678.23. Cette lettre a été publiée dans *La Table ronde* de janvier 1953 (p. 92).

2. François Mauriac venait de publier un article intitulé « A propos d'André Gide, réponse à M. Massis » dans le numéro du 25 décembre 1921 de l'*Université de Paris* (p. 5). (Le texte sera repris, avec quelques variantes, comme Préface à deux œuvres d'André Gide, *La Tentative amoureuse* (1922) et les *Épisodes des Caves du Vatican* (1924), toutes les deux publiées chez Stock dans la série des « Contemporains, Œuvres et Portraits au xxe siècle ». Mauriac l'inclura ensuite dans un recueil d'essais, *Mes grands hommes*, publié à Monaco, éd. du Rocher, en 1949. Il parut, enfin sous le titre « Bref plaidoyer pour André Gide » dans les *Œuvres complètes* de Mauriac, éd. Fayard, vol. VIII, pp. 423-425. (voir Document n° 2).

Cette « Réponse à M. Massis » visait l'article que celui-ci venait de publier dans la *Revue universelle* du 15 novembre 1921. Massis, qui avait déjà attaqué le rôle démoniaque d'André Gide à propos des *Caves du Vatican (L'Éclair*, 22 juin 1914), avait saisi l'occasion de la parution des *Morceaux choisis* de celui-ci (éd. de La Nouvelle Revue Française) pour dénoncer à nouveau « l'influence de M. André Gide ». Il publiera ses essais critiques, y compris ses attaques contre Gide, sous le nom de *Jugements* chez Plon en 1924.

3. C'était un « petit article » en effet qui avait paru dans *Le Radical* du 5 décembre 1921. Il était signé par Louis-Raymond Lefèvre.

4. Gide parla toujours de la « sottise » de la campagne de presse que lança contre lui le journaliste et romancier Henri Béraud, avec son article « Écrivains d'exportation » (*Cahiers d'aujourd'hui*, 21 septembre 1921). *L'Illustration*, *Les Marges*, *Les Annales*, *La France vivante* entre autres, prirent le parti de Béraud pour « la littérature rigolote » et contre « le snobisme de l'ennui » représenté, selon eux, par les écrits calvinistes de *La N.R.F.* Béraud réunit tous ces articles, qui parurent entre 1921 et 1923, dans un livre intitulé *La Croisade des longues figures*, éd. du Siècle, 1924.

Le brouillon de cette lettre que nous avons consulté révèle que Gide avait continué sa phrase; ainsi après avoir parlé de la « sottise rassurante » de certaines attaques, il poursuivait : « mais certaines sont d'une très intelligente ». Cette remarque qui est biffée sur le brouillon semble faire allusion aux attaques de Massis. Dans son journal, parlant des attaques de Béraud, Gide avait noté : « Tout de même les articles de Massis étaient d'une autre encre; celui-ci [Béraud] me fait tout l'effet d'un idiot » (*Journal*, p. 756).

5. Dans le brouillon on lit « image grotesque ».

6. En effet, Mauriac semble être le premier. Mais d'ici peu plusieurs amis de Gide écriront en sa faveur, entre autres Marcel Arland (« André Gide », *Aventure*, 10 décembre 1921), Jean Schlumberger (« André Gide et ses morceaux choisis ». *La N.R.F.*, 1er janvier 1922). André Malraux (« Aspects d'André Gide », *Action*, mars-avril 1922), et Jacques Rivière (« Lettre ouverte à Henri Massis sur les bons et les mauvais sentiments », *La N.R.F.*, octobre 1924).

7. « et l'esprit » dans le brouillon.

8. Remplace « vous m'avez le mieux compris » dans le brouillon.

9. Gide était revenu de Cuverville à Paris le 15 décembre. Il reverra Mauriac le 24 janvier 1922. Voir lettre VI, note 7, p. 219, pour le compte rendu que fit Mauriac de la visite de Gide.

VI.

1. L.a.s., B.L.J.D., Fonds Gide, γ 678.22, écrite sur papier à en-tête « 89, rue de la Pompe, Passy 40-42 ».

2. Ce n'est que le 4 janvier 1922 que Mauriac, de retour d'un séjour à Bordeaux, trouva la « tendre » lettre que Gide lui avait adressée en date du 21 décembre 1921 (voir lettre précédente), « et qui, nous dit-il, à vingt ans [l]'aurait comblé de joie ». (*Journal d'un homme de trente ans*, pp. 120-121).

3. Voir lettre précédente, note 2.

4. Dans un article écrit lors de la mort de Gide, Marcel Arland décrivit les circonstances qui menèrent à l'intervention de Mauriac : « Voilà une trentaine d'années, je me trouvais mêlé [...] à la direction d'une jeune revue. C'était une revue d'étudiants, et la plus traditionnelle [...]. L'ambition me prit de faire de cette revue une véritable revue littéraire. Donc, non content d'y rassembler quelques garçons de mon âge : Dhôtel, Limbour, Malraux, Crevel, Vitrac, j'appelais à notre aide certains de nos aînés, de Cendrars à Proust, d'Arnoux à Mac Orlan et Max Jacob. Ce fut ainsi que je m'adressai à Mauriac. Il n'avait pas encore conquis sa gloire [...]. Mais il était déjà l'auteur de *Préséances* et du *Baiser au lépreux* [...]. Mauriac accepta de nous donner quelques pages; et comme une étude d'Henri Massis venait de paraître, qui s'en prenait à Gide, ce pervertisseur, il y répondit, en écrivain et en catholique tout ensemble, par un article qu'il intitula : "Ne jugez pas". » (« Gide et ses juges », *Opéra*, le 7 mars 1951).

5. Mauriac sera toujours déchiré entre ses devoirs envers sa religion et sa nature passionnée et sensuelle. Cet écartèlement « entre Dieu et la passion », comme il l'écrira à Gide le 11 décembre 1922, mènera à la crise religieuse de la fin des années vingt qu'il résumera dans son œuvre *Dieu et Mammon*.

6. Il n'est pas étonnant que Mauriac se reconnaisse souvent des affinités avec Maurice de Guérin (1810-1839), ce poète dont l'œuvre résonne à la fois de ferveur religieuse et de sensualité. En date du 14 février 1838, celui-ci écrivait à son confident Jules Barbey d'Aurevilly : « Il me semble que je ne puis comparer ma pensée (C'est presque fou) qu'à un feu du ciel qui frémit à l'horizon entre deux mondes. »

7. La seule trace que nous ayons de la rencontre Gide-Mauriac du 24 janvier 1922 se trouve dans les brèves notes de celui-ci dans son journal :

25 janvier 1922 : Hier soir, je travaillais au salon, lorsqu'on m'annonce André Gide. Il venait me lire très simplement un carnet intime datant d'une période mystique de sa vie. Grande et secrète tendresse pour le Christ. Mais quand elle est passée, il n'incline jamais l'automate. Je le lui ai dit. Je lui ai appliqué, en le retournant, un mot de Pascal : « Il blasphème ce qu'il connaît. » J'ai ajouté (et il m'a approuvé) que si à cette minute de ferveur il avait eu les sacrements... Mais quel mensonge! et ne suis-je pas la preuve du contraire? Le péché, me disait Gide hier soir, c'est ce que nous ne pouvons pas ne pas faire. Je lui ai montré au cagibi la place d'honneur qu'occupent ses livres. Visite qui il y a deux ans m'eût bouleversé de joie. Mais j'ai passé l'âge où l'on subit le prestige des maîtres : on est trop près d'eux par le crâne, par la dent, par la sécheresse, par l'ankylose. Des jeunes gens commencent de s'adresser à moi avec déférence, hostilité, envie (Mauriac, *Journal d'un homme de trente ans*, pp. 120-121).

8. Voir la dernière phrase de la « Réponse à Massis », voir Document n° 2; Mauriac y fait allusion à un incident qu'il rapporte dans son journal en date du 15 février 1921 : « Hier soir, chez Mme Muhlfeld [...] une étrange conversation entre Gide et Valéry, ou Gide se montra un défenseur passionné du Christ et de l'Évangile » (*Journal d'un homme de trente ans*, p. 116). Plus de trente ans plus tard, il y ajoutera le commentaire suivant : « J'ai entendu un soir, chez Mme Muhlfeld [...] un bref échange sur le Christ entre Valéry et Gide. Valéry, plus tard, m'avait vivement reproché d'avoir rapporté, je ne me souviens plus où, que Gide avait dû défendre le Christ contre lui. Et secrètement je m'étais réjoui de la semonce : il me plaisait fort que Valéry ne voulût pas faire figure d'adversaire du Seigneur » (« Paul Souday n'est pas mort », *Le Figaro littéraire*, 25 juin 1955, p. 6).

VII.

1. L.a.s., B.L.J.D., Fonds Mauriac, M.R.C. 1195.

2. Il s'agit de l'édition originale, tirée à 70 exemplaires, de *Numquid et tu?* que Gide publia anonymement à Bruges, en 1922. C'est dans ce petit « carnet vert » que Gide avait noté ses réflexions personnelles et ses méditations sur l'Évangile lors de la crise religieuse qu'il avait traversée entre 1916 et 1922. L'édition courante ne parut qu'en 1926, éditions de la Pléiade, J. Schiffrin.

La date de la lettre, qui est celle de la visite que Gide rendit à Mauriac (voir lettre VI, note 7. p. 66), nous mène à croire qu'une fois rentré chez lui Gide envoya à Mauriac le petit carnet pour lequel il avait manifesté tant d'intérêt. Quoique Mauriac comprit que ces écrits ne reflétaient qu'une phase dans la complexe vie spirituelle de son auteur, Claudel, qui en reçut un exemplaire à Tokyo en 1924, crut y voir « les petits mouvements de la respiration » d'un homme « en proie à la Grâce » et, par conséquent, une raison suffisante pour reprendre leur « conversation interrompue depuis dix ans » (Lettre du 12 janvier 1924. *Correspondance* Claudel-Gide, p. 240).

VIII.

1. L.a.s., sans date, B.L.J.D., Fonds Gide, γ 678.24, écrite sur papier à en-tête « 89, rue de la Pompe, Passy 40-42 ».

2. La date nous est suggérée par le contenu de la lettre.

3. Henriette Charasson avait écrit un article intitulé « Monsieur André Gide » qui parut dans *Les Lettres* du 1er février 1922 (pp. 291-303), dans lequel elle prenait nettement parti contre Gide et Mauriac en faveur de Massis.

4. Mme Charasson avait déclaré qu' « il n'y a point *drame* chez André Gide, puisqu'au contraire, il n'en souffre pas *mais en jouit* » et que son œuvre était surtout celle « d'un esprit sec » (p. 298).

IX.

1. L.a.s., sans date, B.L.J.D., Fonds Mauriac, M.R.C. 1224.

2. Il nous a paru probable que cette lettre sans date soit une réponse à la lettre précédente. L'article de Mauriac dont il est question serait la « Réponse à M. Massis » voir Document nº 2) et les « incompréhensions de la "presse" » seraient, entre autres, celle de Mme Charasson (voir lettre précédente).

X.

1. L.a.s., B.L.J.D., Fonds Gide, γ 678.3.

2. On pourrait lire « 29 ».

3. François Mauriac, critique théâtral à *La Revue hebdomadaire*, avait consacré son article du 24 juin 1922 au *Saül* de Gide, dont la première représentation venait d'avoir lieu, le 16 juin 1922, sur la scène du Vieux-Colombier. Jacques Copeau avait fait la mise en scène et tenait le rôle principal, Louis Jouvet était le Grand Prêtre (voir Document nº 3).

4. Dans sa lettre à Martin du Gard après la première de *Saül*, Gide avoue que sa pièce « a fait un four noir » et que « la presse a été plus mauvaise encore que je ne pouvais croire » (Cuverville, 21 juin 1922).

5. Reproche qu'il avait déjà fait à Gide à propos de *L'Enfant prodigue* (voir lettres I et II) et qu'il fera par la suite à propos de *Numquid et tu?* (voir Document nº 7).

6. Mauriac semble avoir ajouté cette remarque après coup; l'encre utilisée est d'une autre couleur que celle du corps de la lettre.

XI.

1. L.a.s., sans date, B.L.J.D., Fonds Mauriac, M.R.C. 1196, accompagnée d'une enveloppe portant un cachet postal : Porquerolles 1.VII.22. Cette lettre a été publiée dans *La Table ronde* de janvier 1953 (pp. 92-93).

2. C'est dans cette « île sauvage, déserte, catastrophique un peu » dans le Var (lettre de Martin du Gard à Gide du 12 juin 1922) que Gide était allé rejoindre Roger et Hélène Martin du Gard. Dans ses *Notes sur André Gide*, R. M. G. décrit l'arrivée pittoresque de son ami et son séjour (pp. 53-57).

3. La datation de cette lettre a été effectuée d'après l'enveloppe qui a été conservée (voir note 1 ci-dessus).

4. Cette lettre n'a pas été retrouvée.

5. Voir lettre précédente, note 3.

6. Aussitôt après *Les Nourritures terrestres* où il prêchait la disponibilité, Gide avait écrit *Saül* pour montrer la déchéance à laquelle pouvait mener son culte des sens.

7. Gide fait allusion aux excès de Bossuet dans son interprétation du « Sermon de Notre Seigneur » de ses *Méditations sur l'Évangile.*

8. Gide avait traité la question de la mythologie grecque comme source d'inspiration littéraire dans ses « Considérations sur la mythologie grecque » (*La N.R.F.* du 1er septembre 1919). Le rapprochement qu'il fait dans cette lettre à Mauriac, nous permet d'appliquer aux livres saints les « considérations » suivantes :

La fable grecque est pareille à la cruche de Philémon, qu'aucune soif ne vide, si l'on trinque avec Jupiter. (Oh! j'invite à ma table le Dieu!) Et le lait que ma soif y puise n'est point le même assurément que celui qu'y buvait Montaigne, je sais — et que la soif de Keats ou de Goethe n'était pas celle même de Racine ou de Chénier. D'autres viendront pareils à Nietzsche et dont une nouvelle exigence impatientera la lèvre enfiévrée. Mais celui qui, sans respect pour le Dieu, brise la cruche, sous prétexte d'en voir le fond et d'en éventer le miracle, n'a bientôt plus entre les mains que des tessons. Et ce sont les tessons du mythe que le plus souvent les mythologues nous présentent; débris bizarres où l'on admire encore de-ci, de-là, comme sur les fragments d'un vase étrusque, une accidentelle apparence, un geste, un pied dansant, une main tendue vers l'inconnu, une poursuite ardente d'on ne sait quel fuyant gibier, un chaînon détaché du chœur parfait des Muses, dont tournait, encerclant le vase on suppose la guirlande ininterrompue...

Oui, je tire à moi, quelque peu, le sens de ces mots; je l'avoue. Mais laissez donc! L'œuvre d'art accomplie a ceci de miraculeux qu'elle nous présente toujours plus de signifiance que n'en imaginait l'auteur; elle permet sans cesse une interprétation plus nourrie.

XII.

1. L.a.s., B.L.J.D., Fonds Gide, γ 678.4, écrite sur papier à en-tête « 89, rue de la Pompe, Passy 40-42 ».

2. Cette « confession » fait partie du premier livre de Proust, *Les Plaisirs et les jours*, qui avait paru, en 1896, chez Calmann-Lévy avec une préface d'Anatole France. La Nouvelle Revue Française en fit une réimpression en 1924.

Lors de la mort de Proust, Gide exprima à nouveau son admiration pour ce petit chef-d'œuvre : « [...] parmi les vingt pages de sa *Confession d'une jeune fille*, certaines vaillent à mon avis ce qu'il écrivit de meilleur [...]. » (« En relisant *Les Plaisirs et les jours* », dans l'*Hommage à Marcel Proust*, numéro spécial de *La N.R.F.*, 1er janvier 1923, repris dans *Incidences*.)

3. Marcel Proust mourut le 18 novembre 1922. François Mauriac écrivit l'article d'adieu de *La Revue hebdomadaire* au grand romancier (2 décembre 1922). Des extraits de cet article, intitulé « Sur la tombe de Marcel Proust », parurent ensuite dans le numéro spécial d'*Hommage à Marcel Proust* de *La N.R.F.* mentionné dans la note précédente.

4. Mauriac écrit le plus souvent « vs » ou « vos » pour « vous ». Nous complétons.

5. Mauriac termine ainsi son hommage à Proust : « Nous avons foi en la pérennité de cette œuvre. Sans doute sera-ce toujours le petit nombre qui aimera se perdre dans la forêt enchantée, si mystérieuse et pourtant si savam-

ment dessinée; une élite qui se complaira aux détours, aux enchevêtrements, aux chemins morts, aux haltes indéfinies. » Or, c'est Gide, dans un de ses *billets à Angèle*, « A propos de Marcel Proust », qui avait utilisé cette métaphore : « On y pénètre [dans les livres de Proust] comme dans une forêt enchantée; dès les premières pages, on s'y perd, et l'on est heureux de s'y perdre; on ne sait bientôt plus par où l'on est entré ni à quelle distance on se trouve de la lisière; par instants il semble que l'on marche sans avancer, et par instants que l'on avance sans marcher; on regarde tout en passant; on ne sait plus où l'on est, où l'on va... » (*La Nouvelle Revue Française*, mars-avril 1921).

6. *Le Temps retrouvé* ne paraîtra qu'en 1927.

7. Cette lettre n'a pas été retrouvée.

8. Gide y était retourné le 26 novembre pour passer Noël en famille.

9. *Le Fleuve de feu* est le premier roman de Mauriac à être publié dans *La Nouvelle Revue Française* (1er décembre 1922, 1er février 1923 et 1er mars 1923). Le jeune romancier se doutait bien que l'auteur de *L'Immoraliste* n'approuverait pas la décision de son protagoniste, un adolescent débauché, qui, répondant à un certain désir de pureté, abandonne la poursuite d'une jeune fille perdue qui cherche son salut.

10. Dans un article du *Figaro* intitulé « Mes premières années à Paris » Mauriac précise : « Ma collaboration à *La Nouvelle Revue Française* date de 1922, l'année où parut le *Baiser au lépreux*, douze ans après *Les Mains jointes*. Il me fallut donc douze ans (en comptant il est vrai quatre années de guerre) pour rejoindre enfin le groupe littéraire avec lequel je me sentais le mieux accordé. [...] Pourtant, j'aurais pu être introduit à *La Nouvelle Revue Française*, puisque je connaissais Jacques Rivière, sorti du même milieu bordelais que moi-même et dont tout aurait dû nous rapprocher. Hélas! tout nous sépara, nous qui devions être si étroitement liés lorsque la mort le prit. Je n'aurais joui de cette chère amitié que deux ans à peine, alors que nous aurions pu nous aimer dès 1907. Mais d'abord nous avions un camarade qui, lié avec chacun de nous, s'ingéniait à brouiller les cartes. Et puis, aux yeux de Jacques Rivière et de ses amis, je ne pouvais que faire figure de jeune bourgeois poseur, mondain et dénué de vrai talent » (16 mars 1940).

11. Jacques Rivière, directeur de *La Nouvelle Revue Française*. Voir note 10 ci-dessus et Document nº 21.

XIII.

1. L.a.s., B.L.J.D., Fonds Gide, γ 678.26.

2. Il s'agit du recueil d'essais, *Incidences* (N.R.F., 1924), et, probablement, de la nouvelle édition des *Souvenirs de la cour d'assises*, qui venaient de paraître à la N.R.F.

3. La première édition dans le commerce de *Corydon* avait paru en juin 1924 (éd. N.R.F.).

4. L'attitude de Mauriac vis-à-vis de cette apologie de l'homosexualité est beaucoup plus indulgente que celle de ses coreligionnaires, notamment

Francis Jammes, Paul Claudel et Jacques Maritain. (Gide raconte dans son *Journal* la visite que lui fit cet éminent critique catholique, le 14 décembre 1923, en vue de le dissuader de publier ce livre « dangereux » [pp. 771-774].) Dans son *Journal d'un homme de trente ans* Mauriac fait allusion à une rencontre imprévue avec Gide en août 1924. Sa note est, malheureusement, bien brève : « Gide me parle de *Corydon* et se compare à Hervé, martyr de l'antimilitarisme » (p. 134). Il reparlera de cette rencontre dans un article écrit à la mort de Gide : « Je crois qu'à certains moments Gide s'est voulu martyr. Un soir, il y a bien des années, il m'a parlé avec nostalgie de la prison où Gustave Hervé expiait ses opinions antimilitaristes. Et voilà où Gide m'apparaît grand : ce n'est pas un penchant à l'exhibitionnisme sénile qui lui dicte, dans ses derniers " journaux ", d'humiliants aveux; mais il tenait à témoigner devant le monde qu'il avait commis ces mêmes actes pour lesquels d'autres hommes sont encore condamnés et déshonorés. Jamais la relativité de la morale n'éclate comme dans les conjonctures de cette sorte, lorsque l'étalage d'une action mauvaise ou même horrible répond à une exigence de justice » (voir Document nº 26). Voir également la réponse de Mauriac à une enquête sur l'homosexualité en littérature (Document nº 5).

XIV.

1. Carte postale a.s., sans date, B.L.J.D., Fonds Mauriac, M.R.C. 1225. Cette carte postale illustrée représente un buste de saint Césaire, archevêque d'Arles, conservé dans l'église paroissiale de Maurs. Elle a dû être envoyée dans une enveloppe, car il n'y a ni adresse ni timbre.

2. La datation de cette lettre pose un problème. Notre choix de l'année 1927 est fondé uniquement sur le fait que Gide envoya une autre carte à Mauriac, qui représente la même photographie que celle-ci, et dont le contenu nous a permis d'établir qu'elle a été écrite en 1927 (voir la lettre suivante, notes 1 et 2).

3. Mme Muhlfeld. Voir lettre III, note 7.

4. Le domicile des Mauriac à Paris, 89, rue de la Pompe.

5. Simon Bussy, peintre français, marié à Dorothy Strachey, sœur du célèbre critique anglais Lytton Strachey. Dorothy Bussy était la traductrice des œuvres de Gide en anglais. Roger Martin du Gard traduisit en français le roman de Dorothy Bussy, *Olivia*. Les Bussy possédaient une belle propriété, « La Souco », sur la Riviera, où Gide descendait souvent.

XV.

1. Carte postale a.s., sans date, B.L.J.D., Fonds Mauriac, M.R.C. 1225. Elle représente la même photographie que la précédente; et de même elle a dû être envoyée dans une enveloppe.

2. La date nous est suggérée par le contenu.

3. Gustave Pigot, directeur des éditions du Capitole, préparait un recueil d'articles qui allait paraître l'année suivante sous le titre d'*Hommage à*

André Gide. Cet hommage faisait partie d'une série intitulée « Les Contemporains », études, portraits, documents, biographies des grands hommes du siècle, dans laquelle avaient déjà paru des volumes sur *Maurras*, *Valéry*, *Léon Daudet*, *Proust* et *Claudel*. Le numéro consacré à Gide contenait des études, souvenirs et témoignages, entre autres de Henri Bernstein, F.-P. Alibert, Jacques-Émile Blanche, Jacques Copeau, Roger Martin du Gard, André Maurois, H. de Montherlant, Jean Schlumberger et Albert Thibaudet. François Mauriac y contribua par l'article dont il est question ici, « L'Évangile selon André Gide » (voir Document nº 7).

XVI.

1. Nous n'avons pas trouvé la version autographe de cette lettre ouverte qui parut à la suite de l'article de Mauriac, « L'Évangile, selon André Gide », dans l'*Hommage à André Gide*, éd. du Capitole, 1928, pp. 136-137. Elle fut republiée plusieurs fois, entre autres dans le numéro du mois de juin 1928 de *La N.R.F.* et dans les *Œuvres complètes* d'André Gide, Gallimard, 1938, XIV, 401-403. Pour sa part, François Mauriac la publia, ainsi que celle que Gide lui adressa le 24 avril 1928, dans son *Dieu et Mammon*, éd. du Capitole, 1929, ainsi que dans ses *Œuvres complètes*, t. VII, Paris, Fayard, 1951, pp. 332-333.

2. C'est-à-dire dans l'article de Mauriac « L'Évangile, selon André Gide », publié au-dessus de la lettre de Gide, et que nous reproduisons plus loin, (voir Document nº 7).

3. « Celui qui ne prend pas sa croix et ne me suit pas est indigne de moi... » (*Matth.* 10 : 38).

4. Henri Ghéon, collaborateur à *La N.R.F.* et compagnon de route d'André Gide, s'était converti au catholicisme à la fin de la Première Guerre. Il mit autant de zèle dans sa ferveur religieuse, qu'il en avait mis dans son incrédulité.

5. Par la carte précédente, Gide avait donné son approbation à l'article.

6. R.P. Victor Poucel, « André Gide », *Études* du 5 octobre 1927, pp. 5-29, et du 20 octobre 1927, pp. 144-170. La phrase suivante, tirée de la seconde partie de l'étude du R.P. Poucel nous en indique le ton : « Au lecteur ami du bien de l'âme plus que du luxe de l'esprit et qui demanderait quels livres de Gide je sauve, c'est bien simple : de tout ce qu'écrit Gide, je ne conseille rien » (p. 150). Pour les réponses que fit André Gide, voir « Lettres au R.P. Victor Poucel rédacteur aux *Études*, " revue catholique d'intérêt général " », dans *La N.R.F.*, 1928, XXXI, 41-46 (reprises dans *Divers*).

7. Mauriac ne répondra à Gide qu'en mai 1928. (Voir le dernier paragraphe de la lettre XIX, ainsi que la note 9 de cette lettre.)

XVII.

1. La version autographe de cette lettre ouverte d'André Gide à François Mauriac n'a pas été retrouvée. Elle fut publiée dans le numéro de juin 1928 de *La Nouvelle Revue Française* (pp. 724-726) et, ensuite, dans les *Œuvres*

complètes de Gide, Gallimard, 1939, XV, 538-540. De son côté, Mauriac la publia, avec celle que Gide lui avait adressée le 7 octobre 1927, dans son *Dieu et Mammon*, éd. du Capitole, 1929; ainsi que dans ses *Œuvres complètes*, Paris, Fayard, 1951, t. VII, pp. 330-331, où elle est datée du 7 mai 1928.

2. La première édition de la *Vie de Jean Racine* parut chez Plon en 1928. Cette œuvre avait été publiée antérieurement dans *la Revue universelle* (1er décembre, 15 décembre 1927, et 1er janvier, 15 janvier 1928). Gide, quelque trois jours avant cette lettre, avait noté l'observation suivante :

J'ai lu le Racine *de Mauriac, où je relève : « R. note qu'on ne les* (*les* Lettres provinciales) *voyait jamais que dans les mains des Huguenots; et cela en dit long sur le rôle que jouait Port-Royal dans l'Église, même en son plus beau temps. »*

Mais ne peut-on pas dire que la meilleure des causes risque alors d'être discréditée par ceux qui s'en servent et dont, sans le vouloir, elle fait le jeu? N'avons-nous pas vu cela pour l'affaire Dreyfus; et le Journal des débats *n'intitulait-il pas son absurde article de protestation contre ma campagne au sujet des Grandes Compagnies Concessionnaires : « L'Exploitation d'une accusation? »* (*Journal*, p. 880).

3. Nous avons relevé quelques-unes des allusions que Mauriac fait à Gide (voir Document n° 8).

4. Mauriac attribue le silence dans lequel Racine s'enferma après *Phèdre* au fait que le dramaturge avait épuisé son génie créateur; n'ayant plus rien à dire, raisonne Mauriac, Racine se tut. C'est avec le Racine traité d'« empoisonneur public » par les membres de sa propre secte janséniste que Mauriac, essuyant de plus en plus d'attaques de la presse catholique, s'identifiait. La nécessité de choisir hantait le romancier, sans qu'il puisse se résigner, à une époque de grande fécondité littéraire, au « sacrifice démesuré » de son ancêtre spirituel.

5. Paul Souday, critique littéraire du quotidien *Le Temps*, dans son article du 12 avril 1928 sur *Jean Racine*.

6. Roman de Mauriac qui avait paru la même année et dont le caractère sensuel, voire quelque peu incestueux, avait beaucoup fait parler.

7. Mauriac y étudie le renoncement de Racine au théâtre. C'est l'accent de son angoisse personnelle qui donne à ces chapitres un ton particulièrement émouvant. Bien des années plus tard, dans ses *Nouveaux Mémoires intérieurs*, Mauriac avouera qu'il était « vaincu d'avance comme Racine l'avait été parce que comme lui [il se] trouvait au fond d'accord avec [ses] censeurs... » (p. 150).

8. Quelques années auparavant, Gide avait écrit à André Rouveyre ces quelques lignes révélatrices à propos de son « inquiétude » : « Je crains qu'on ne parle pas d'"inquiétudes", à mon sujet, sans se mettre le doigt dans l'œil. Cela vient, je crois, de cette opinion toute faite, qui veut voir de l'inquiétude chaque fois qu'il y a diversité, complexité, etc. Vous n'en êtes tout de même pas là, je pense, et devez comprendre que si j'étais capable d'inquiétude, je ne serais pas capable d'écrire mes livres. Je prétends que les vrais inquiets sont précisément ceux qui ont besoin, pour vivre, d'un système : les Massis, les Maritain... Je dirais même : les Barrès. J'ai pu être inquiet,

dans le temps; mais précisément la diversité de mes livres donne le change, car c'est à elle que je dois de ne plus être inquiet aujourd'hui. Je le serais sans doute encore, si je n'avais pas su délivrer mes diverses possibilités dans mes livres et projeter hors de moi les personnages contradictoires qui m'habitaient. Le résultat de cette purgation morale, c'est un grand calme; osons dire : une certaine sérénité.

« Mais nos bons catholiques d'aujourd'hui n'admettent pas que l'on puisse trouver calme, équilibre et sérénité ailleurs que dans le dogme? » (Lettre du 5 novembre 1924, *Correspondance* Gide-Rouveyre, p. 87).

9. Lors de sa cinquième conférence sur Dostoïevski, Gide cita plusieurs « Proverbes de l'Enfer » tirés du *Mariage du ciel et de l'enfer* du poète anglais William Blake, œuvre qu'il était en train de traduire. Il en ajouta deux de son propre cru : « C'est avec les beaux sentiments que l'on fait la mauvaise littérature » et, « Il n'y a pas d'œuvre d'art sans collaboration du démon ». Ces deux « proverbes gidiens » furent violemment attaqués par Henri Massis (« André Gide et Dostoïevski », *La Revue universelle*, 1er novembre 1923).

10. Lors d'une enquête « sur la liberté d'écrire et contre la censure », Mauriac avait répondu : « ... un romancier, s'il est catholique, a bien des ennuis; n'empêche que son art bénéficie de la réserve à quoi il est tenu : il faut qu'il devienne le maître de l'allusion, de la suggestion et de l'ellipse » (*Les Marges*, 15 février 1923, p. 130).

11. « Nul ne peut servir deux maîtres; car ou il haïra l'un et aimera l'autre, ou il s'attachera à l'un et méprisera l'autre. Vous ne pouvez servir Dieu et Mammon », dit Jésus au cours du sermon sur la montagne (Matth. 6:24). (Mammon : mot araméen qui signifie richesse) Cf 16:9-13, la parabole du serviteur infidèle.

XVIII.

1. L. dactylographiée s., B.L.J.D. Fonds Mauriac, M.R.C. 1197.

2. C'est-à-dire sa lettre ouverte à Mauriac datée du 24 avril 1928.

3. Gide avait commencé à s'installer au 1 *bis*, rue Vaneau en mars 1928. A la date de cette lettre, il venait de réussir à vendre sa maison de la villa Montmorency.

XIX.

1. L.a.s., B.L.J.D., Fonds Gide, γ 678.5.

2. La lettre n'est pas datée; cependant le contenu indique qu'elle est une réponse aux lettres que Gide avait adressées à Mauriac le 7 octobre 1927 et le 24 avril 1928.

3. Il s'agit de la lettre du 24 avril 1928 que Gide lui avait transmise par sa lettre du 10 mai 1928 (voir la lettre précédente), et qui allait paraître dans *La N.R.F.* du mois de juin 1928.

4. Mauriac esquisse ici des idées qu'il développera dans *Dieu et Mammon.*

5. Mauriac cite la pensée n° 615 (éd. Brunschvicg, de Pascal : « On a beau dire. Il faut avouer que la religion chrétienne a quelque chose d'étonnant. " C'est parce que vous y êtes né ", dira-t-on. Tant s'en faut; je me roidis contre, pour cette raison-là même, de peur que cette prévention ne me suborne; mais, quoique j'y sois né, je ne laisse pas de le trouver ainsi. »

6. Tous deux étaient des convertis au catholicisme.

7. Voir la lettre XVII, et la note 8 s'y rapportant.

8. Nous n'avons que très peu de traces des rencontres de Gide et Mauriac, celui-ci n'ayant pas gardé de journal et celui-là les ayant passées sous silence.

9. C'est-à-dire à la lettre ouverte de Gide du 7 octobre 1927 (lettre XVI). Il répondra brièvement dans son *Dieu et Mammon*, éd. du Capitole, 1929 : « Dans une des lettres publiques qu'il m'a fait le périlleux honneur de m'adresser, André Gide se scandalise parce qu'un de ses amis converti n'éprouvait plus que de la joie et se défendait de reporter ses regards sur un passé qui ne devait plus exister pour lui [...]. La repentance est l'état naturel du pécheur converti; mais cet état n'exige pas un perpétuel retour sur les fautes commises : l'obsession, le scrupule mènent à la délectation morose, retardent l'âme dans son ascension, interrompent l'avancement spirituel » (p. 174).

XX.

1. L. dactyl. s., B.L.J.D., Fonds Mauriac, M.R.C. 1198. Il en existe un double dans le fonds Gide, γ 678.28. Cette lettre a été publiée dans *La Table ronde* de janvier 1953, pp. 93-94.

2. Voir Lettre V et Document n° 2.

3. Nous n'avons aucune précision sur cette rencontre.

4. Celle du 24 avril 1928 qui avait paru dans *La N.R.F.* de juin 1928 (voir lettre XVII).

5. Par sa lettre du 10 mai 1928 (voir lettre XVIII).

6. Serait-ce Gabriel Marcel? car ce dernier parlant de la lettre de Gide avait déclaré qu' « il était difficile de jeter plus perfidement le discrédit sur le christianisme même de M. Mauriac » (*L'Europe nouvelle*, 30 mars 1929, p. 409). Cette remarque froissa beaucoup Gide et ce fut Charles Du Bos qui servit de réconciliateur, pour que tous les deux consentent à assister à la décade de Pontigny qui devait avoir lieu l'été suivant. (Voir à ce sujet l'échange de lettres entre Du Bos et Gide en avril 1929 dans *Lettres de Charles Du Bos et réponses d'André Gide*, pp. 178-185.) Gide parlera de cette dispute dans ses « Notes sur *Dieu et Mammon* » (voir Document n° 9).

XXI.

1. L.a.s., B.L.J.D., Fonds Gide, γ 678.29.

2. *La Nouvelle Revue Française* de juin 1928, pp. 724-726.

3. Il s'agit vraisemblablement de la rencontre dont parle Gide dans sa lettre du 4 février.

4. *Dieu et Mammon* paraîtra en mars 1929, en édition de demi-luxe, aux éditions du Capitole, avec une longue préface de Ramon Fernandez intitulée : « François Mauriac et le roman moderne ». Toute étude des rapports entre André Gide et François Mauriac serait incomplète sans la lecture de ce livre dans lequel Mauriac non seulement fait une mise au point de sa position religieuse, mais qui constitue une réponse aux accusations publiques que lui avait faites André Gide. Bien des années plus tard, dans un article intitulé « *Dieu et Mammon* une clef retrouvée », publié dans *Le Figaro littéraire* du 27 avril 1957, Mauriac retracera les circonstances qui le menèrent à écrire ce qu'il y a peut-être de plus important pour ce qui touche à sa propre histoire. Cet article servit de préface à une réédition de *Dieu et Mammon* par Grasset en 1958, et Mauriac le reprit ensuite dans ses *Mémoires intérieurs* (pp. 245-249).

Pour les commentaires de Gide à propos de *Dieu et Mammon* (voir Document nº 9).

5. Allusions aux attaques de Massis qui avait réuni ses articles de critiques littéraires sous le titre de *Jugements*, Plon, 1924.

6. Suivent cinq lignes biffées impossibles à déchiffrer, en marge desquelles Mauriac a écrit : « Inutile! »

XXII.

1. L.a.s., sans date, B.I..J.D., Fonds Gide, γ 678.25, écrite sur papier de deuil à en-tête « 89, rue de la Pompe, Passy 50-26 ».

2. L'année de la parution de *Robert (Supplément à l'École des femmes)* aux éditions de la N.R.F.

3. Gide venait probablement d'envoyer à Mauriac un exemplaire dédicacé de l'édition originale de *Robert*.

4. François Le Grix, directeur de *La Revue hebdomadaire*, avait contribué au numéro du 11 janvier 1930 (pp. 131-148) de sa revue, par un article intitulé « A propos de *Robert* ». Il faisait certains reproches d'ordre religieux à Gide. (Ce même numéro de la revue contenait la première partie de *Robert*, dont la deuxième et dernière partie fut publiée dans le numéro suivant du 18 janvier.)

5. Robert, le héros, dont l'hypocrisie a souvent suggéré des comparaisons avec le personnage de Molière.

6. Dans les *Études* du 20 juillet 1929, Mgr de La Serre avait étudié l' « obéissance de l'esprit », cette soumission intellectuelle qui doit être celle de tout bon catholique. « On n'est pas chrétien sans cela », avait-il déclaré (cf. *Robert*, Bibl. de la Pléiade, p. 1324). Gide avait probablement discuté de cette question avec Mauriac et l'argument de celui-ci nous aurait été rapporté, indirectement, par Robert : « L'homme obéit toujours à quelqu'un ou à quelque chose. Mieux vaut obéir à Dieu qu'à ses passions ou ses instincts! propos qui m'avaient été suggérés par quelques réflexions de l'abbé Bredel; et sans doute, précisément parce qu'elles ne sont pas proprement miennes,

m'est-il permis de donner ces réflexions en parfait exemple de la profondeur à laquelle peut prétendre d'atteindre une pensée respectueuse et soumise.» (*Robert*, p. 1328.) On reconnaît bien les méandres de la technique gidienne!

7. Bien que l'année 1930 soit pauvre en lettres, les nombreuses références que Gide fait à Mauriac dans son *Journal* indiquent qu'il continue le dialogue intérieur avec son jeune interlocuteur.

9 mars 1930.

Cessé, pour un temps, de penser à mon Œdipe (qui pourtant s'est beaucoup enrichi des réflexions que m'a fait faire l'article de Mauriac sur Molière, dans ce moment d'ennui qu'est le premier numéro de Vigile*)* (p. 972).

9 avril 1930.

Études sur Molière, sur Rousseau, de Mauriac. Plus habiles que justes. Le poids de la « Vérité » *y fausse le délicat ressort de la balance. Ici et là, c'est toujours ce qu'il cherchait qu'il trouve et rien que ce qu'il voulait trouver. De même Ch. Du Bos, dans Walter Pater. « Tu ne me chercherais pas si tu ne m'avais déjà trouvé.* » Id est : « *Tu ne me trouverais pas là si tu ne m'y avais pas mis* » (p. 980).

Et encore dans sa correspondance avec Roger Martin du Gard :

1er juin 1930.

Quant au Ce qui était perdu *de notre cher Mauriac... ah! que j'aimerais savoir ce que vous en pensez...*

2 juin 1930.

Je n'oserai jamais dire à Mauriac que, loin de donner le dégoût et l'horreur de cet inceste qui se prépare, il ne parvient à rien qu'à faire ardemment souhaiter qu'il s'accomplisse — du moins pour le lecteur que je suis.

23 juin 1930.

Avez-vous lu Ce qui était perdu? *où il fait grand effort pour nous bailler l'inceste comme la plus terrifiante des abominations, sans parvenir à plus qu'à nous le faire... souhaiter (du moins pour le mauvais esprit que je suis!) (Gide-R.M.G.,* Correspondance, *I).*

XXIII.

1. L.a.s., sans date, B.L.J.D., Fonds Mauriac, M.R.C. 1227.

2. Dans la lettre suivante, datée du 11 mai 1931, un lundi, Mauriac mentionne un « pneu » qu'il a reçu de Gide et auquel il tient à répondre « immédiatement ». Il paraît évident que les pages dont il est question dans les deux lettres sont les « Notes sur *Dieu et Mammon* » dont Gide aurait envoyé le brouillon à Mauriac en prévision de leur publication dans *La N.R.F.* de juin 1931 où allaient paraître les « Fragments d'un journal » de Mauriac.

3. « Hier » serait donc samedi. La lettre de Mauriac du 11 mai 1931 parle de « la conversation que nous avons eue samedi », ce qui semble confirmer que le « Dimanche matin » en question est le 10 mai.

4. Ceci explique le fait que les « Notes sur *Dieu et Mammon* », rédigées le 23 mars 1929, n'aient pas été publiées avant 1939. La décision de Gide

de les déchirer sans hésitation ne l'a pas empêché de les recueillir, dix ans plus tard, dans ses *Œuvres complètes.*

XXIV.

1. L. dactyl. s., B.L.J.D., Fonds Gide, γ 678.7, écrite sur papier de deuil à en-tête « 38, rue Théophile-Gautier, XVIe, Auteuil 52-31 ».

2. Il s'agit de la lettre précédente.

3. Les « Notes au sujet de *Dieu et Mammon* », publiées dans les *Œuvres complètes* de Gide (t. XV, pp. 516-528), ne figurent pas dans l'édition de son *Journal* de la Bibl. de la Pléiade (voir Document n° 9).

4. Voir lettre précédente, note 3.

5. Voir Document n° 9.

6. Lettres XX et XXI.

XXV.

1. L.a.s., B.L.J.D., Fonds Mauriac, M.R.C. 1199, écrite sur papier à en-tête « Central-Hôtel Berlin N.W. 7 », accompagnée d'une enveloppe portant le cachet postal : Berlin 14.VII.31.

2. *Souffrances et bonheur du chrétien* venaient de paraître chez Grasset. La première partie, « Souffrances du chrétien », avait paru dans *La N.R.F.* du 1er octobre 1928 (pp. 460-487), et la deuxième « Bonheur du chrétien », dans le numéro du 1er avril 1929 (pp. 459-472). La dernière partie qui, dans le livre, porte le titre de « Encore le bonheur », avait également été publiée dans *La N.R.F.*, le 1er juin 1931, où elle figurait sous le titre de « Fragments d'un journal ». Mauriac avait cependant omis de celle-ci une page concernant Gide (voir ci-après note 3), comme en témoigne la lettre suivante que Jean Paulhan, directeur de *La N.R.F.*, adressa à Gide en date du 24 mai 1931 : « Cher Ami, François Mauriac retire du prochain numéro de *La N.R.F.* une page de son " journal " qui vous concernait. La voici. Je suis à vous, affectueusement J. P. (Je ne comprends pas très bien, à vrai dire, pourquoi il la retire. Elle ne paraîtra que dans le livre.). » Il s'agissait donc d'une omission délibérée et non d'une inadvertance. Gide commenta ce livre de Mauriac et cet incident dans son *Journal* (voir Document n° 11).

Mauriac a toujours préféré passer sous silence la crise religieuse par laquelle il passa à la fin de 1928, début 1929. Cette crise atteignit son point culminant vers le mois d'octobre 1928, comme en témoigne « le cri d'une âme à demi asphyxiée » qu'étaient les « Souffrances du chrétien ». Charles Du Bos, lui-même nouvellement converti, entendit cet « appel au secours » et envoya Mauriac chez le confesseur qui l'avait secouru. « ...entre *Souffrance* [sic] *du chrétien* et *Bonheur du chrétien*, il y a eu, en Mauriac, profonde secousse, perturbation, puis redressement et option fanatique. Le bon Dieu a gagné cette manche-là », écrivit Roger Martin du Gard à Gide (lettre du 14 mai 1929).

3. Voici le passage concernant Gide qui n'a pas paru dans *La N.R.F.*

du 1er juin 1931, mais que Mauriac rétablit dans son livre *Souffrances et bonheur du chrétien* (Grasset, 1931) :

Dans le désœuvrement et la fatigue d'une grippe, je reprends Le Voyage au Congo *de Gide qui, d'abord, m'avait ennuyé comme tous les récits de voyage, et dont je n'avais lu que des fragments. Et soudain, je suis pris, non par l'Afrique, mais par ce Gide si différent de ce que les journalistes ont écrit de lui, si humain si près de la terre, à la fois comme Rousseau et comme Goethe : son émerveillement devant les pierres, les plantes, les insectes, rien que j'admire davantage et dont je ne me sente plus éloigné. Ce Gide qui, en voyage, n'a jamais une réaction basse (on sent trop, parfois, que c'est l'intelligence qui l'en préserve). Dans les réelles souffrances de l'expédition, le rôle qu'il assigne aux plus grands livres, le refuge qu'il y trouve. Aucune pédanterie : ses lectures font corps avec sa vie. La culture, chez lui, n'est pas « à part » comme un gros bagage qu'il faut porter à bras tendus pour étonner les autres. A quel point le caractère de Gide a modelé sa destinée : ce constant bonheur, cet* apparent *bonheur. La Grâce, autour de lui, brûle ses amis, il est cerné par le feu. Ni* Robert *ne me blesse, ni* Œdipe *(bien qu'ils m'attristent). L'essentiel est que vous ne confondiez pas le Maître avec les pauvres hommes qui le suivent de loin. N'espérez point que leur inconséquence vous puisse servir d'excuse éternellement* (pp. 159-161).

XXVI.

1. L.a.s., B.L.J.D., Fonds Mauriac, M.R.C. 1200, écrite sur papier à en-tête « 1 *bis*, rue Vaneau (VIIe), Littré 57-19 », accompagnée d'une enveloppe portant le cachet postal : Paris 17.IV.32.

2. Dans son *Journal*, Gide raconte qu'il était allé faire une cure d'une quinzaine de jours à la clinique de Valmont « pour me reposer, me soigner, éprouver ce que je vaux encore, et si je peux encore oser » (30 mars 1932, p. 1122).

3. Mauriac venait de subir une opération des cordes vocales à la suite d'une infection cancéreuse.

4. Ce roman venait de paraître chez Grasset. Roger Martin du Gard en avait parlé à Gide dans des termes très favorables : « *Le Nœud de vipères* m'a vivement intéressé. Je n'espérais guère. Et c'est un des meilleurs Mauriac, selon moi. Sinon le meilleur » (lettre du 1er avril 1932).

5. Comme Mauriac l'expliquera dans la lettre suivante, il fut nommé président de la Société des Gens de Lettres trois jours après son opération.

XXVII.

1. L.a.s., B.L.J.D., Fonds Gide, γ 678.6.

2. Mauriac raconta plus tard le choc qu'il ressentit lorsque, un après-midi, étant allé chez le médecin pour une extinction de voix, il apprit que son état demandait une intervention chirurgicale immédiate (*Nouveaux Mémoires intérieurs*).

3. Pour *Le Nœud de vipères.*

4. Mauriac verra aussi son élection à l'Académie française en 1933 comme une de « ces coïncidences » : « Ainsi avec cette obstination que j'aurais eue toute ma vie à tirer parti de tout, écrira-t-il dans les *Nouveaux Mémoires intérieurs*, et même de la maladie et de la mort, le défilé aboutissait pour moi à une élection de maréchal à l'Académie française » (p. 163).

5. Mauriac habitait 38, avenue Théophile-Gautier à Paris-XVIe.

6. Au bas de la lettre, nous trouvons la notation suivante de la main de Gide : « Prière télég. 1 *bis*, rue Vaneau numéro téléphone où pouvoir vous parler vendredi matin. Gide. »

XXVIII.

1. L.a.s., B.L.J.D., Fonds Mauriac, M.R.C. 1201, écrite sur papier à en-tête « Cuverville/Criquetot L'Esneval Seine-inférieure. Tél : 27. » L'enveloppe, portant le cachet postal : Criquetot 22. VII. 32, a été conservée.

2. L'article de Mauriac, intitulé « Qui triche », avait paru dans le quotidien *L'Écho de Paris* du 16 juillet 1932, p. 1. Il a ensuite été repris dans le *Journal* de Mauriac, Grasset, 1932, I, 158-165 (voir Document no 12).

3. Il s'agit du passage suivant dans les dernières « Pages de journal » d'André Gide qui venaient de paraître dans *La N.R.F.* de juillet 1932, p. 41 :

« *Il n'y a pas de plaisir à jouer dans un monde où tout le monde triche...* » *Ces paroles du jeune Emmanuel Faÿ, peu avant de quitter la vie, font, à toutes mes pensées, une basse indiscrète, assourdissante* [*Paris, 10 avril 1931*].

(L'édition du *Journal* de Gide dans la Bibl. de la Pléiade ne nous donne qu'une version modifiée de cette notation en date du 17 novembre 1927, p. 862).

4. Les « décades de Pontigny », instituées en 1910, par Paul Desjardins (1859-1940), professeur et critique, se tenaient chaque été dans sa propriété, l'ancienne abbaye de Pontigny, en Bourgogne. Les intellectuels français et étrangers qui s'y rencontraient discutaient librement de sujets d'intérêt spirituel, culturel et académique. Gide, ami de Paul Desjardins auquel il avait dédié ses *Nouveaux prétextes* en 1911, était un habitué des décades. Mauriac assista aux décades suivantes : 1925 (3e décade, 27 août-6 septembre) : « L'autobiographie et la fiction », 1926 (2e décade, 15-25 août) : « L'empreinte chrétienne. A quoi reconnaissable? Disparaît-elle? »; 1929 (2e décade, 21-31 août) : « Sur la réussite classique dans l'art. »

XXIX.

1. L.a.s., B.L.J.D., Fonds Gide, γ 678.8, écrite sur papier à en-tête « 38, avenue Théophile-Gautier XVIe, Auteuil 52-31. »

2. Ce « mot » n'a pas été conservé.

3 Mauriac venait d'être élu à l'Académie française au fauteuil d'Eugène Brieux. Voir également lettre XXVII, note 4.

4. Mauriac fait probablement allusion à la position pro-communiste de Gide révélée par les « Pages de journal » publiées par celui-ci dans *La N.R.F.* à partir de l'été 1932, et non pas, cette fois-ci, à l'écart religieux qui les sépare. Pour les écrits de Mauriac sur le communisme de Gide, voir Documents n°s 12, 13, 15, 16 et 17.

5. André Gide, « Feuillets », *N.R.F.* du 1er mai 1933, pp. 720-727. (Voir Document n° 14).

6. Fernand Vandérem avait vu une contradiction entre la situation financière aisée de Gide et son adhésion au communisme. Au reproche de Vandérem « Comment peut-on être riche et communiste? », Gide avait demandé : « Comment peut-on être riche et chrétien? » Mauriac répondra à Gide par un article intitulé « De l'amour des richesses, de l'ambition, et de l'hypocrisie », qui paraîtra dans *L'Écho de Paris* du 14 octobre 1933, p. 1 (voir Document n° 15).

XXX.

1. L.a.s., B.L.J.D., Fonds Mauriac, M.R.C. 1202, écrite sur papier à en-tête « 1 *bis*, rue Vaneau-VIIe, Littré 57-19 ». L'enveloppe, portant le cachet postal : Paris 12.VIII.33 a été conservée. Cette lettre a été publiée dans *La Table ronde* de janvier 1953, p. 94.

2. *La Revue du siècle* avait publié un numéro spécial (juillet-août 1933) d'*Hommage à François Mauriac*, nouvel académicien. Parmi les collaborateurs figurent plusieurs amis de Gide : Jean Schlumberger, Roger Martin du Gard et Henri Ghéon.

3. En effet, le premier numéro de *La Revue du siècle* (avril 1933) et le troisième (juin 1933), dans la rubrique « Les Guêpes », attaquaient violemment la nouvelle recrue des communistes. Le deuxième article sur Gide terminait en posant la question suivante : « La vieille Miss au cœur sensible finira-t-elle mangée par ses chiens » (p. 95). Même le deuxième numéro de cette revue ne s'était pas privé de dire des méchancetés à son sujet : « Ce diable d'homme ... ne se résigne pas à mourir », déclarait René Vincent (« De Senectute de M. Gide », *La Revue du siècle*, mai 1933, pp. 68-75).

XXXI.

1. L.a.s., déposée à la B.L.J.D., Fonds Gide, γ 678.9, écrite sur papier à en-tête « Malagar Saint-Maixent (Gironde) ».

2. Voir lettre précédente.

3. Mauriac a toujours maintenu que les efforts du « convertisseur » Claudel étaient une perte de temps, surtout dans le cas de Gide (voir Documents n°s 21 et 27).

4. John-Henry Newman (1801-1890), théologien anglican qui se convertit au catholicisme et devint cardinal de l'Église romaine.

5. Mauriac répondra aux « feuillets » de Gide (*N.R.F.* du 1er mai 1933) avec son article « De l'amour des richesses, de l'ambition, et de l'hypocrisie »,

dans *L'Écho de Paris* du 14 octobre 1933. Ce texte est repris par Mauriac dans son *Journal* (Grasset, 1934), I, pp. 165-173 (voir lettre XXIX, note 6 et Document nº 15).

6. En effet, dans ses « Feuillets » Gide aurait pu demander également « Comment peut-on être chrétien et attacher tant d'importance à la gloire temporelle? »

XXXII.

1. L.a.s., B.L.J.D., Fonds Mauriac, M.R.C. 1203, écrite sur papier à en-tête « Cuverville/Criquetot l'Esneval Seine inférieure, Tél. : 27. » Cette lettre a été publiée dans *La Table ronde* de janvier 1953, p. 95.

2. Mauriac avait probablement envoyé à Gide des billets pour la première représentation de sa pièce *Asmodée* qui eut lieu à la Comédie-Française le 22 novembre 1937.

3. Blaise Coûture, prêtre défroqué, vicieux, genre de Tartuffe moderne, a réussi insidieusement à dominer toutes les femmes d'une maison perdue dans les Landes. Gide veut souligner que ce sujet est étonnant pour un écrivain catholique.

4. Gide avait rencontré le fils de François Mauriac, Claude, en octobre 1937.

XXXIII.

1. L.a.s., B.L.J.D., Fonds Gide, γ 678.27, écrite sur papier à en-tête « Nice, hôtel Albert-Ier. »

2. Mauriac rendra à nouveau hommage aux qualités de critique littéraire de Gide, plusieurs années plus tard lors d'un article dans *Le Figaro* (21 août 1946) sur « Les Auteurs et la critique » : « André Gide est, à mon sens, et de loin, le meilleur critique de notre temps », écrira-t-il.

3. Qui fréquentait le salon de Mme Muhlfeld à la même époque que Mauriac et Gide.

4. Claude Mauriac publiera sous le titre de *Conversations avec André Gide*, Albin Michel, 1951, des extraits du journal qu'il tenait lors de sa rencontre avec Gide et pendant l'amitié qui suivit.

XXXIV.

1. L.a.s., B.L.J.D., Fonds Mauriac, M.R.C. 1228. Des extraits de cette lettre ont déjà été publiés dans *Conversations avec André Gide* par Claude Mauriac, p. 105.

2. Nous datons cette lettre d'après son contenu; elle a dû précéder de peu celle de Mauriac du samedi 24 juin (lettre suivante).

3. Malagar, Saint-Maixent, en Gironde, près de Bordeaux. Propriété de la famille Mauriac où l'écrivain retourne régulièrement.

4. Claude Mauriac avait servi d'intermédiaire entre son père et Gide pour inviter celui-ci à passer quelque temps à Malagar.

5. Gide arrivera à Bordeaux le mardi 27 juin 1939. Claude et François Mauriac le virent de loin « dans un vêtement sombre, sa silhouette bien connue surmontée de l'habituel chapeau à large bord » (*Conversations avec André Gide*, p. 114).

XXXV.

1. L.a.s., B.L.J.D., Fonds Gide, γ 678.10, écrite sur papier à en-tête « Malagar, Saint-Maixent (Gironde) ».

2. Que les deux protagonistes aient ressenti une certaine inquiétude à l'idée du séjour qu'ils allaient passer ensemble en toute intimité ne fait aucun doute. « ... Je ne suis pas, vous le pensez bien, sans une certaine inquiétude... », avait confié Gide au jeune Mauriac avant de partir pour Malagar (*Conversations avec André Gide*, p. 100).

3. Au bas de la page se trouvent les notes suivantes de la main de Gide :

Paris	12.30
Bordeaux	19.35
—	20—
Langon	20.32

Le séjour d'André Gide à Malagar en compagnie de François Mauriac et de son fils Claude dura du 27 juin au 11 juillet 1939. Dans ses *Conversations avec André Gide*, Claude Mauriac décrit si fidèlement et d'une façon si vivante la confrontation de ces deux illustres contemporains discutant leur position religieuse, la littérature en général et la leur en particulier, qu'il nous permet d'en être le témoin invisible.

XXXVI.

1. L.a.s., B.L.J.D., Fonds Gide, γ 678.11, écrite sur papier à en-tête « 38, avenue Théophile-Gautier, XVIe ».

2. Gide et les deux Mauriac avaient quitté Malagar le mardi 11 juillet 1939 après un séjour « charmant; on ne peut plus cordial et simple » (lettre de Gide à Roger Martin du Gard du 28 juillet 1939). Ils se rendirent chez la vicomtesse de Lestrange, une amie de Gide, au château de Chitré à Vouneuil-sur-Vienne. François et Claude Mauriac y restèrent jusqu'au 15 juillet puis poursuivirent leur voyage vers Paris, laissant Gide, qu'ils devaient retrouver à Pontigny à la fin de l'été, chez la vicomtesse.

3. *L'Action française* avait été mise à l'index des livres prohibés en 1926 « attendu ce qui s'écrivait dans ledit journal, surtout à cette époque-là contre le Siège apostolique et contre le Souverain Pontife lui-même ». Le 5 juillet 1939, la séance plénière de la Suprême Sacrée Congrégation du Saint-Office leva l'interdiction.

4. Il s'agit des remarques que Gide avait faites dans son journal du 4 juin

1931 (pp. 1047-1048). Celles-ci avaient été publiées dans *La N.R.F.* du mois d'août 1932 (voir Document nº 11).

5. Chapitre intitulé « De la présomption ».

6. Voir lettre XXVIII, note 4.

XXXVII.

1. L.a.s., B.L.J.D., Fonds Mauriac, M.R.C. 1204, accompagnée d'une enveloppe portant le cachet postal : Mont-Dore [date illisible]. Cette lettre a été publiée dans *La Table ronde* de janvier 1953, pp. 96-97, et Claude Mauriac en donne des extraits dans ses *Conversations avec André Gide* (pp. 200-201).

2. Station thermale en Savoie.

3. Homme de lettres, président de l'Association de la Presse théâtrale française, directeur du *Gil Blas*.

4. Serait-ce le même docteur Hautant qui opéra Mauriac en 1932 et dont il parle avec tant d'admiration et de chaleur dans ses *Nouveaux Mémoires intérieurs?*

5. La femme de l'animateur des décades de Pontigny, Paul Desjardins, qui prit la relève de son mari lorsque celui-ci devint trop vieux pour diriger ces décades.

6. La troisième décade, qui devait durer du 26 août au 5 septembre, avait été organisée en collaboration avec le *Times Literary Supplement*. Le sujet de discussion prévu était les « Relations intellectuelles, morales et spirituelles entre l'Angleterre et la France » (voir lettre XXXIX, note 6).

7. André Dubois, chef de cabinet adjoint au ministère de l'Intérieur. André Gide et Claude Mauriac travaillèrent avec lui sur le problème des expatriés et des apatrides durant les mois qui précédèrent la Seconde Guerre.

8. Gide avait perdu sa femme Madeleine le 17 avril 1938.

9. Voici d'autres témoignages de Gide sur son séjour à Malagar : « Je me souviens de ce charmant retour en auto avec François Mauriac. Il me ramenait de Malagar où je venais de passer en compagnie du père et du fils quelque huit jours des plus heureux dont il me souvienne » (*Ainsi soit-il*, Bibl. de la Pléiade, p. 1239). Gide écrivit à Martin du Gard le 28 juillet 1939 du Mont-Dore : « Ce fut charmant; on ne peut plus cordial et simple... » Et, de nouveau, de Cabris, le 19 septembre 1939, au même : « Vous ai-je dit déjà que me liant très étroitement avec le jeune Claude Mauriac qui s'occupait ainsi que moi des réfugiés, je me suis du même coup beaucoup rapproché de son père — ou son père beaucoup rapproché de moi — ou plutôt Claude nous a rapprochés, a si bien fait que j'ai accepté d'aller les rejoindre tous deux à Malagar où j'ai passé quinze jours de fainéantise charmante et sans une minute d'ennui. » Quand il lut cette lettre, lors de la publication de la correspondance Gide-R. M. G. en 1968, François Mauriac déclara dans son « Bloc-Notes » : « Je m'étais toujours demandé si Gide avait été heureux à Malagar, où il séjourna durant une quinzaine en 39. Me voilà tiré d'inquiétude... » (*Le Figaro littéraire*, 8 avril 1968).

10. José Bergamin, écrivain et philosophe catholique espagnol, qui émigra en France après la victoire de Franco.

XXXVIII.

1. L.a.s., B.L.J.D., Fonds Mauriac, M.R.C. 1205, accompagnée d'une enveloppe portant le cachet postal : Pontigny 17.VIII.39. Cette lettre a été publiée dans *La Table ronde* de janvier 1953, p. 97.

2. Claude Mauriac était arrivé à Pontigny le dimanche 13 août 1939.

XXXIX.

1. L.a.s., B.L.J.D., Fonds Gide, γ 678.12, écrite sur papier à en-tête « Malagar Saint-Maixent (Gironde) ».

2. Le 23 août 1939, le jour même de la lettre de Mauriac, fut signé le pacte germano-soviétique. Voir la note 5 ci-dessous.

3. Jeune romancier. Mauriac écrivit une préface pour son roman, *Les Enfants aveugles*, publié chez Grasset en 1938.

4. Pendant son séjour à Malagar, Gide avait plusieurs fois visité, en compagnie de François et Claude Mauriac, un camp de réfugiés espagnols près de Bordeaux.

5. Dans ses *Mémoires* (New York, éd. de la Maison française, 1942, vol. I, pp. 191-192), André Maurois décrit sa visite chez les Mauriac et comment ils apprirent « le formidable coup de poker allemand » :

Vers le 20 août [1939], les nouvelles politiques devinrent plus mauvaises. Inquiets, nous décidâmes de ne pas rester à Essendiéras en septembre et de rentrer à Paris, en passant par Malagar, pour y rendre visite à François Mauriac.

La maison était telle que nous l'attendions et qu'il l'avait si souvent décrite. Maison blanche de vignerons, cuite au soleil, entourée à perte de vue, de tous côtés, de ceps vert pâle, poudrés de sulfate bleu, elle avait la saveur intime, fine et secrète des vieilles liqueurs. François était là, et leurs enfants, et l'abbé Mauriac. Comme si souvent dans le Bordelais, il y avait de l'orage dans l'air. Les mouches étaient collantes, obstinées. Nous fîmes sous un soleil qui tapait dur une longue et mélancolique promenade, en parlant des dangers qui nous menaçaient tous. La paix dépendait alors de la Russie, avec laquelle France et Angleterre négociaient. Le soir, après le dîner, François nous lut sa nouvelle pièce : Les Mal Aimés. *Il lisait bien, de cette voix sourde et blessée qui ajoutait son pathétique propre à celui des personnages. La pièce était belle et plongée dans la même atmosphère de malaise moral, de violence contenue qu'*Asmodée. *Entre le deuxième et troisième acte, nous écoutâmes les nouvelles.*

« Moscou annonce un pacte de non-agression avec Berlin... »

Un des enfants demanda :

« Qu'est-ce que cela veut dire? »

Je répondis :

« Cela veut dire : la guerre. »

6. Voir lettre XXXVII, note 6. Les événements empêchèrent Maurois de rejoindre Gide à Pontigny, où la troisième décade « torpillée par les événements, a été un fiasco complet et, financièrement un désastre; mais nulle atmosphère, plus tranquille et plus gravement recueillie, du très petit nombre des surnageants très choisis, ne pouvait être meilleure pour apprendre la menace grandissante des effroyables événements » (lettre de Gide à Martin du Gard, de Cabris, 19 septembre 1939). Gide quitta Pontigny le lendemain de la déclaration de guerre.

XL.

1. Cet extrait nous est donné par Claude Mauriac dans *Conversations avec André Gide*, p. 236. La B.L.J.D. possède uniquement une enveloppe portant le cachet postal : Cabris, Alpes-Martimes 27.IX.39, adressée à Monsieur François Mauriac, 38, rue Théophile-Gautier, Paris-XVIe, que l'on a fait suivre à Malagar, Saint-Maixent (Gironde). Elle a probablement contenu la lettre dont cet extrait est tiré.

De Pontigny, Gide s'était rendu à Cabris pour y rejoindre sa fille Catherine. La maison des Herbart où étaient descendues Mme Théo Van Rysselberghe et Catherine étant trop petite pour le recevoir, il logeait à « la Mesguière », la demeure que venait de se faire construire Mme Mayrisch de Saint-Hubert, une ancienne amie de Mme Théo.

XLI.

1. L.a.s., B.L.J.D., Fonds Mauriac, M.R.C. 1207. Elle fut publiée dans *La Table ronde* de janvier 1953, p. 98.

2. L'amitié de Gide pour Jean Giono remontait à 1929 quand il lui écrivit une lettre pleine d'enthousiasme après la lecture d'*Un de Baumugnes* et *Colline*. Lorsque Giono, fidèle aux principes pacifistes exposés deux ans plus tôt dans *Refus d'obéissance*, fut incarcéré en 1939 pour avoir refusé de répondre à l'appel de mobilisation générale, Gide mit tout en œuvre pour défendre son ami. La réponse de Daladier à sa lettre fut évasive, mais Giono fut libéré au cours du mois de novembre 1939.

Gide écrivit à Claude Mauriac à ce sujet également : « J'ai correspondu avec votre père au sujet de Giono, emprisonné, comme vous le savez peut-être, pour " propos défaitistes". Heureux de le sentir, ici encore, tout près de moi. Je parle de votre père, car, pour Giono, je ne puis tout à fait l'approuver; mais il s'agit tout de même d'empêcher qu'on le fusille et d'obtenir qu'il soit traité avec égards » (*Conversations avec André Gide*, p. 237).

3. Édouard Daladier fut président du Conseil de 1938 à 1940.

XLII.

1. L.a.s., B.L.J.D., Fonds Mauriac, M.R.C. 1208, accompagnée d'une enveloppe portant le cachet postal : Nice 9.I.40.

2. Adresse du domicile de Dorothy et Simon Bussy. Gide séjourna chez eux jusqu'en mai 1942, où il partit pour la Tunisie (voir lettre XIV, note 5).

3. La première partie du poème de Mauriac, *Le Sang d'Atys* parut dans le numéro du 1er janvier 1940 de *La N.R.F.* (pp. 8-23); la deuxième en 1941 (pp. 630-631). Claude Mauriac décrit l'enthousiasme de Gide lorsque son père lui lut ce poème à Malagar, poème que son père n'osait pas publier « de peur de scandaliser » (*Conversations avec André Gide*, p. 155).

4. Ce texte, abondamment illustré et décrivant Malagar, avait été publié chez Grasset à la fin de 1939.

XLIII.

1. L.a.s., B.L.J.D., Fonds Mauriac, M.R.C. 1209, accompagnée d'une enveloppe portant le cachet postal : 3.[7.]40. Elle a été publiée dans les *Conversations avec André Gide*, pp. 249-250, et dans *La Table ronde* de janvier 1953, pp. 99-100.

2. Gide venait d'arriver à Ginoles pour y faire une cure; il y restera jusqu'au 20 juillet quand il retournera à Cabris.

3. Il avait quitté Cabris au début mai après avoir souffert d'une crise néphrétique pour passer un mois à Vence, au « Domaine de la Conque », en compagnie de Mme Théo. Au début du mois de juin il avait passé quelques jours à Saint-Jean-la-Tourette dans le Puy-de-Dôme avant d'aller à Vichy, où il était resté jusqu'à son départ pour Ginoles.

4. Marcel Drouin (1870-1946) avait épousé Jeanne Rondeaux, la sœur de Mme André Gide. Il avait enseigné la philosophie au lycée de Bordeaux où il avait eu comme élève François Mauriac. Essayiste et critique littéraire, il avait collaboré, sous le pseudonyme de Michel Arnaud, à la revue qu'il avait aidé à fonder, *La Nouvelle Revue Française.*

5. Dominique Drouin (1898-1969).

6. Les troupes anglaises et françaises avaient été évacuées en Angleterre, devant l'offensive allemande, le 4 juin 1940.

7. Jacques Drouin.

XLIV.

1. Carte inter-zone a.s., B.L.J.D., Fonds Mauriac, M.R.C. 1210, adressée à François Mauriac à Malagar et portant le cachet postal : Cabris 29.7.41. Cette carte a été publiée dans les *Conversations avec André Gide*, pp. 254-255.

2. Nous avons établi la date d'après le cachet postal. Gide était toujours l'hôte de Mme Mayrisch (voir Lettre XL, note 1).

3. Les déplacements continuels de Gide expliquent que les lettres qui lui étaient adressées à cette époque se soient égarées; celles de Mauriac n'y font pas exception. La correspondance qu'il entretenait avec Claude Mauriac, publiée dans *Conversations avec André Gide*, fait allusion à des lettres qu'il avait reçues et dont nous n'avons aucune trace.

4. La réponse à Claude Mauriac nous est donnée dans les *Conversations avec André Gide*, p. 254.

5. Ce roman avait paru chez Grasset au début de juin 1941.

XLV.

1. Carte inter-zone a.s., B.L.J.D., Fonds Mauriac, M.R.C. 1211, portant le cachet postal : Nice 8 octobre 1941, adressée à François Mauriac à Paris et que l'on a fait suivre à Malagar. Cette lettre a déjà paru dans les *Conversations avec André Gide*, p. 255 et dans *La Table ronde* de janvier 1953, p. 100.

2. Voir lettre précédente, note 5.

3. Gide venait de prendre une chambre à l'hôtel Adriatic à Nice. Il voulait d'une part s'installer de son côté « pour tâcher de travailler un peu, ayant besoin de solitude, séparé du groupe fermé par Mme Théo Van R., les Herbart et Catherine », qui étaient descendus à la « Pension Scandinave », et, d'autre part il voulait passer l'hiver près de sa fille Catherine à laquelle il enseignait « à dire les alexandrins mieux qu'on ne fait sur la scène aujourd'hui ». (Lettres à Paul Valéry du 21 août 1941 et du 15 août 1941 respectivement).

4. Gide travaille aux *Interviews imaginaires* qu'il pense confier au *Figaro*. Il n'est pas étonnant qu'à cette époque de sa vie, Gide se sentît désœuvré; les événements, mais aussi son âge (il approchait de sa soixante-douzième année) y contribuaient. Comme il le confie à Roger Martin du Gard : « Parfois, souvent, il me semble que ce n'est qu'un bluff et que je n'aurai pas la force, la constance, ni surtout *la foi* qu'il faudrait pour le [son travail] mener loin; que mon œuvre est derrière moi, que je dois prendre mon parti qu'elle ne soit pas une œuvre nouvelle qui pourrait y ajouter beaucoup. » (Lettre de Grasse, 22 septembre 1941).

XLVI.

1. Carte inter-zone a.s., B.L.J.D., Fonds Mauriac, M.R.C. 1212, expédiée de l'hôtel Adriatic à Nice, portant le cachet postal du 15 décembre 4[1], et adressée à François Mauriac à Malagar. Elle a été publiée dans les *Conversations avec André Gide*, p. 256.

2. Pierre Jaccard, « François Mauriac, romancier du péché et de la grâce », *Les Cahiers protestants*, 25e année, 1941, pp. 397-416. L'étude a été reprise par son auteur dans *Trois contemporains : François Mauriac, Jacques Chardonne, Henry de Montherlant*, Lausanne, éd. La Concorde, 1945.

XLVII.

1. L.a.s., B.L.J.D., Fonds Mauriac, M.R.C. 1213. Cette lettre a déjà paru dans les *Conversations avec André Gide*, pp. 261-262, et dans *La Table ronde* de janvier 1953, p. 101.

2. Adresse d'Anne Heurgon chez qui Gide s'était réfugié à Alger. Elle est la fille de l'animateur des décades de Pontigny, Paul Desjardins.

3. Sorti de la clandestinité, Mauriac, de plus en plus engagé dans la politique, collaborait presque quotidiennement au *Figaro.*

4. Gide ne reviendra à Paris qu'en avril 1945.

XLVIII.

1. L.a.s, B.L.J.D., Fonds Gide, γ 678.13.

2. Bien que Mauriac semble avoir écrit l'année 1944, le contenu de la lettre nous indique qu'il s'agit de 1945.

3. Jean Blanzat, écrivain et ami de Mauriac.

4. Jean Paulhan, directeur de *La N.R.F.* après la mort de Jacques Rivière.

5. D'Alger où il était en exil, Gide avait envoyé un article sur « La Délivrance de Tunis » qui fut publié le 11 novembre 1944, dans *Les Lettres françaises*, journal de la résistance qui venait de sortir de la clandestinité. Aragon s'indigna que ce périodique ait accepté de publier Gide en première page. Dans un article intitulé « Retour d'André Gide » qui parut en première page des *Lettres françaises* du 25 novembre, il reprocha au vieil écrivain de ne pas avoir contribué à la résistance, ne fût-ce que par ses écrits. Gide ne répondit pas à ces attaques (cf. *Correspondance Gide-R.M.G.*, II, pp. 278-295).

6. Des Allemands.

7. Le texte de cette lettre, dans laquelle Claude Mauriac décrit l'atmosphère de joie et de crainte du Paris de la Libération, et conseille à Gide d'attendre que les émotions soient calmées avant de revenir en France, nous est livré par son auteur dans les *Conversations avec André Gide*, pp. 262-265.

Dans sa réponse à Claude Mauriac, Gide rendit de nouveau hommage au rôle que son père jouait pendant ces premières années d'après-guerre : « J'admire et aime votre père de plus en plus d'oser assumer un rôle que les passions déchaînées rendent si dangereux. Avec quelle émotion nous lisons ici ses articles, ceux du moins que nous pouvons nous procurer, déplorant que la diffusion des journaux de Paris soit si imparfaite, si inexistante. » (Lettre d'Alger du 3 février 1945, publiée dans les *Conversations avec André Gide*, p. 267).

8. Fils cadet de François Mauriac.

9. On était en train de juger Henri Béraud et Charles Maurras pour leurs écrits collaborationnistes. Tous deux furent déclarés coupables.

10. Albert Camus et Jean-Paul Sartre participèrent à la Résistance à l'intérieur du réseau « Combat ». Un journal de ce nom fut publié clandestinement et ensuite librement après la Libération. Camus y collabora avec plusieurs éditoriaux.

11. Leur première rencontre d'après-guerre eut lieu en mai 1945 à l'occasion d'un déjeuner donné par *Le Figaro* en l'honneur de T.S. Eliot.

XLIX.

1. L.a.s., B.L.J.D., Fonds Mauriac, M.R.C. 1214, accompagnée d'une enveloppe portant le cachet postal : Paris 29.VI.46.

2. Le mariage de la fille de Mauriac, Claire, avec le prince Wiazemsky, allait être célébré le 5 juillet 1946 à Notre-Dame-d'Auteuil.

3. Un des frères de Mauriac, l'abbé Jean, que Gide avait rencontré lors de son séjour à Malagar en 1939, était mort récemment. Gide se trompe en l'appelant le frère cadet, car François Mauriac était le plus jeune des cinq enfants.

L.

1. L.a.s., B.L.J.D., Fonds Mauriac, M.R.C. 1215, accompagnée d'une enveloppe portant le cachet postal : Paris 2[?] .11.46.

2. Jean-Louis Forain (1852-1931). Artiste caricaturiste, connu pour son humour caustique.

3. « La Leçon d'un verdict », *Le Figaro* du 26 novembre 1946, p. 1.

4. Léon Bloy (1846-1917) écrivain catholique à son ami Henry de Groux. Gide nous rapporte également ce mot dans son *Journal* (3 mai 1904, p. 140).

5. Max-Pol Fouchet était le directeur de *Fontaine* « revue mensuelle de la poésie, des lettres françaises et de la littérature internationale », qui parut d'abord à Alger puis à Paris de 1945 à 1947.

6. En effet, la citation est tirée de l' « Apologue de la rose » des *Entretiens sur la pluralité des mondes* (1686) de Fontenelle.

7. Pascal avait commencé sa carrière d'écrivain avec ses pamphlets appuyant la cause des jansénistes contre les jésuites.

LI.

1. L.a.s., B.L.J.D., Fonds Gide, γ 678.36 (Don du professeur Justin O'Brien).

2. Gide avait probablement envoyé à Mauriac sa traduction de *Hamlet* (Gallimard, 1946); il y a plusieurs possibilités quant au deuxième ouvrage, tous les livres suivants ayant été publiés en 1946 : *Thésée* (New York, Jacques Schiffrin, et Paris, Gallimard), *Souvenirs littéraires et problèmes actuels* (Beyrouth, *Les Lettres françaises*), *Journal, 1939-1942* (Gallimard), *Deux Interviews imaginaires, suivies de Feuillets,* (Paris, Charlot), *Le Retour* (Neuchâtel et Paris, Ides et Calendes)...

3. Il s'agit en toute probabilité de la note suivante qui parut dans le *Journal* de Gide : « Ce 13 juillet [1940], je reçois de Mauriac une lettre qui me rassure au sujet de son fils Claude. Elle est datée du 9. J'y lis : "Pour les malheurs publics, notre sensibilité est plus limitée que nous n'osons en convenir". » La lettre de Mauriac dont il est question n'a pas été retrouvée.

4. En 1946, Mauriac était engagé dans une polémique sur l'épuration.

Sa revendication de la charité chrétienne vis-à-vis de ceux qui cherchaient la vengeance mena *Le Canard enchaîné* à le surnommer Saint-François des Assises de Charité-sur-Seine.

LII.

1. L.a.s., B.L.J.D., Fonds Mauriac, M.R.C. 1216. Cette lettre a été publiée dans *La Table ronde* de janvier 1953, pp. 101-102.

2. Allusions aux accusations portées contre Mauriac. Voir note 4 de la lettre précédente.

3. Le parti communiste avait tout fait pour dissuader Gide qui revenait d'un voyage en Russie (juin-août 1936) de publier un compte rendu de son séjour dans lequel il révélait la déception que fut pour lui la Russie soviétique (*Retour de l'U.R.S.S.*, Gallimard, 1936). A l'époque, François Mauriac avait salué les *Retouches à mon retour de l'U.R.S.S.*, complément que Gide publia l'année suivante : « [...] Combien faudra-t-il de mois, d'années, pour que les masses ouvrières découvrent la vérité sur la dictature stalinienne? Mais déjà les meilleurs, les plus désintéressés, ceux qui, sans calcul et sans ruse, attendaient la révélation de nouveaux cieux et d'une nouvelle terre, ceux-là commencent à crier, et on n'étouffera pas leur cri. André Gide ajoute un corollaire à sa première déposition — ce Gide dont il semble que la vocation aura été d'atteindre l'extrémité de bien des erreurs humaines pour en rapporter contre elles un témoignage candide et irrécusable » (« Juillet 1937 », *Le Figaro*, 21 juillet 1937).

4. Il s'agit vraisemblablement de la lettre de Mauriac du 28 novembre.

5. Voir lettre précédente, note 3.

LIII.

1. L.a.s., B.L.J.D., Fonds Mauriac, M.R.C. 1217. Cette lettre a été publiée dans *La Table ronde* de janvier 1953, pp. 102-103, ainsi que dans la *Correspondance* d'André Gide et Roger Martin du Gard, t. II, p. 560.

2. « Les Derniers feuillets de Faust » dans *Le Figaro* du 20-21 juin 1948, p. 1 (voir Document n° 18). « J'ai été profondément ému par l'article de Mauriac, écrivit Gide à Martin du Gard, et lui ai de tout cœur écrit aussitôt... » (lettre du 22 juin 1948). R. M. G. suspectant toujours les intentions d'un croyant, ne put s'empêcher de reconnaître l'intégrité de Mauriac dans cet article : « ... je trouve l'article de Mauriac fort touchant. Insondable naïveté d'avoir attendu jusqu'à ce jour pour désespérer de votre conversion!... Il est gentil de l'avouer. Son désespoir est ingénu, et authentique. Non moins sincère que son affection, — sensible entre les lignes, plus encore que lorsqu'il l'exprime — et qui s'avère solide, *puisqu'elle* résiste à cette ultime déception. Jusqu'ici, cette affection, dont il a souvent donné des témoignages publics (ce qui n'est pas incompatible, bien au contraire, avec les coups de patte hostiles et irrités dont il vous a, souvent aussi, gratifié), pouvait être suspectée; on ne savait pas trop la part qu'y jouait son secret espoir de vous accueillir un jour dans la « famille chrétienne ». Mais, aujourd'hui qu'il sent que la partie

est définitivement perdue, et qu'il n'a plus rien à ménager on ne peut plus douter du tendre attachement qu'il vous garde, malgré tout. S'il prie pour vous, c'est certainement avec un sentiment tout autre que Claudel! » (Lettre à André Gide, Bagnoles, 20 juin 1948.)

3. Publié d'abord dans *La Table ronde* (janvier, mars, avril juin et juillet 1948) puis en volume en 1951 (Monaco, éd. du Rocher). Cette petite étude contenait quelques pages assez sévères sur Gide, entre autres, la suivante :

On passe rarement du vice à Dieu, sinon par l'intermédiaire de l'amour humain, si coupable qu'il soit. La recherche méthodique d'un assouvissement à quoi se ramène le vice et qui crée une existence dramatique, pleine d'ignobles risques, mais fertile en sombres miracles, avec ses raccourcis brusques vers l'anéantissement par le suicide, se suffit à elle-même, et aide ceux qui la pratiquent à se passer de Dieu. Le vice aussi est une musique sourde, une basse continue et pathétique qui accompagne le moindre geste, un regard furtif et jusqu'à nos songes : « une existence pathétique, Nathanaël, plutôt que la tranquillité... » C'était déjà le cri de Gide dans Les Nourritures terrestres. *Peut-être est-ce le pire malheur qui puisse atteindre un homme (si le pire malheur est d'être séparé de Dieu) que de dissocier l'amour du plaisir, de telle sorte que la volupté ne s'accompagne jamais de son contrepoison, qui est la souffrance amoureuse* (éd. du Rocher, pp. 81-83).

LIV.

1. L.a.s., écrite sur papier à en-tête « 38, avenue Théophile-Gautier, XVIe, Auteuil 52-31 », B.L.J.D. γ 678.37 (don du professeur Justin O'Brien).

2. Voir lettre précédente.

LV.

1. L.a.s., B.L.J.D., Fonds Gide, γ 678.33, écrite sur papier à en-tête « 38, avenue Théophile-Gautier-XVIe, Auteuil 52-31 ».

2. Ou 29?

3. Les *Notes sur Chopin* qui avaient paru originellement en décembre 1931 dans la *Revue musicale*, venaient d'être rééditées par l'Arche en 1948.

LVI.

1. L.a.s., B.L.J.D., Fonds Mauriac, M.R.C. 1218. Elle a été publiée dans *La Table ronde* de janvier 1953, p. 103.

2. Gide avait passé le mois de mai à la clinique du Belvédère à Nice. (Cf. R. Martin du Gard, *Notes sur André Gide*, pp. 146-151; *Correspondance* Gide-R. M. G. II, 562; Gide, *Journal* 1939-1949, pp. 333-342.)

3. L'article de Mauriac, « Une anthologie », qui parut dans *Le Figaro* du 4 juillet 1949 (voir Document n° 19), critiquait le choix des poètes fait par Gide dans son *Anthologie de la poésie française*, Gallimard, « Bibl. de la Pléiade. »

4. André Lafon et Jean de la Ville de Mirmont, deux poètes d'origine bordelaise, avaient été victimes de la Première Guerre mondiale. *La Vie et la mort d'un poète*, Bloud & Gay, 1924 de Mauriac est un hommage à André Lafon.

5. Voir lettre XXXIII, note 3.

6. Recueil de poèmes de Lafon.

7. Jean Lambert, le mari de Catherine Gide, nous raconte que cette villa où son beau-père s'était installé pour sa convalescence n'avait rien de « joyeux ». Il nous la décrit comme « une villa assez laide où fourmis et moustiques ajoutaient aux effets d'une chaleur très éprouvante ». (*Gide familier*, Julliard, 1958, p. 125). C'est pendant l'été 1949 que Gide, en collaboration avec Pierre Herbart, commença à écrire un scénario des *Caves* pour un film. Celui-ci ne fut jamais réalisé, seule l'adaptation théâtrale vit le jour (voir lettre LXIII).

LVII.

1. L.a.s., B.L.J.D., Fonds Gide, γ 678.14, écrite sur papier à en-tête « 38, avenue Théophile-Gautier, XVIe ».

2. Revue lancée l'année précédente par Mauriac « avec cet espoir que les meilleurs écrivains de la Droite y rejoindraient les meilleurs écrivains de la Gauche ». Il se demandera une quinzaine d'années plus tard, « comment [il a] pu croire que ce fût possible » (*Nouveaux Mémoires intérieurs*, p. 244). Mais, en août 1949, lorsqu'il définit la « raison d'être » de la revue, il se réclame des principes établis par Gide quarante-cinq ans plus tôt :

[...] *Nous croyons seulement que c'est servir la littérature que de proposer aux jeunes écrivains de collaborer à une revue où la question du langage ne sera pas posée.*

Certes, nous n'ignorons pas que le vrai style consiste à n'en pas avoir et que c'est par l'invisibilité que chez les meilleurs, il témoigne de son existence. Mais des renards à la queue coupée, parce qu'ils ne sont pas des écrivains, ont voulu persuader les jeunes Français que le style ne se porte plus. Nous sommes ici des esprits simples. Nous avons une tendance (peut-être coupable si nous sommes chrétiens) à croire ce que nous enseignait Gide il y a bien des années, dans la préface de L'Immoraliste *: « En art, il n'y a pas de problème dont l'œuvre d'art ne soit la suffisante solution. » Ce Gide de 1902 écrivait encore : « Au demeurant, je n'ai cherché de rien prouver, mais de bien peindre et d'éclairer bien ma peinture. » En vérité, Dieu sait, le diable sait, qu'avec* L'Immoraliste *il avait voulu nous prouver quelque chose! Mais bien peindre, bien éclairer sa peinture, nous n'avons rien de mieux comme entrée de jeu à proposer aux jeunes écrivains pour échapper à cette terreur qui règne dans les lettres (« Notre raison d'être »,* La Table ronde, *août-septembre 1949, p. 1237).*

3. Il s'agit, peut-être, du passage suivant de l'article de Mauriac intitulé « Le Don Juan d'Aix-en-Provence » (*Le Figaro*, du 1er août 1949) : « La nature en vint même à imiter l'art, et l'orage furieux du dénouement qui précipite le Séducteur aux abîmes éclata bel et bien sur les admirables décors de Cassandre, noya les fauteuils de l'orchestre et nous priva durant

24 heures de notre joie. Cependant je surprenais notre ami André Gide, plus jeune et plus luciférien que jamais, revêtu d'une de ces chemises pourpres que les garçons d'aujourd'hui laissent flotter au vent comme des bannières. Il ne venait pas au rendez-vous du Commandeur, mais allait en Avignon s'applaudir lui-même, car Jean Vilar y donnait *Œdipe* au théâtre antique. »

4. *Le Figaro littéraire* (22, 29 octobre et 5 novembre 1949) venait de publier un choix de lettres de la correspondance Gide et Paul Claudel, dont l'édition complète allait paraître. Les lettres données dans l'hebdomadaire étaient celles qui avaient été échangées en mars 1914, lors de la parution des *Caves du Vatican*, et qui avaient confirmé à Claudel les mœurs particulières de leur auteur. Martin du Gard devait reprocher violemment à son ami ce choix de lettres à caractère « exhibitionniste » (lettre de R. M. G. datée Nice, 7 novembre 1940).

5. Claudel qui essayait de ramener Jacques Rivière à la foi et qui disputait l'âme de celui-ci à Gide, avait eu hâte de confirmer « au pauvre Rivière » ses doutes quant aux mœurs de Gide. « Je ne vous cacherai pas, écrivit Claudel à Gide le 9 mars 1914, qu'en même temps qu'à vous, j'ai écrit à deux personnes : à Jammes (un seul mot), et à ce pauvre Rivière à qui vous pouvez faire tant de mal. Pauvre garçon qui avait confiance en vous! » (*Correspondance* Gide-Claudel, p. 222).

Dans un petit livre intitulé *Le Tourment de Jacques Rivière* (Strasbourg : Les éditions de la Nuée-Bleue, 1926) que Mauriac rédigea à l'époque de la mort de son ami, il définit comme suit la position de Rivière :

[...] *Grâce au levain de Claudel, à celui de Gide, fermentent en lui des sentiments extrêmes, incompatibles, désormais soumis à son contrôle. Gide l'aide à se délivrer de Claudel et de Péguy : Claudel et Péguy à se délivrer de Gide.* [...] *« Je suis effroyablement autonome », m'écrivait-il un jour. Voilà le vrai : il ne subissait aucune autre loi que la sienne, mais qu'il se l'imposait durement! Une dure loi, — rien qui ressemble moins à ce jeu vertigineux de Gide entre l'abîme et le ciel* (pp. 10-12).

6. Voir lettre LX et Document n° 21.

LVIII.

1. L.a.s., B.L.J.D., Fonds Mauriac, M.R.C. 1219, accompagnée d'une enveloppe portant le cachet postal : Malakoff 14.11.49. Le brouillon de cette lettre se trouve dans le Fonds Gide, γ 678.16. La lettre a été publiée dans *La Table ronde* de janvier 1953, p. 104.

2. Voir lettre LVII, note 3.

3. Gide fait allusion à l'article de Mauriac, intitulé « Notre raison d'être », qui avait paru dans le numéro d'août-septembre 1949 (voir lettre LVII, note 2, p. 110).

4. Collaborateur de *La Table ronde* à l'époque.

5. Ces quelques pages intitulées *Adagio* que Gide avait rédigées pendant son séjour à la clinique de Nice au mois de mai, seront publiées dans le numéro de décembre de *La Table ronde* (pp. 1827-1832).

6. Le brouillon est rédigé comme suit : « Je reçois de vous la plus exquise des lettres; en la lisant, je sentais fondre mon cœur. Mais naturellement, je n'aurais fait que rire de votre petit coup de patte dans *Le Figaro*, si vous me l'aviez donné dans une lettre particulière. Ce qui m'a gêné et peiné c'est que le lecteur ait pu, ait dû y voir de l'hostilité et de la malignité de votre part. Conquis par les excellentes pages de vous que j'avais lu [*sic*] le mois précédent dans *La Table ronde*, j'ai confié avant-hier à T. M., un seul écrit récent dont je fusse à peu près satisfait. Puisse-t-il ne point trop vous déplaire.

« J'espère vous revoir bientôt — peut-être lundi soir au *Figaro*, un peu avant 7 h. »

LIX.

1. L.a.s., B.L.J.D., Fonds Gide, γ 678.15.
2. Homme de lettres, ami de Gide.
3. *Sic*, pour *Nice*.
4. Il s'agit d'*Adagio*. Voir lettre précédente, note 5.
5. L'article de Mauriac, intitulé « Lettre VI, à Jacques Rivière, à propos de la correspondance Claudel-Gide », sera publié dans *La Table ronde* de décembre 1949 (pp. 1842-1846) (voir Document n° 21).
6. Le rendez-vous proposé par Gide dans la lettre précédente semble avoir eu lieu; nous n'avons, malheureusement, aucun document qui puisse nous renseigner sur leur discussion.
7. Gide n'a pas répondu, par écrit du moins.

LX.

1. L.a.s., B.L.J.D., Fonds Mauriac, M.R.C. 1200, accompagnée d'une enveloppe portant le cachet postal : Paris 12.XII.[49]. Cette lettre a été publiée dans *La Table ronde* de janvier 1953 (pp. 104-106).
2. Voir Document n° 21.
3. Voir lettre LVII, note 5. Jacques Rivière avait épousé la sœur de son ami d'enfance Alain-Fournier. Dévote catholique, Isabelle Rivière travailla à ce que son mari suivît le chemin de Claudel plutôt que celui de Gide.

LXI.

1. L.a.s., B.L.J.D., Fonds Mauriac, M.R.C. 1221, accompagnée d'une enveloppe adressée à François Mauriac au *Figaro*, portant le cachet postal : Antibes 8.3.50.
2. « [Gide] s'installa, en février 50, à Juan-les-Pins, dans une villa que Mme Gould avait mise à sa disposition : l'*Oiseau Bleu*, au bord de la route qui conduit au Cap-d'Antibes. Derrière la maison, un petit jardin arrivait jusqu'à la mer. La pièce du bas, assez vaste, servait de salle à manger et de living-room; Gide y fit mettre un piano. Il avait sa chambre au premier étage » (Jean Lambert, *Gide familier*, pp. 135-136).

3. Dans son article intitulé « Une soirée perdue », dans *Le Figaro* du 7 mars 1950, Mauriac avait glissé la remarque suivante : « Et tout d'un coup la voix ravissante [de Madeleine Renaud] fit entendre à mon oreille le *Nocturne* de ce Léon-Paul Fargue que Gide n'a pas recueilli dans son Anthologie. »

4. Le poète Léon-Paul Fargue est mort le 24 novembre 1947; l'*Anthologie de la poésie française* a été publiée chez Gallimard en 1949.

5. Gide fait erreur; l'article de Fargue, intitulé « Souvenirs sur André Gide », avait paru dans *Les Nouvelles littéraires* (20 novembre 1947) et non dans *Le Figaro*.

6. La semaine suivante, Mauriac ajouta le *P.-S.* suivant à son article hebdomadaire : « André Gide m'écrit que lorsqu'il donna le bon à tirer de son *Anthologie*, Léon-Paul Fargue était encore vivant, ce qui explique qu'aucune œuvre de ce poète n'y figure. Je m'en suis donc étonné à tort » (*Le Figaro*, le 13 mars 1950, p. 1).

LXII.

1. L. dactyl., la formule finale et la signature sont de la main de Gide, B.L.J.D., Fonds Mauriac, M.R.C. 1222.

2. Voir lettre précédente, note 2.

3. Gide ne s'était jamais remis complètement de sa crise hépatique de l'été 1949.

4. « C'est sa [de Léon Blum] grandeur de n'avoir pas cédé à l'amertume ni conclu de l'échec d'une génération à celui de la destinée humaine : " Curieux de constater, notait Gide dans son dernier *Journal* (janvier 1948), que, entre Juif et chrétien, c'est du côté de Blum que l'on peut trouver et reconnaître l'espérance et la foi. Mais j'ai rarement rencontré chez un chrétien pareil désintéressement personnel et pareille *noblesse*... " » (Mauriac, « L'Exemple de Léon Blum », *Le Figaro* du 4 avril 1950, p. 1).

LXIII.

1. L.a.s., B.L.J.D, Fonds Mauriac, M.R.C. 1223, accompagnée d'une enveloppe portant le cachet postal : Paris 12.XII.50. Cette lettre a été publiée dans *La Table ronde* de janvier 1953 (p. 106). C'est la dernière que Mauriac reçut de Gide. Celui-ci mourut le 19 février 1951. Pour les articles et témoignages de Mauriac à la mort de Gide, voir Documents n°s 23-28. Ceux-ci ont été réunis dans un petit volume publié hors commerce par les éditions Estienne, en 1951, sous le titre *La Mort d'André Gide*.

2. Gide était revenu à Paris le 13 septembre pour assister aux répétitions des *Caves du Vatican* à la Comédie-Française. En 1933, il avait adapté « sa sotie » à la scène pour un groupe de jeunes acteurs qui la présentèrent la même année à Montreux, Lausanne et Genève.

3. Mauriac avait écrit la « présentation » pour le Programme des *Caves*

du Vatican, dont la version théâtrale allait être présentée à la Comédie-Française le 16 décembre 1950 (voir Document nº 22).

Par la correspondance Gide-Martin du Gard, nous apprenons que Gide avait demandé à R.M.G. de présenter la pièce au public. R.M.G. s'était récusé en lui conseillant de choisir quelqu'un « hors du clan intime » (lettres du 23, 25, et 26 novembre 1950).

4. Pierre-Aimé Touchard, administrateur de la Comédie-Française de 1947 à 1953.

5. Jean Paulhan.

DOCUMENTS

6.

1. Dans l'organe de la presse catholique *La Croix* du 21-22 mars 1926, Jean Guiraud condamna violemment le jeune homme sensuel décrit par Mauriac (voir réponse de Mauriac dans *La Croix* du 4-5 avril 1926). René Johannet dénonça la « Détestable influence de Gide, écrivain " surfait " (E. Montfort) sur Mauriac » dans *Les Lettres*, mai 1926 :

[...] *Je lis de Mauriac tout ce qu'il m'envoie. J'aime son style phosphorescent, ce je ne sais quoi d'enveloppant, de fondu, de mystérieux, qu'il porte dans la reconstruction de la vie. Sa tournure d'esprit me déconcerte. Je crois que Gide « écrivain surfait », comme dit très justement M. Eugène Montfort dans son fascicule sur le* Roman de Vingt-cinq ans de littérature française, *lui a gauchi l'entendement. Gide lui a fourré dans la tête les idées les plus fausses du monde sur l'action, la détermination. A la suite de cet observateur nul, de cet imaginatif malade et besogneux, Mauriac promène de livre en livre une lamentable théorie de la « mutilation », selon laquelle tout choix, même héroïque, implique une mutilation morale et intellectuelle. Quand on a connu ou deviné l'ivresse de la réalisation, l'intensité de vie que procure l'acte, l'illumination de toute une existence par un grand choix, on rêve devant ces gémissements qui s'adressent à des possibilités, à des troubles, à de l'indistinct. Pour Mauriac confusion, hésitation égalent richesse. Il prend l'impuissance pour la plénitude, l'horizon pour la route, la possibilité de la floraison pour le contenu de la grange et du fruitier* (p. 84).

7.

1. *Numquid et tu?*, dans *Journal 1889-1939*, p. 597.
2. *Ibid.*, p. 604.
3. *Ibid.*, p. 594.

4. *Ibid.*, p. 603.

5. *Ibid.*, p. 602, ainsi que le commentaire pp. 957-958.

9.

1. Voir la lettre XXIII et les notes. Ces pages n'ont paru pour la première fois que dans les *Œuvres complètes* de Gide, t. XV (1939). pp. 516-522.

2. Cette phrase est tirée du passage suivant de *Dieu et Mammon :*

Sans doute, aux époques de sagesse, les littérateurs, eux aussi, évitaient le particulier. Mais « l'homme en général » des classiques ne peut plus guère servir aux païens d'aujourd'hui. Il valait pour des siècles chrétiens où l'accord de tous se faisait sur la loi morale : littérature de portée universelle. Ce qui échappait à ses filets, le cas insolite, étrange, répugnant, c'était l'affaire du confesseur, du casuiste, qui avait vite fait de le rattacher à l'un des sept péchés capitaux et de le soumettre aux sanctions prévues. (Dieu et Mammon, *éd. du Capitole, pp. 71-72*).

3. Remplace « me semble » dans le brouillon.

4. Jean Strohl, professeur à l'Université de Zurich. Contribua à l'*Hommage à André Gide* (1928) avec son article intitulé « Réflexions sur les relations entre l'art et la science » (pp. 183-192).

5. Gide utilise le terme « intelligence » dans le brouillon.

6. Le naturaliste français Étienne Geoffroy Saint-Hilaire (1772-1844) rattacha ses nombreux travaux à une idée : l'unité de composition organique. Il créa l'embryologie et sut retrouver dans les formes bizarres des monstres les parties constituantes des êtres normaux.

7. Gide commente le passage suivant :

[...] *plusieurs modernes réussissent à n'avoir plus peur de la figure qu'ils font dans le monde, même si cette figure trahit des instinct pervertis et réprouvés, selon la règle traditionnelle.*

Sans doute leur faut-il quelque courage, moins admirable à coup sûr qu'ils ne le veulent croire; car on les vit longtemps hésiter, risquer des demi-aveux, puis se débonder. Il a fallu qu'ils fussent soutenus par cette sourde complicité de lecteurs, d'admirateurs qui exigeaient d'eux un exemple, une direction, une justification (Dieu et Mammon, *p. 74*).

8. « ou du moins... possible. » ne figure pas dans le brouillon.

9. « essentiellement... estimaient-ils » est ajouté.

10. « en faisant... récit » est ajouté.

11. Le paragraphe suivant qui se trouve dans le brouillon a été omis de la version finale :

Peu de choses m'affectent plus que ce besoin de dévaloriser celui que l'on veut combattre. Il m'a toujours paru que l'on se diminuait soi-même en cherchant à diminuer son adversaire à sa hauteur. N'est-ce pas là surtout que se reconnaît la grandeur de Nietzsche? qui magnifie Wagner, alors même qu'il s'oppose à lui davantage.

12. Dans le brouillon Gide avait écrit : « [...] je ne ressemblais guère à celui que vous vous figurez ». Ce sont des passages tels que le suivant, où « homme » ressemble étrangement à Gide, qui le poussèrent à faire cette remarque :

L'homme ne cherche donc plus les ténèbres pour se soumettre aux lois de sa chair; mais levant les bras, il secoue joyeusement les chaînes de ses poignets et il en tire gloire et invite à faire de même tous les autres enchaînés. Cette loi inscrite au plus secret de lui-même, il professe qu'elle vient de Dieu. Il le professe avec la même autorité qui lui permit de dénier au saint tribunal de la conscience, toute origine divine. Le péché est-il, ou non, ce qu'on ne peut pas ne pas commettre? Et de cette déchéance, qui nous consolera, sinon ce qui nous a déchus? Regardez, dit-il, je n'ai plus d'inquiétude, je me moque des inquiets, je ris et, à soixante ans, ma jeunesse éclate de joie, et toute cette génération me regarde, m'admire [*Gide, né en 1869, avait soixante ans à l'époque*] (Dieu et Mammon, *p. 184*).

13. « mais du moins... reconnaître » est ajouté. Le brouillon se termine à la fin de ce paragraphe.

14. Gabriel Marcel, « *Dieu et Mammon* de M. François Mauriac », *L'Europe nouvelle*, le 30 mars 1929, p. 409.

13.

1. Les citations de Mauriac sont tirées des pages de journal de Gide publiées dans le numéro de septembre 1932 de *La Nouvelle Revue Française*. Gide, *Journal*, p. 1058 [1er juillet 1931].

2. Gide, *Journal*, p. 1066 [27 juillet 1931].

3. Gide, *Journal*, p. 1065 [17 juillet 1931].

17.

1. Jean Guéhenno, « Lettre ouverte à André Gide », *Vendredi*, le 17 décembre 1937, p. 1. *Vendredi*, hebdomadaire littéraire et politique, né à l'époque du Front populaire, en était le fidèle reflet.

2. Jean Guéhenno, d'ascendance bretonne, professeur et écrivain, champion de la laïcité. André Chamson, romancier de sa terre natale, les Cévennes, l'un des berceaux du protestantisme. Ils furent les fondateurs, en 1936, avec la grande journaliste Andrée Viollis, de *Vendredi*.

3. Gaston Bergery, homme politique.

4. Galtier-Boissière, fondateur, après la Première Guerre mondiale, du magazine satirique et critique *Le Crapouillot*.

20.

1. *Sic* (en réalité trente-trois).

23.

1. Dans son *Journal* (1928-1958), Julien Green rapporte l'anecdote suivante : « On a beaucoup ri d'un télégramme que Mauriac a reçu peu de jours après la mort de Gide et ainsi rédigé : " Il n'y a pas d'enfer. Tu peux te dissiper. Préviens Claudel. André Gide. " » [28 février 1951] (Green, *Journal 1928-1958*, Plon. 1961, p. 855).

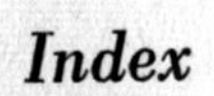

Index

ASSOCIATION DES AMIS D'ANDRÉ GIDE

Siège social : 17, rue de l'Université, Paris-VIIe.
Président d'Honneur : M. André Malraux.
Comité d'Honneur : MM. Jean Delay, François Mauriac (†) et Jean Paulhan (†), de l'Académie française; Mmes Marie-Jeanne Durry, Anne Heurgon-Desjardins et Élisabeth Van Rysselberghe; MM. Marc Allégret, Auguste Anglès, Julien Cain, Étienne Dennery, Gaston Gallimard, Jean Giono (†), Jean Hytier, Marcel Jouhandeau, Pierre Klossowski, Robert Mallet, Pierre Moinot, Robert Ricatte et Jean Schlumberger (†).
Conseil d'administration : Présidente : Mme Catherine Gide; Vice-Présidents : MM. Marcel Arland, de l'Académie française, Georges Blin, professeur au Collège de France, Daniel Moutote, professeur à l'Université de Montpellier, et Justin O'Brien (†), professeur à Columbia University; Trésorier : M. Bernard Huguenin; Membres : MM. François Chapon, Jean Denoël, Claude Gallimard et Jean Lambert; Secrétaire : M. Claude Martin.

Membres :

M. Mohamed Abbas Nasser, Assouan, R.A.U.
Mlle Samiha Abdel Sayed, Toronto, Ont., Canada.
M. Jacques Abélard, Lyon.
Mme Claude Abélès, Paris.
MM. Robert Abs, Bruxelles.
Lucien Adjadji, 95 Eaubonne.
Douglas W. Alden, Charlottesville, Va., U.S.A.
Marc Allégret, Paris.
Robert L. Allain, 95 Ermont.
Luc Alméras-Heyraud, 30 Théziers.
Christian Angelet, Gand, Belgique.

Auguste Anglès, Lyon.
Jacques Antoine, Bruxelles.
Marcel Arland, Paris.
Mlle Jany Arnoux, Northampton, Mass., U.S.A.
Association internationale des Amis de Valery Larbaud, 03 Vichy.
Association internationale des Amis de Charles-Louis Philippe 03 Moulins.
Mme Yvonne Aubert, Paris.
MM. Lloyd J. Austin, Cambridge, Angleterre.
Jean-Louis Backès, Paris.
Jean-Bertrand Barrère, Cambridge, Angleterre.
Henry Bauchau, Gstaad, Suisse.
Mmes Thea Bauer-Sternheim, Bâle, Suisse.
Béatrix Beck, Paris.
Lucille Becker, South Orange, N.J., U.S.A.
M. Marc Beigbeder, Paris.
Mme Christiane Belaïd, Lyon.
M. William M. L. Bell, Canterbury, Angleterre.
Mlle Michèle Béni, 82 St-Porquier.
Mme Miriam J. Benkowitz, Saratoga Springs, N. Y., U.S.A.
MM. Gilbert Bensahel, Paris.
Pierre Bernard, Paris.
André Berne Joffroy, Paris.
Mme Marie-Louise Berrewaerts, Bruxelles.
MM. Enrico U. Bertalot, Reno, Nv., U.S.A.
Robert P. E. Bertalot, Los Angeles, Calif., U.S.A.
Mme Yvette Bertho, 35 Rennes.
Bibliothèque Littéraire Jacques-Doucet, Paris.
Bibliothèque de la Section de Français, Faculté des Lettres, 80 Amiens.
Bibliothèque de la Section de Français, Faculté des Lettres, 29 Brest.
Bibliothèque de l'Université de Colombie Britannique, Vancouver, B.C., Canada.
Bibliothèque Universitaire, Cambridge, Angleterre.
Bibliothèque de l'Université de Cincinnati, Cincinnati, Ohio, U.S.A.
Bibliothèque de l'Université de Floride, Gainesville, Fla., U.S.A.
Bibliothèque cantonale et universitaire, Fribourg, Suisse.
Bibliothèque de l'Université du Kent, Canterbury, Angleterre.
Bibliothèque de l'Université Laval, Québec, P.Q., Canada.
Bibliothèque du Département de Français, Université de Leeds, Leeds, Angleterre.
Bibliothèque de l'Université de Liverpool, Liverpool, Angleterre.

Bibliothèque de University College London, Londres.
Bibliothèque de l'Université du Michigan, Ann Arbor, Mich., U.S.A.
Bibliothèque de l'Université de l'État du Michigan, East Lansing, Mich., U.S.A.
Bibliothèque de l'Université du Missouri, Saint-Louis, Mo., U.S.A.
Bibliothèque municipale, 82 Montauban.
Bibliothèque des Lettres de l'Université de Montréal, Montréal, P.Q., Canada.
Bibliothèque de l'Université des Nouvelles Galles du Sud, Kensington, N.S.W., Australie.
Bibliothèque de la Ville, 45 Orléans.
Bibliothèque municipale, 76 Rouen.
Bibliothèque Universitaire, Sarrebruck, Allemagne.
Bibliothèque Neilson, Smith College, Northampton, Mass., U.S.A.
Bibliothèque de la Sorbonne, Paris.
Bibliothèque de l'Institut Français, Faculté des Lettres, 67 Strasbourg.
Bibliothèque de l'Université Tulane, La Nouvelle-Orléans, La., U.S.A.
Bibliothèque du Département de Français, Université Tufts, Medford, Mass., U.S.A.
Bibliothèque de l'Université du Western Ontario, London, Ont., Canada.
Bibliothèque de l'École Française, Middlebury, Vt., U.S.A.
Mmes Anne Biéler-Freymond, Berne, Suisse.
Jeanne-Marie Bignot, Paris.
Librairie Blackwells, Oxford, Angleterre.
M. Georges Blaizot, Paris.
Mme Marie-Noëlle Blancheteau, Paris.
MM. Georges Blin, Paris.
Claude Blum, 92 Gennevilliers.
Mlle Marguerite Blum, Paris.
MM. Pierre de Boisdeffre, Londres.
Pierre-Jacques Bonnefon, 24 Périgueux.
Mme Irène de Bonstetten, Paris.
M. Georges A. Borias, Paris.
Mme Margaret Boullé, 92 Bagneux.
M. Claude Bourcier, Middlebury, Vt., U.S.A.
Mlle Françoise Bourzay, Lyon.
MM. Gilbert Boutet, 13 Bouc-Bel-Air.
Jean-Louis Bovet, Payerne, Suisse.
Mme Isabelle Bowden, Londres.
MM. George I. Brachfeld, New York.

Michel Braconnier, Paris.
Patrice Brassier, Paris.
Mlle Germaine Brée, Madison, Wis., U.S.A.
M. Joseph Breitbach, Paris.
MM. Jacques Brigaud, 34 Montpellier.
Jean-Jacques Brochier, Paris.
Mlle Diana Brontë, Washington, D.C., U.S.A.
MM. Frederick Brown, New York.
Charles Brunard, Bruxelles.
Jean Bruneau, Cambridge, Mass., U.S.A.
Patrick Bruneau, 86 Montamise.
Pierre Brunet, Paris.
Pierre Budan, 65 Maubourguet.
Jean Bureau, 14 Pont-L'Évêque.
Claude Burgelin, Lyon.
Jean Cacouault, 79 Niort.
Julien Cain, Paris.
Mme Élaine D. Cancalon, Buffalo, N.Y., U.S.A.
MM. Jean-Marc Canonge, 34 Béziers.
Jean Carduner, Ann Arbor, Mich., U.S.A.
Pierre-Georges Castex, Paris.
Jean-Paul Cayeux, 58 La Charité-sur-Loire.
Georges Cesbron, 49 St-Melaine-sur-Aubance.
Mlle Suzanne Champin, 42 Saint-Étienne.
MM. François Chapon, Paris.
Jean-Charles Chatonet, Paris.
André Chevallier, 74 Annecy.
Michel Chomarat, Lyon.
Patrick Chort, 16 Angoulême.
Alan J. Clayton, Medford, Mass., U.S.A.
Gérard Cleisz, Davis, Calif., U.S.A.
Maurice-Edgar Coindreau, Paris.
Georges-Paul Collet, Baie d'Urfé, P.Q., Canada.
Jean Collignon, Northampton, Mass., U.S.A.
François Corre, 33 Montagne.
Jacques Cotnam, Willowdale, Ont., Canada.
Mme Danielle Cousin-Kozloski, West Lafayette, Ind., U.S.A.
Mlle Yvette Coussière, Paris.
Mme Inge K. Crosman, New York.
MM. Luiz Da Cunha Bastos, Paris.
John C. Davies, Armidale, N.S.W., Australie.
Jean Davray, Paris.
Jean-Yves Debreuille, 89 Auxerre
Michel Décaudin, Paris.

Luc Decaunes, 93 Montreuil.
Paul Declercq, 95 Luzarches.
Jean Delay, Paris.
Maurice Deller, Lausanne, Suisse.
Mlles Cécile Delorme, 42 Saint-Étienne.
Andrée Demay, Amherst, Mass., U.S.A.
Mme Madeleine Denegri, Split, Yougoslavie.
M. Étienne Dennery, Paris.
Mme Fanny Dennis, Paris.
MM. Jean Denoël, Paris.
Jean-René Derré, Lyon.
Dominique De Sogus, 84 Le Pontet.
René Desquines Aliguiaires, 82 Montauban.
Mlles Catherine Deyrolle, Paris.
Marisa Di Biase, Milan, Italie.
M. Georges Donckier de Donceel, Bruxelles.
Mlle Geneviève Donnadieu, 43 Yssingeaux.
MM. Bruno Drouguet, Grand-Halleux, Belgique.
Michel Drouin, 92 Courbevoie.
Nicolas Drouin, Paris.
Vincent Druet, 14 Blainville-sur-Orne.
M. Bernard Duchatelet, 29 Brest.
Mme Marie-Jeanne Durry, Paris.
MM. Guy Dussaussois, 65 Argelès-Gazost.
Gérard Edelstein, Paris.
Étiemble, 28 Dreux.
Michel Évieux, Lyon.
Armand Faber, Luxembourg.
Peter R. Fawcett, Leicester, Angleterre.
Mme Marthe de Fels, Paris.
MM. Claude Fernandez, 31 Toulouse.
Lucien Feydel, 76 Rouen.
Mlle Monique Fichet, 69 Oullins.
MM. Marcel Flory, Singapour.
Antoine Fongaro, 11 Homps.
Philippe Fontaine, Paris.
Mlle Madeleine Fourcaud, 42 Saint-Étienne.
MM. Jean-Louis Fournols, 34 Castelnau-le-Lez.
François Frain, Paris.
Nicholas Fraser, Londres.
Henri Freyburger, Pittsburg, Ka., U.S.A.
Yves Gabi, Lausanne, Suisse.
Rémy Gaboret, 92 Vanves.
Mario H. Gacon, 69 Tassin-la-Demi-Lune.

Mme Barbara E. Gaddy, Lexington, Ky., U.S.A.
MM. Claude Gallimard, Paris.
Gaston Gallimard, Paris.
Mme Geneviève de Gandillac, 92 Neuilly-sur-Seine.
MM. Louis-Jean Garcin, 95 Éragny-sur-Oise.
René Garguilo, 94 Villiers-sur-Marne.
Mme Philippe Gastambide, 76 Cuverville-en-Caux.
MM. Serge Gaubert, 42 Saint-Étienne.
Jean Gaulmier, 67 Strasbourg.
Robert Gauriaud, 06 Biot.
Joseph Gauthier, Chestnut Hill, Mass., U.S.A.
Raymond Gay-Crosier, Gainesville, Fla., U.S.A.
Mlle Marie-Lise Gazarian, Jamaica, N.Y., U.S.A.
Mme Catherine Gide, 92 Neuilly-sur-Seine.
MM. Édouard Gide, Paris.
Jean Giono (†), 04 Manosque.
François Glansdorff, Bruxelles.
Guy Glénet, 16 Ambérac.
Mmes Josette Gontier-Martin, Lyon.
Florence Gould, 06 Cannes.
M. Alain Goulet, 14 Caen.
Mme Flora Groult, Paris.
MM. Gérard Gualandi, 83 Rians.
Albert J. Guérard, Stanford, Calif., U.S.A.
Claude Guérin, Paris.
Daniel Guérin, Paris.
Mme Madeleine Guérin, Toulouse.
Mlle Raymonde Guéroult, Paris.
MM. Yves Guirriec, Paris.
Raymond Hamet, Paris.
Mlle Blair Hanson, Meadville, Pa., U.S.A.
MM. Anne-François d'Harcourt, Paris.
Frederick J. Harris, Woodside, N.Y., U.S.A.
Alain Hayet, 64 Pau.
Jean Heitz, 06 Nice.
Robert Héral, 74 Montriond.
Jacques Heurgon, 78 La Celle-Saint-Cloud.
Mmes Anne Heurgon-Desjardins, 50 Cerisy-la-Salle.
Miriam B. Hoge, Spotsylvania, Va., U.S.A.
MM. W. Wolfgang Holdheim, Ithaca, N.Y., U.S.A.
Hassan Honarmandi, Téhéran.
Peter C. Hoy, Oxford, Angleterre.
Bernard Huguenin, Paris.
Patrick Humbert-Droz, Paris.

Taha Hussein, Le Caire.
MM. Jean Hytier, New York.
G. W. Ireland, Kingston, Ont., Canada.
Paul Iseler, Lyon.
Mlle Cécile Jasinski, Paris.
MM. Lucien Jaume, Paris.
Henri Jordan, Lausanne, Suisse.
Lawrence A. Joseph, Northampton, Mass., U.S.A.
Charles Josserand, Paris.
Marcel Jouhandeau, 92 Rueil.
Gérard Jubert, Paris.
Mlle Hilde Jungfleisch, Gersweiler, Allemagne.
MM. Joseph Jurt, Paris.
Grant E. Kaiser, Atlanta, Ga., U.S.A.
Emanuele Kanceff, Moncalieri, Italie.
Mme Elizabeth A. Kidman, Port Pirie, Australie.
MM. Jean-Jacques Kihm (†), Paris.
Pierre Klossowski, Paris.
Mlle Monique Kuntz, 03 Vichy.
Mme Alberta M. Labuda, Poznan, Pologne.
MM. Jean-Pierre Lacassagne, 67 Strasbourg.
Jacques de Lacretelle, Paris.
Gaston de Ladebat, Paris.
Mlle Beth Ladimer, New York.
MM. Henri Laffitte, Paris.
Pierre Lafille, 25 Besançon.
André Lagrange, Paris.
Carlton Lake, Chestnut Hill, Mass., U.S.A.
Jean Lambert, Northampton, Mass., U.S.A.
Gérard Lancosme, 89 Saint-Florentin.
Walter G. Langlois, Lexington, Ky., U.S.A.
Mlle Francine Lanoix, Duvernay, P.Q., Canada.
MM. Jean Lansard, 34 Montpellier.
Jean Lanssade, Paris.
Mme Pierre-Olivier Lapie, Paris.
MM. Yves de la Quérière, Chapel Hill, N.C., U.S.A.
Jef Last, Laren, Pays-Bas.
Mmes Monique Layton, Vancouver, B.C., Canada.
Claude Lebrun, 35 Rennes.
MM. Yvon-G. Lebrun, 76 Heuqueville-sur-Mer.
Maurice Lecerf, Ougrée, Belgique.
Mme Marguerite Lefèvre, 02 Dercy.
MM. Pierre Legros, Bruxelles.
René G. Lehmann, Paris.

Louis Le Moan, 29 Douarnenez.
Pierre Lépine, 63 Chamalières.
Mme Paule A. Lerner, 92 Boulogne-Billancourt.
M. Jean Lescure, Paris.
Mme Yvonne de Lestrange, Paris.
MM. Guy Levasseur, Paris.
Alain Lévêque, Paris.
Robert Lévesque, 68 Colmar.
Mme Jacqueline Lévi-Valensi, 80 Amiens.
M. Daniel Lévy, 69 Oullins.
Mlle Édith Leybold, 94 Villejuif.
MM. Jean-Pierre Lion, 92 Boulogne.
David Littlejohn, Berkeley, Calif., U.S.A.
Mme Yvette Louria, New York.
M. Patrick McCarthy, Haverford, Pa., U.S.A.
Mlle Cathleen McCollom, New York.
MM. Dale F. G. McIntyre, Fredericton, N.B., Canada.
John V. McRae, Moorhead, Minn., U.S.A.
Daniel Machecourt, 14 Courseulles-sur-Mer.
Robert Mallet, Paris.
André Malraux, Paris.
Jean-Claude Mandelier, Paris.
Jean-Albert Margaine, 42 Saint-Étienne.
Mme Jacqueline Marière, Paris.
Mlle Édith Marin, 60 Noailles.
M. Lionel Marmin, 45 Orléans.
Mlle Hélène Marquer, 65 Sombrun.
M. Claude Martin, 69 Sainte-Foy-lès-Lyon.
Mme Christiane Martin du Gard, 61 Bellême.
M. Pierre Masson, 59 Cambrai.
Mme Haruko Masuda, Tokyo.
MM. Kuninosuké Matsuo, Fujisawa, Japon.
Jacques Mauge, 76 Fécamp.
François Mauriac (†), Paris.
Didier Mendelsohn, Paris.
Mlle Sandra Menzella, Florence, Italie.
M. Alain Mercier, 92 Neuilly-sur-Seine.
Éditions du Mercure de France, Paris.
M. Jean-Louis Merle, Paris.
Mlle Françoise Metz, 14 Caen.
M. Bernard Meyer, 60 Fitz-James.
Mmes Joan Meyer, Storrs, Conn., U.S.A.
John M. Mills, Jamaica Plain, Mass., U.S.A.
MM. Luc Moës, Butare, Rép. Rwandaise.

Pierre Moinot, Paris.
Mme Jacqueline Morton, Ann Arbor, Mich., U.S.A.
M. Jean Mouchon, 92 Clichy.
Mlle Anne-Marie Moulènes, Paris.
MM. Michel Mouligneau, Casteau, Belgique.
François J.-L. Mouret, Liverpool, Angleterre.
Daniel Moutote, 34 Montpellier.
Maurice Nadeau, Paris.
Mme Eiko Nakamura, Fukuoka, Japon.
MM. Masahiko Nakayama, Tokyo.
Pierre Naville, Paris.
Serge Naville, 78 Dampierre.
Mlle Jacqueline Nevers, 60 Creil.
MM. Gérard Nèves, Bruxelles.
David J. Niederauer, Vancouver, B.C., Canada.
Masayuki Ninomiya, Paris.
David Noakes, New York.
René-G. Nobécourt, 76 Rouen.
Dominique Noguez, Montréal, P.Q., Canada.
Vincent Nordon, 21 Selongey.
Mme Émilie Noulet, Bruxelles.
MM. Gérard Oberlé, Paris.
Justin M. O'Brien (†), New York.
Mmes Stella Oliwa Bensimon, Montréal, P.Q., Canada.
Martha O'Nan, Brockport, N.Y., U.S.A.
MM. Kevin O'Neill, Parkville, Vic., Australie.
Gérard Ooghe, 80 Heilly.
Mlle Joséphine Ott, Northampton, Mass., U.S.A.
MM. Jean-Marie Paisse, Liège, Belgique.
Dumitru Panaitescu, Bucarest.
André-Louis Pasquet, Paris.
Jean Paulhan (†), 77 Boissise-la-Bertrand.
Marc Pellerin, 92 Antony.
Pierre-Jean Pénault, 14 Luc-sur-Mer.
Gédéon Pényer, Ville Mont-Royal, P.Q., Canada.
Jean-Pierre Péroncel-Hugoz, Alger.
Jean-Louis Pétel, 92 Courbevoie.
Arthur K. Peters, Bronxville, N.Y., U.S.A.
René Peyrin, Marseille.
Mlle Claudette Peyrusse, 82 Saint-Porquier.
MM. Louis Peyrusse, Saint-Porquier.
André Picherit, 69 Saint-Genis-Laval.
Gaëtan Picon, Paris.
Raymond Piermont, 92 Sceaux.

Maurice Pinguet, Paris.
MM. Richard Poisson, Sherbrooke, P.Q., Canada.
André Poizat, Lyon.
Patrick J. Pollard, Londres.
Francis Pruner, 21 Dijon.
Mme Claudine Quémar, 94 Cachan.
MM. Jean Queval, 76 Bois-Guillaume.
Michel Raimond, 45 Orléans.
Henri Rambaud, Lyon.
Charles E. Rathgeb, Lausanne, Suisse.
Mlle Rattanaporn Rattanasiri, 21 Dijon.
MM. Jean Riboud, Paris.
Robert Ricatte, 92 Bourg-la-Reine.
Jean-Pierre Richard, Montréal, P.Q., Canada.
Maurice Rieuneau, 38 Biviers.
Mme Christina Roberts, Toronto, Ont., Canada.
M. Philip Roddman, Brooklyn, N.Y., U.S.A.
Mlle Liliane Rodriguez, 77 Avon.
MM. René Roger, Paris.
Patrick K. de Rosbo, Paris.
Mmes Agathe Rouart-Valéry, 92 Neuilly-sur-Seine.
Liliane Rouday, Montréal, P.Q., Canada.
MM. Léon S. Roudiez, Closter, N.J., U.S.A.
Henri Roumieu, Istanbul.
Jacques Rousseau, 28 Chartres.
Michael L. Rowland, Saint-Louis, Mo., U.S.A.
Mlle Hélène Rufenacht, Paris.
M. Christian Rumillet, 95 Ermont.
Mlle Michèle Sadrant, 33 Bordeaux.
MM. Graham Sage, Oxford, Angleterre.
André Sahel, Paris.
Silviano Santiago, Toronto, Ont., Canada.
Mme Alma C. Saraydar, London, Ont., Canada.
MM. Roland Saucier, 92 Colombes.
Lucien Scheler, Paris.
Jean Schlumberger (†), Paris.
Marc Schlumberger, Paris.
Maurice Schlumberger, 92 Marnes-la-Coquette.
Mme Marie-José Schneider, Wurmlingen, Allemagne.
M. Olivier Schrameck, Paris.
Mme Marcelle Schveitzer, 31 Toulouse.
MM. Jean Sébire, 14 Caen.
Tadashi Séki, Tokyo.
Claude Sicard, 82 Montauban.

Daniel Simard, Morges, Suisse.
Société de Belles-Lettres de Lausanne, Lausanne, Suisse.
Société Paul-Claudel, Paris.
Mme Simone Sohier-Brunard, Bruxelles.
MM. Albert Sonnenfeld, Princeton, N.J., U.S.A.
David A. Steel, Bailrigg, Angleterre.
Louis Stevens, Bruxelles.
Ben Stoltzfus, Riverside, Calif., U.S.A.
Mlle Ruth Storrie, Oxford, Angleterre.
Mme Susan M. Stout, Panama-City, Panama.
M. George Strauss, Bathurst, N.S.W., Australie.
Mlle Marthe Sturm, Northampton, Mass., U.S.A.
MM. François Talva (†), 03 Vichy.
Raimund Theis, Cologne, Allemagne.
Jean Thibault, Dakar.
Jean-Jacques Thierry, 92 Asnières.
Jean Tipy, 87 Limoges.
Cameron D. E. Tolton, Toronto, Ont., Canada.
Jean Touzot, Paris.
Édouard Trémaud, Paris.
Mme Simone Tucoo-Chala, 33 Le Bouscat.
M. Roger Turquin, Lyon.
Mme Françoise Ucla, Paris.
MM. Fred Uhler, Neuchâtel, Suisse.
Claude Valéry, Paris.
Mme Élisabeth Van Rysselberghe, Paris.
MM. Henri Vautrot, Paris.
Jean Verboekend, Zeist, Pays-Bas.
Mlle Odette Vettard, 81 Albi.
Mme Ginette Vidal, 36 Châteauroux.
M. Ivo Vidan, Zagreb, Yougoslavie.
Mme Andrée Viénot, Paris.
MM. Werner Vordtriede, Munich, Allemagne.
David H. Walker, Liverpool, Angleterre.
Graeme D. Watson, Parkville, Vic., Australie.
Kurt Weinberg, Rochester, N.Y., U.S.A.
H. Allen Whartenby, Tampa, Fla., U.S.A.
Donald Wilson, Liverpool, Angleterre.
Patrick Yschard, 27 Pont de l'Arche.
Gianfranco Zaffrani, Rome.

CAHIERS ANDRÉ GIDE

nrf

CAHIERS ANDRÉ GIDE 1 (1969) : Les Débuts littéraires, d'*André Walter* à *L'Immoraliste.*

CAHIERS ANDRÉ GIDE 2 (1970) : Correspondance André Gide-François Mauriac.

CAHIERS ANDRÉ GIDE 3 (1971) : Le Centenaire. *(En préparation.)*

CORRESPONDANCES D'ANDRÉ GIDE

nrf

FRANCIS JAMMES-ANDRÉ GIDE : Correspondance 1893-1938, éd. Robert Mallet.

PAUL CLAUDEL-ANDRÉ GIDE : Correspondance 1899-1926, éd. Robert Mallet.

ANDRÉ GIDE-PAUL VALÉRY : Correspondance 1890-1942, éd. Robert Mallet.

ANDRÉ GIDE-ANDRÉ SUARÈS : Correspondance 1908-1920, éd. Sidney D. Braun.

ANDRÉ GIDE-ROGER MARTIN DU GARD : Correspondance 1913-1951, éd. Jean Delay.

Cet ouvrage
a été achevé d'imprimer
sur les presses de l'Imprimerie Floch
à Mayenne le 14 avril 1971.
Dépôt légal : 2e trimestre 1971.
N° d'édition : 15737.
Imprimé en France.
(10125)